SARAH SPRINZ

Dunbridge Academy

Anymore

Die Romane von Sarah Sprinz bei LYX:

Dunbridge Academy:
1. Anywhere
2. Anyone
3. Anytime
4. Anymore

Infinity Falling:
1. Mess Me Up
2. Change My Mind
3. Bring Me Home

University of British Columbia:
1. What if we Drown
2. What if we Stay
3. What if we Trust

Weitere Romane der Autorin sind bei LYX in Vorbereitung.

SARAH SPRINZ

DUNBRIDGE ACADEMY

Anymore

ROMAN

LYX

LYX in der Bastei Lübbe AG

NACHHALTIG PRODUZIERT

Die Bastei Lübbe AG verfolgt eine nachhaltige Buchproduktion. Wir verwenden Papiere aus nachhaltiger Forstwirtschaft und verzichten darauf, Bücher einzeln in Folie zu verpacken. Wir stellen unsere Bücher in Deutschland und Europa (EU) her und arbeiten mit den Druckereien kontinuierlich an einer positiven Ökobilanz.

FSC www.fsc.org MIX Papier | Fördert gute Waldnutzung FSC® C014496

Originalausgabe

Bei Fragen zur Produktsicherheit wende dich bitte an:
produktsicherheit@bastei-luebbe.de

Dieses Buch wurde vermittelt von der Literaturagentur erzähl:perspektive, München (www.erzaehlperspektive.de)

Textredaktion: Silvana Schmidt
Umschlaggestaltung: © Jeannine Schmelzer, Bastei Lübbe AG
unter Verwendung von Motiven von © shutterstock
(prapann / geen graphy / Timchig / Woodhouse / ajipro / TwentyStudio)
Satz: Greiner & Reichel, Köln
Gesetzt aus der Adobe Caslon
Druck und Verarbeitung: GGP Media GmbH, Pößneck

Printed in Germany
ISBN 978-3-7363-2339-1

1 3 5 7 6 4 2

Weitere Informationen unter:
lyx-verlag.de
luebbe.de | lesejury.de

Liebe Leser:innen,

dieses Buch enthält Elemente, die triggern können.
Deshalb findet ihr auf Seite 397 einen Contenthinweis.

Wir wünschen uns für euch alle
das bestmögliche Leseerlebnis.

Eure Sarah und euer LYX Verlag

Für meine
Leserinnen und Leser, ohne die diese
Geschichte nicht existieren würde.
Ich danke euch für alles.

PLAYLIST

von Grace für Henry

you're losing me – taylor swift
when emma falls in love (taylor's version) – taylor swift
the less i know the better – tame impala
tolerate it – taylor swift
cassandra – taylor swift
castles crumbling – taylor swift feat. hayley williams
i told you things – gracie abrams
death by a thousand cuts – taylor swift
that's so true – gracie abrams
surburban legends (taylor's version) – taylor swift
i wish you cheated – alexander stewart
so long, london – taylor swift
memories – conan gray
i know it won't work – gracie abrams
built to be bad – grace gachot & alex sampson
my tears ricochet – taylor swift
i miss you, i'm sorry – gracie abrams
loml – taylor swift
lose you to love me – selena gomez
little freak – harry styles
this love (taylor's version) – taylor swift
goodbye – miley cyrus
when you love someone – alexander stewart
remember that night? – sara kays
new year's day – taylor swift

PLAYLIST

von Grace für Gideon

wildflower – billie eilish
chance with you – mehro
the joker and the queen – taylor swift feat. ed sheeran
best – gracie abrams
state of grace (taylor's version) – taylor swift
loved you first – one direction
blue – billie eilish
the view between villages – noah kahan
free now – gracie abrams
they don't know about us – one direction
another love – tom odell
say yes to heaven – lana del rey
the edge – sydney ross mitchell
sailor song – gigi perez
i love you, i'm sorry – gracie abrams
teenage dream – stephen dawes
those eyes – new west
dandelions – ruth b.
forever&more – role model
home – good neighbours
dog days are over – florence + the machine
hits different – taylor swift
story of my life – one direction
outro – m83
the manuscript – taylor swift

ELFTE KLASSE

GRACE

September

Man soll aufhören, wenn es am schönsten ist.

Eine von Henrys Lieblingsweisheiten, hat er wohl mal irgendwo aufgeschnappt. Wahrscheinlich von seiner älteren Schwester Maeve.

Er glaubt wirklich daran, er sagt das ständig. Wenn wir in der Bibliothek sitzen, eigentlich lernen wollen, aber stattdessen nicht aufhören können, uns zu küssen. Wenn er bei mir zu Hause ist und aufbrechen müsste, um rechtzeitig zur Flügelzeit zurück im Internat zu sein, aber einfach nicht gehen will. Wenn er mich in die dunklen Nischen der Bogengänge zieht und zwischen den Arkaden mein Gesicht in seine warmen Hände nimmt – um uns herum glitzert der Staub in der Sonne wie in einem verdammten Märchen. Aber im echten Leben gibt es keine Märchen, wer hätte es gedacht.

Als er aufgehört hat, mich zu lieben, wollte ich es nicht wahrhaben. Ich habe es verdrängt, ich habe mir eingeredet, es ist nur eine Phase, weil man mal verliebter und mal weniger verliebt ist, jeder Instagram-Account mit Beziehungsratschlägen versichert einem, dass das dazugehört, kein Grund zur Sorge. Aber bei uns war es anders.

Sind wir ehrlich, ihr habt es doch auch gespürt. Dass er sich in Emma verlieben wird.

Ihr wusstet es in der Sekunde, in der wir im Schulbus vom Flughafen zum Internat saßen und Henry das Gesicht in meine Richtung gedreht hat, aber eigentlich nur diese neue Austauschschülerin aus Deutschland ansehen wollte. Ihr konntet ihn verstehen. Sie ist wunderschön, süß, man möchte sie irgendwie beschützen, aber sie hat auch etwas Geheimnisvolles, wenn sich dieser dunkle Schatten über ihr Gesicht legt, während sie erwartungsvoll aus dem Fenster schaut.

Henry ist hin und weg von ihr, und es wird Wochen dauern, bis er sich das eingestehen kann. Sie ist ein Rätsel, und Henry Bennington liebt es, Rätsel zu lösen. Eine Herausforderung, etwas Aufregendes, Neues. Das Gegenteil dessen, was wir sind nach drei Jahren Beziehung, die sich anfühlen wie ein halbes Leben.

Diese Sommerferien haben wir noch weniger voneinander gehört als sonst. Henry ist zurück, er fühlt sich fremder an als sonst, noch fremder, und nun das. Der ultimative Beweis. Ich langweile ihn, ich kann das schon seit einer Weile in seinem Gesicht sehen. Wenn er diesen Schlafzimmerblick bekommt und den leicht angepissten Zug um seinen perfekten Mund. Wenn er abwesend nickt, obwohl ich etwas sage, das wir früher intensiv, aber respektvoll zu Tode diskutiert hätten. Oh, die intensiven, aber respektvollen Diskussionen mit Henry Bennington, das war vielleicht großartig. Ist schon lange her. Jetzt diskutieren wir nicht länger. Wir einigen uns stumm darauf, dass wir uns nichts mehr zu sagen haben, und fragen stattdessen *Hey, wie hast du geschlafen? – Ja, ich auch – Cool, bis dann, liebe dich.*

Er sagt nicht mehr *Ich liebe dich*. Er sagt es nur noch wie eine Abkürzung. Wie eine Pflicht, der er selbstverständlich nachkommt. Inzwischen höre ich es gar nicht mehr von ihm, weil er es auch nicht mehr von mir hört. Es wäre schließlich gelogen. Ich müsste stattdessen sagen *Ich hasse dich*, aber selbst das würde nichts mehr mit ihm machen. Er würde antworten *Okay, warum das?* und hoffen, dass ich zu höflich bin, um es ihm zu erklären. Dabei hasse ich ihn tatsächlich. Es ist besser, *ihn* zu hassen als Emma Wiley aus Deutschland, aber Emma Wiley aus Deutschland ist der Grund dafür, dass mein Freund mich verlässt.

Ihr müsst verstehen, dass es die beste Sache der Welt ist, im gleichen Jahrgang auf dasselbe Internat zu gehen, wenn man sich liebt und ständig sieht. Und, ihr ahnt es, es ist die schlimmste Sache, wenn man sich nicht mehr liebt und immer noch ständig sieht. Ich kann mir nur wenig Schlimmeres vorstellen.

Die Weinflasche in meiner Hand war schwer, als ich vorhin im alten Gewächshaus angefangen habe zu trinken. Die Musik ist laut, die Mitternachtsparty in vollem Gange.

Jetzt ist die Flasche nicht mehr schwer. Dafür ist es mein Kopf, und die meisten sind bereits ins Bett gegangen, aber ich will nicht gehen. Ich will auch nicht wie ein Wachhund hier sitzen und alles beobachten, weil ganz ehrlich, ich tue doch sowieso nichts, wenn Emma lacht und Henrys Blick weich wird, er immer gleich in ihre Richtung schaut, nachdem er etwas gesagt hat, weil Emmas Reaktion darauf die einzige ist, die ihn interessiert. Manchmal riskiert er beinahe alles und legt den Arm auf die Lehne eines Stuhls, wenn sie neben ihm sitzt. Also ohne sie zu berühren natürlich, weil Emma immer fast ganz auf der Kante hockt und sich nicht zurücklehnt, aber wenn sie sich zurücklehnen würde, dann würden sie sich berühren. Direkt vor meinen Augen. Wäre es mir lieber, wenn sie das täten? Keine Ahnung, natürlich nicht, aber irgendwie schon. Dann könnte ich endlich wütend werden, aufspringen,

Henry konfrontieren, ihn ganz verletzt anschreien, weinen, verzweifelt wegrennen, hoffen, dass er mir folgt, mich draußen am Arm packt, an sich zieht und donnerschlagartig küsst, auch ganz verzweifelt sagt, dass doch nur ich es bin, die er will, aber sie tun es ja nicht. Sie liefern mir ja nie einen Grund, nie was Greifbares, also sitze und warte ich.

Harren sie aus, bis ich verschwinde, um sich dann zu küssen? Haben sie sich schon geküsst? Wenn nein, worauf warten sie? Sie sehen die ganze Zeit schon aus, als würden sie am liebsten zusammen von hier verschwinden, aber das wäre wohl zu auffällig. Dann wüssten alle, was abgeht, nicht nur ich.

Wobei, ab und zu frage ich mich, ob ich tatsächlich die Einzige bin, die etwas bemerkt. Manchmal schaut Gideon so komisch. Er ist nicht nur Henrys bester Freund, sondern auch meiner. Wir kennen uns, seit wir denken können, besuchen seit der fünften Klasse gemeinsam die Dunbridge, und wir wissen alles übereinander. Also jedenfalls beinahe.

Wenn Gideon Attwell so guckt, kann ich wohl aufhören, mich selbst zu gaslighten und mir einzureden, ich würde nicht sehen, was ich sehe. Er ist maximal abgefuckt. Es ist selbstverständlich nur eine Nuance. Keine steile Zornesfalte zwischen seinen buschigen Brauen oder angepisst verzogene Lippen, das wäre zu viel für jemanden wie ihn, einen ernsthaften und noblen Kerl, der sich stets im Griff hat. Ein warnendes Funkeln in seinen bernsteinfarbenen Augen, vorgeschobener Kiefer. Natürlich würde er nie etwas sagen. Er ist es gewohnt, in Henrys Schatten zu stehen. Das war schon immer so. Henry kriegt die Mädels, die Lacher, die Auszeichnungen und die Verantwortung. Er ist eben einfach perfekt, wisst ihr ja. Deshalb bleibt mir leider keine andere Wahl, als ihn zu lieben, auch wenn es mich ruiniert und womöglich in den dunkelsten Abgrund hinabstoßen wird, den man sich vorstellen kann.

Ich trinke noch einen Schluck und blinzele müde. Henry blinzelt auch müde, garantiert wäre es ihm recht, wenn ich verschwinde, damit er auch verschwinden kann. Mit Emma.

Er hebt den Kopf, als ich mich zu ihm drehe. »Muss dann mal ins Bett.«

Er nickt, beugt sich vor und küsst mich zum Abschied. Macht der Gewohnheit. *Grace an der Hand nehmen, sie heranziehen, Mund auf ihre Lippen pressen, lächeln*, früher hat er dann den Kopf schief gelegt, aber das macht er jetzt ja nicht mehr. Das würde ich auch gar nicht wollen. Schließlich kann er mich mal. Ich werde daher nach Hause gehen, versuchen zu schreiben, bemerken, dass ich zu blockiert bin, und stattdessen durch die Englisch-Pflichtlektüre blättern, so als wäre ich dann in der Lage, eine bessere Prüfung abzulegen als er.

Er sagt *Schlaf gut*, er sagt *Schreib mir, wenn du zu Hause bist*, so als würde er ernsthaft daran glauben, mir dann noch zu antworten, wenn ich das tue, oder nachzufragen, wenn ich es nicht tue. Aus den Augen, aus dem Sinn. Jetzt gibt es nur noch Emma.

»Warte mal.«

Mein Herz überspringt einen Schlag. Für den kürzesten Moment glaube ich, dass er mir nach draußen gefolgt ist. Henry, etwas außer Atem, weil er vom alten Gewächshaus durch den dunklen Park gerannt ist, um mich einzuholen. Damit wir reden können, bemerken, dass wir uns doch noch lieben, uns heftig streiten, aussprechen und schließlich hemmungslos küssen können.

»Gideon?«, frage ich, als ich mich umgedreht habe. Eher ernüchtert, aber auch froh, dass er es ist.

»Ja.« Er bleibt vor mir stehen und fährt sich mit einer Hand durch die Haare. Seine Brust hebt und senkt sich angestrengt. »Du gehst schon?«

Die Sache ist die: Für Gideon Attwell laufen all meine Gedanken, meine Gefühle, Sorgen und Wünsche in Form eines perfekt lesbaren Banners in meinen Augen ab. Wann immer ich ihn ansehe, reicht ihm ein Blick, und er versteht. Er kennt mich einfach zu gut. Das liegt selbstverständlich daran, dass jeden Sommer, wenn er im Internat geblieben ist und Henry in den Ferien weg war, in fernen Ländern, bei seiner Familie, eine Welt entstanden ist, in der nur wir beide existiert haben. Gideon Attwell und ich, ohne unsere Freundinnen und Freunde, ohne alles, was uns stören könnte. Genau genommen waren das die besten Wochen. Sie haben etwas zwischen uns geformt, von dem ich noch nicht herausgefunden habe, was es ist.

Er braucht keine Worte, um mit mir zu kommunizieren. Er liest mich wie ein Buch. Jetzt muss ich meine Schrift verschlüsseln, fremde Hieroglyphen, damit er nichts bemerkt von all den schlimmen Dingen in meinem Kopf.

»Ja, ich bin müde«, sage ich, und Gideon nickt nur, ohne mir zu glauben.

Sein Blick liegt auf mir, und es überkommt mich einfach. Ich kann mich nicht dagegen wehren. Ich stelle mir vor, was wäre, wenn er mich jetzt einfach küssen würde.

Weltuntergang. Kernschmelze. Nukleare Großkatastrophe der aussichtslosen Sorte, alles vorbei. Er darf mich niemals küssen, aber warum sollte er das auch wollen? Bin ich betrunken? Ich muss ins Bett.

»Verstehe.« Er schluckt beherrscht und sagt mal wieder nicht das, was er eigentlich sagen will. »Hab mich nur gefragt …« Mein Herz schlägt schneller. »Geht es dir gut?«

Ich blinzele zweimal. »Klar. Wieso fragst du?«

»Du bist traurig.« Gideon schiebt die Hände in die Taschen seiner Dunbridge-Jacke und kommt einen Schritt näher. In meinem Magen regt sich etwas, als ich die Breite seiner Schultern registriere und zu ihm aufblicken muss. »War zumindest mein Eindruck. Deshalb wollte ich nachfragen. Ob alles okay ist.«

Ja. Gideon Attwell ist erwachsen geworden in den letzten Jahren. Er ist gewachsen, schlaksige ein Meter achtundachtzig, und dieses rotbraune Haar, das ich lange nicht mehr berührt habe, wie mir gerade auffällt. Nicht, dass ich es jetzt berühren will. Aus welchem Grund auch? Nur weil es weich und voll aussieht und sich sein Blick auf meine Lippen legt, einen kurzen Moment lang? Das wäre völlig albern, ihr habt recht.

»Hat Henry was zu dir gesagt?«

Bei seinem Namen zuckt Gideon leicht zusammen. »Was? Nein. Wieso sollte er?«

»Wegen Emma.« Er tut weh, ihr Name auf meiner Zunge. Wenn sie wenigstens einen beschissenen Namen hätte, aber nein, auch der ist wunderschön.

»Nein.« Gideons Schultern senken sich wieder. »Eigentlich reden wir schon seit einer Weile nicht mehr wirklich.«

»Warum nicht?«

Ein Muskel an seinem Kiefer spannt sich an, aber er zuckt nur mit den Schultern. »So halt.«

»So halt?«, wiederhole ich.

»Ja.« Er kickt einen imaginären Stein mit der Spitze seiner Converse zur Seite. »Haben uns nichts zu sagen.« Ich nicke langsam, was einigermaßen lächerlich ist, denn Gideon sieht aus, als hätte er Henry eine ganze Menge zu sagen. »Es regt mich auf«, fährt er fort. »Was er gerade abzieht.«

Gideon Attwell, der Typ, der stets in Rätseln spricht.

»Mit der Rugby-Aufnahmeprüfung?«, schlussfolgere ich.

»Nein.« Er schaut mir ins Gesicht. »Mit dir.«

Mein Magen dreht sich langsam um sich selbst, bis er sich fast schwerelos anfühlt.

Ich kann nicht mal nicken.

Gideon verlagert das Gewicht von einem Bein auf das andere. Er legt den Kopf etwas schief. Das darf er nicht machen. Ich habe eine Schwäche dafür, so angesehen zu werden, was er weiß, zumindest denke ich das, denn Gideon Attwell weiß ungefähr alles über mich. »Warum machst du das Lauftraining nicht mit ihm?«

»Ich hab für so was keine Zeit.« Ich kann nicht verhindern, dass ich bitter klinge. So will ich nicht sein, aber anscheinend bin ich es. Mein Freund geht lieber mit einem anderen Mädchen laufen, das wusste ich schon, bevor er sich anstandshalber bei mir erkundigt hat, ob ich mit ihm trainieren würde. Ich weiß, wann es sich nicht mehr lohnt, zu kämpfen. Das mit Henry und mir ist schon zu viel verschwendete Energie, ich habe keine mehr übrig.

»Soll ich was zu ihm sagen?«

Ein flaues Gefühl breitet sich in meinem Magen aus. Ich lache leise, um es im Keim zu ersticken. »Was denn?«

»Dass ich es richtig scheiße finde, was er da gerade macht.«

Erstaunlich. Gideon ist also nicht neutral, er ist auch nicht Team Henry und Emma, so wie gefühlt alle an dieser Schule. Jetzt gerade gibt er mir deutlich zu verstehen, dass er mich wahrnimmt. Damit kann ich selbstverständlich nicht umgehen.

Ich recke leicht das Kinn. »Gideon, er kann laufen gehen, mit wem er will.«

»Er tut dir weh.«

»Tut er nicht.«

»Doch, tut er.« Er macht einen Schritt auf mich zu. »Und ich hasse es, das zu sehen, Grace. Du weißt gar nicht, wie sehr ich es hasse.«

Mein Atem stockt, ich höre wirklich auf zu atmen, zumindest für einen Moment. Bis er vor mir steht, so nah, dass ich ihn riechen kann, so anders als Henry, so nah, dass der Versuch einer Nach-vorn-Bewegung genügen müsste, ein Neigen meines Kopfes, ein Heben meines Kinns, und alles würde explodieren. In die Luft gehen. Will ich, dass alles in die Luft fliegt? Will ich, dass meine Hände sich heben und seine Brust berühren? Gott, seine Brust. Sein Körper ist warm, meine Augen schließen sich, aber im Gebüsch hinter uns knackt etwas, die Tannen wiegen sich im Wind, ein Käuzchen ruft.

Wir weichen zeitgleich zurück, und ich weiß, ich weiß es einfach.

Ab jetzt wird nichts mehr sein, wie es war.

1. KAPITEL

GRACE

Ihr müsst verstehen, dass sich dieses Schuljahr alles anders anfühlt. Die Rückkehr aus den Sommerferien, der Sonntag vor Beginn der zwölften Klasse. Das letzte Mal Ankunftstrubel, Koffer, die zwischen Land Rovern und Limousinen über das unebene Pflaster im Innenhof der Dunbridge Academy gezogen werden, Lachen, Umarmungen und die verschüchterten Blicke der Neuen. Es könnte alles wie immer sein, aber nichts ist wie immer, denn der Westflügel des Internats ist niedergebrannt, und ich bin zum ersten Mal seit vier Jahren am letzten Sommerferientag ohne jemanden, der mich liebt.

»Heftig, oder?«

Ich muss den Kopf nicht drehen, um zu wissen, dass Henry neben mir steht. Ich muss nur angespannt lächeln und das Brennen in meinen Augen wegblinzeln, während ich mich dafür verfluche, dass seine Stimme einfach für immer die schönste Stimme auf der ganzen Welt sein wird.

Er stützt sich mit den Unterarmen auf die Balustrade neben mir ab. Der Stoff des Schuluniformjacketts spannt leicht über seinen Schultern, und seine Haare sind immer noch ein Traum, dunkel und perfekt.

»Was meinst du?«, murmele ich, während hinter uns ein paar kreischende Sechstklässler vorbeirennen.

»Alles.« Henry zuckt nachdenklich mit den Schultern, woraufhin ich mich frage, ob er uns meint, aber sein Blick liegt auf dem Westflügel. Verpackt in ein Baugerüst, thront das vom Feuer zerfressene Gebäude wie ein Mahnmal über dem Innenhof und überschattet die Euphorie und Wiedersehensfreude der Ankömmlinge. »Morgen ist unser letzter erster Schultag«, fährt Henry fort, mit einem tapferen Zug um den geschwungenen Mund und dieser leicht verträumten Melancholie, die einem keine andere Wahl lässt, als sich auf der Stelle in ihn zu verlieben. Man kann Emma keinen Vorwurf machen. Man kann niemandem einen Vorwurf machen. Auch ihm nicht, er ist einfach so. Man möchte an seiner Seite sein und jeden seiner Gedanken kennen, damit man sie für immer kennt, auch dann noch, wenn man nicht mehr an seiner Seite ist.

»Hör auf, jetzt schon traurige Abschiedsstimmung zu verbreiten«, sage ich, ohne etwas zu fühlen, denn mir wird währenddessen klar, dass es wirklich stimmt. Das Jahr des Abschieds, es ist angebrochen, und ich bin nicht bereit.

»Tue ich nicht.« Henrys Stimme klingt belegt. Für ihn ist das hier richtig schlimm. Henry Bennington hat mit seinen Ärzte-ohne-Grenzen-Eltern an zig Orten gelebt, ist hundertmal umgezogen, hat mehrere Schulen besucht, bevor er hier, an der Dunbridge Academy, ein Zuhause gefunden hat. Ich dachte mal, ich wäre dieses Zuhause für ihn, aber wie sich herausgestellt hat, habe ich mich geirrt.

»Wie geht's Olive?« Er blickt zu mir auf. Die Sonnenstrahlen fallen auf sein Gesicht, und seine Augen, uff, seine Augen sind grüner, als Augen sein dürften. Ich muss mich kurz sammeln. »Warst du bei ihr?«

»Ja, sie macht Fortschritte.« Das stimmt, und ich danke jeden Tag dem Himmel, dass Olive Henderson aus diesem brennenden Gebäudeteil gerettet wurde, bevor etwas passieren konnte, an das ich unter keinen Umständen denken will. »Ich hoffe, sie kann bald zurückkommen.«

Henry nickt. Dann richtet er sich wieder auf, wofür ich ihn hasse und liebe, denn er steht neben mir, er überragt mich um einen halben Kopf, und mein dummes, dummes Hirn schaltet um und fühlt sich klein und beschützt, so wie immer in seiner Anwesenheit. »Und wie geht's dir?«

Unsere Lieblingsfloskel seit der Trennung, wir wenden sie regelmäßig an, weil wir so erwachsen sind und hiermit umgehen wie Profis.

»Gut.« Ich möchte weinen, also lächle ich, das Einzige, was dagegen hilft. »Und dir? Habt ihr schöne Ferien gehabt, du und …«

»Grace«, sagt Henry nur, was mich irritiert. Er hält sich nicht an die unausgesprochene Regel, dass es zwischen uns nicht mehr als Small Talk geben kann. Besser für alle Beteiligten, nehme ich an. Besser wäre es jetzt auf jeden Fall, denn sein besorgter Blick gefällt mir nicht. Irgendwie muss ich ihm ausweichen. Irgendwie bin ich physisch nicht in der Lage, ihn zu erwidern.

»Ihr wart gemeinsam in Deutschland?«, fahre ich fort, bevor er mich weiter irritieren kann.

»Ja, das war sehr schön.« Henrys Blick gleitet über mich. Ihm passt das hier nicht. Dass ich ausweiche, aber ich muss ausweichen, wenn ich merke, dass er mich so ansieht, meinen Körper wahrnimmt, den er besser kennt als die meisten, ich hasse das, und ich habe Angst, dass er irgendwann etwas dazu sagt. Bislang hat er sich zurückgehalten, aber jetzt haben wir uns acht Wochen nicht gesehen. Ich zupfe am Ärmel des Dunbridge-Sweatshirts, das für einen Tag im August eigentlich viel zu warm ist, aber es ist auch viel zu groß, perfekt, um sich darunter zu verstecken, und außerdem schwitze ich nicht mehr. Eigentlich friere ich nur noch, seit vor ungefähr einem Jahr alles zerbrochen ist. Eine Kälte, die von innen kommt. Ich denke, entweder man kennt sie, oder man ist zu beglückwünschen.

»Wie geht es deinen Eltern?«, frage ich schnell weiter.

Henry öffnet den Mund, aber er kommt nicht zu einer Antwort.

»Da bist du.« Emma taucht neben ihm auf. Dann bemerkt sie mich und lächelt zögerlich. »Hey, Grace. Schöne Ferien gehabt?«

So geht das den ganzen Vormittag, und obwohl sich ein Teil von mir freut, dass der Schulhof wieder mit Leben erfüllt ist, ist ein anderer wie betäubt. Weil sich mein Lächeln nicht echt anfühlt, sondern wie eine Maske. Weil ich sage *Ja, total schön, und du?,* obwohl nichts an diesen Ferien schön war. Es waren die längsten acht Wochen meines Lebens. Und die einsamsten. Vielleicht sogar die schlimmsten. Ziemlich sicher die schlimmsten. Die ersten drei habe ich damit verbracht, mich zu fragen, wie viel Prozent Hautoberfläche eines menschlichen Körpers verbrennen kann, bevor jemand stirbt, und ob sie im Krankenhaus lügen, wenn sie sagen, dass Olive jung ist und sich erholen wird.

»Hast du Gideon gesehen?«, fragt Henry, wohl an mich gerichtet, und blickt nach vorn auf den Schulhof. Er legt dabei die Hand um Emmas Taille und zieht sie abwesend an sich.

Meine Finger kribbeln, ich schlucke. »Nein.«

»Ist er oben? Habt ihr nicht …?«

»Nein, Henry.« Ich fauche nicht, aber viel fehlt nicht. »Ich habe ihn noch nicht gesehen.«

Eine steile Falte gräbt sich zwischen Henrys Brauen. »Ach

so? Ich dachte … Ist er bis zuletzt in London geblieben und nicht früher zurückgekommen?«

In London also. »Frag ihn am besten selbst, falls du ihn findest«, murmele ich. »Ich muss los.«

Muss ich wirklich, neue Schülerinnen und Schüler begrüßen, auf ihre Flügel bringen, aber ich kann nur daran denken, dass es absurd von Henry ist, mich nach Gideon zu fragen.

Seit acht Wochen rätsele ich schließlich, wo er steckt. Warum er mit keinem Wort erwähnt hat, dass er diese Ferien nach Hause fährt, sofort nach dem verhängnisvollen Sommerfest, und warum er in diesen zwei Monaten kein einziges Mal von sich hat hören lassen, obwohl ich ihm geschrieben habe, besorgt war, mich erkundigt habe, ob alles in Ordnung ist.

Nichts.

Funkstille.

Sommerferien ohne Gideon Attwell, zwei Dinge, die eigentlich zusammengehören. Seit Jahren ist das so, eigentlich sogar schon immer. Wir zwei, das seltsam ausgestorbene Internat, Hitzenächte und Sonnentage, von früh bis spät draußen, auf warmen Wiesen, in kühlen Wäldern, Wochen ohne Zeit, nur wir beide, kein Gedanke an niemanden. Manchmal ist Gideon auch früher für eine kurze Weile nach Hause gefahren, meist dann, wenn ich mit meiner Familie in den Urlaub geflogen bin, aber nie länger als zwei Wochen und nie, ohne mir zuvor Bescheid zu sagen. Er hat mir immer Bescheid gesagt. Warum hat er mir diesmal nicht Bescheid gesagt? Es ist, als wäre es ihm egal geworden. Das alles, mit … *uns*.

Ich weiche einer Gruppe Schülerinnen aus, die ihr Gepäck über den Hof schieben, und lächele ihnen flüchtig zu.

Uns. Unsinn. Schließlich gibt es kein *Uns*. Also keins im konkreten Sinne, es war nur … Keine Ahnung, was es war. Womöglich der Beweis, dass ich besser auf mich aufpassen muss, weil, bei Gott, ich habe keinen blassen Schimmer, wie ich so etwas wie mit Henry noch mal mitmachen soll. So eine Enttäuschung und solchen Schmerz.

Gideon war … glücklicherweise da, als ich nach der Trennung meinen Tiefpunkt erreicht hatte, er hat mir zugehört, mich verstanden und ein Stück weit wieder zusammengesetzt. Während dieser Theaterproben im Frühjahr war das verflucht noch mal alles für mich, und ich dachte, für ihn wäre es … wenigstens irgendetwas. Wenigstens gute Freundschaft, aber bei guter Freundschaft verschwindet man nicht plötzlich und taucht acht Wochen lang ab, meldet sich auf keine Nachfrage, oder wie seht ihr das?

Keine Ahnung, ob er schon wieder hier ist. Ob er überhaupt zurückkommt, ob ich ihn dann sehen werde, aber wenn ich ehrlich bin, weiß ich gar nicht, ob ich ihn sehen will. Ich wüsste nicht, was ich ihm zu sagen hätte. Ich bin zu gekränkt, okay?

Und ich vermisse ihn. Ich vermisse, wer ich bin, bei ihm. Ich vermisse, wie es sich angefühlt hat, aber jetzt *hasse* ich, wie es sich anfühlt. Diese peinliche Hoffnung, dass alles vielleicht nur ein Missverständnis war. Dass Gideons Handy in Flammen aufgegangen ist und er, egal wie sehr er sich darum bemüht hat, schlichtweg nicht in der Lage war, Kontakt herzustellen und sich bei mir zu melden. Ihr lacht, aber auf diese Weise funktioniert mein Kopf. Hoffen bis zuletzt, auch wenn längst klar ist, dass keine Hoffnung mehr besteht. Weil alles andere viel zu weh täte, und wehgetan hat es in letzter Zeit genug. Aber ich wäre nicht Grace, wenn ich mir das anmerken ließe.

Ich gehe durch die Menge auf ein Mädchen zu, das neben seinen Eltern steht und sich verloren umschaut.

»Hey, du bist neu, oder?« Ich kann lächeln, ich kann helfen, ich kann das alles, auch mit gebrochenem Herzen. »Ich bin Grace. Willkommen an der Dunbridge Academy.«

»Sieh es dir an und geh noch einmal in dich«, sagt Dad, ohne von seinem Handy aufzublicken. »Vielleicht änderst du deine Meinung.«

Ich nicke, ebenfalls ohne ihm ins Gesicht zu sehen, dafür rolle ich mit den Augen und betrachte die übereinandergeschlagenen Beine meines Vaters im cremefarbenen Ledersessel mir gegenüber. Es ist mir ein Rätsel, warum er es für nötig hält, mich auf meiner Rückreise ins Internat zu begleiten. Sonst hat er das auch nie getan. Das Höchste der Gefühle war es, mich am London City Flughafen abzuliefern, aber in aller Regel wurde ich von Mum und ihm direkt in der Einfahrt des *Attwell* verabschiedet, wo sie dem Wagen hinterhergewunken haben, der mich zum Familienjet gebracht hat. »Der Platz in St. Paul's wird für dich freigehalten. Redshaw ist mir sowieso noch einen Gefallen schuldig.«

Wie schön für ihn und den Rektor dieser Schule, an die ich nicht wechseln werde.

Ich drücke die Zunge gegen meine Oberlippe und atme hörbar aus. »Ich bin versorgt, vielen Dank.«

»Das weiß ich, Gideon. Und du kennst meine Meinung dazu. Wir würden es befürworten, wenn du zurück nach London kämst, nun wo …«

»Nun wo was?«

Dad spricht nicht weiter. Er blickt nur desinteressiert aus dem Fenster und rückt seinen Krawattenknoten zurecht.

Er spricht es nie aus. Hat er nicht, als er mich im Sommer angerufen hat, und auch nicht, als es schließlich passiert ist.

Du solltest nach Hause kommen, es ist ernst. Ein dumpfes Fiepen tritt in meine Ohren, genau wie damals im Juli. *Die Ärzte sagen, noch wenige Tage, maximal ein paar Wochen.*

Vielen Dank für diese großzügig bemessene Anreisezeit. Ich habe die Dunbridge Academy völlig überstürzt verlassen, am Morgen nach diesem schrecklichen Brand, der mir vorkommt wie aus einem anderen Leben. Seitdem war ich nicht mehr ich selbst. Wie auch? Ich habe einfach versucht zu überleben, nachdem … Fuck, ich bin wie er, ich kann den Gedanken nicht zu Ende denken.

Ich schlucke hart und schaue ebenfalls nach draußen, wo nichts vom Land zu sehen ist, das wir überfliegen. Nur milchige Wolken und eine grelle Sonne, die in meine Augen sticht. Mein Kopf ist so verflucht im Arsch, was mich nicht wundern sollte, nachdem es letzte Nacht wieder zu lang wurde, weil ich Dinge getrieben habe, mit deren Konsequenzen ich mich jetzt nicht befassen möchte. Und später auch nicht. Es ist sowieso egal, nun, wo ich London verlassen habe, weil es nicht mein Zuhause ist. Nicht, nachdem sie mich vor all den Jahren weggeschickt haben, um mir ein *Normales Aufwachsen* zu ermöglichen, was genauso abgefuckt und gestört ist, wie es klingt. Einen normalen Alltag statt eines Lebens in dieser absolut unnormalen Situation bei uns zu Hause, die ja niemandem zugemutet werden konnte. Solltet ihr glauben, es wäre ihnen dabei um mein Wohlbefinden gegangen, dann habt ihr euch geirrt. Es geht nie um irgendjemandes Wohlbefinden. Es ging darum, ein Geheimnis zu wahren. Nicht auszudenken, wenn meine Mitschülerinnen und Mitschüler in London mitsamt ihren Oberschichtfamilien mitbekommen hätten, dass in der exklusiven Penthouseresidenz des traditionsreichsten Luxushotels Londons ein Hospiz auf Zeit eingerichtet wurde. So was kommt gar nicht gut, wisst ihr? Es passt nicht ins Geschäftsmodell einer solchen Institution. Keiner will eine tragische Geschichte hören und Mitleid heucheln müssen, nicht bei diesen Preisen pro Nacht, nicht bei fünf Sternen, die für Understatement und sorglosen Luxus stehen, für Diskretion und das falsche Versprechen, nicht weiter entfernt sein zu können von den Problemen des Pöbels. Zu bitter, dass kein Geld der Welt Gesundheit kaufen kann.

»Wir haben darüber gesprochen«, sage ich knapp und schließe die Augen. Mein Kopf dröhnt von letzter Nacht mit Jos Mayfair und der größten Flasche Cristal, die das One4One Park Lane auf Lager hatte. Schätzungsweise dreißigtausend Pfund hat er auf diese Weise auf den Kopf gehauen, was seine Mutter vermutlich weder merkt noch interessiert, denn diese Art von kindischer Rebellion anzuerkennen, steht nicht auf der Agenda der einflussreichsten Leute Londons. Ich versuche daher nicht einmal mehr, meine Eltern gegen mich aufzubringen. Normalerweise bevorzuge ich das ruhige Dunbridge-Leben ohne Drogen, Drama und den ganzen Scheiß, aber in London lag alles in Scherben, und was macht man da? Richtig, man lässt sich von den Leuten, die selbst völlig im Arsch sind, überreden und schlägt sich Nächte um die Ohren, um schwere Fehler zu begehen. Ich könnte anmerken, dass ich sternhagelvoll war, aber es ist ja nicht nur einmal passiert, sondern dreimal oder vielleicht auch vier-, so genau weiß ich das nicht mehr. Ich erinnere mich nur an irgendwelche dünnen Weiber auf meinem Schoß und den Wunsch, einen Abend lang nichts mehr zu fühlen. Scheint geklappt zu haben, ich weiß nicht mehr viel von diesen Nächten. Ich weiß nur, dass ich nicht allein aufgewacht bin, auch nicht heute Morgen in meinem Zimmer im *Attwell.* Weiche Teppichböden, schwere Gardinen, dunkles Holz und helle Textilien, die nicht gegen das erdrückende Gefühl ankommen, das sich auf einen legt, sobald man einen Fuß in dieses ikonische Schlachtschiff setzt. *Unseren Namen zu tragen kommt mit einer gewissen Verantwortung.* Ein Satz, den ich so oft gehört habe, dass ich kotzen könnte, spätestens jetzt, wo meine Eltern mir auf ihren Simba-mäßigen Streifzügen durch die viertausendachthundertundzweiunddreißig Quadratmeter des gelobten Landes erklären, dass das alles eines Tages mir gehören wird. Nicht mehr *euch*. Sondern mir. Nur mir.

Fuck, mein Schädel. Was kann ich dafür, in dieses dysfunktionale Familienkonstrukt reingeboren worden zu sein, das von allen Nachfolgern verlangt, den Traditionsbetrieb zu übernehmen, bevor es irgendwelche ausländischen Investoren tun? Ich wüsste nicht, was mich daran stören sollte, wenn sie ernsthaft daran interessiert sind, das Unternehmen in unserem Sinne zu führen. Und ich weiß, was ihr denkt. *Raff dich mal und check deine Privilegien, du verwöhnter Milliardärssohn*, ich versuche mir das auch mehrmals am Tag zu sagen, aber nach all der Scheiße, die passiert ist und auf die ich nun nicht näher eingehen möchte, fällt es mir verdammt schwer, okay? Mich hat nie jemand gefragt, was ich eigentlich will. Ob ich dieses Erbe überhaupt antreten wollen würde. Ob ich eigentlich klarkomme. Ob ich auch Angst habe. Ob ich London mit elf Jahren verlassen und siebenhundert Kilometer entfernt in ein Internat in der schottischen Provinz gehen möchte. Rückblickend einer der besseren Wendepunkte meines Lebens, so bin ich in den Genuss gekommen, zumindest außerfamiliär zu erleben, was Zusammenhalt und Gemeinschaft bedeuten, aber das ändert nichts daran, dass es beschissen hart war. War es allerdings für alle, die gegen ihren Willen dorthin verbannt wurden. Und für den Rest von uns, der freiwillig herwollte, vermutlich auch. Nur deshalb sind wir zu so einer untrennbaren Masse verschmolzen, die nach diesem letzten Schuljahr allerdings getrennt werden muss. Tut jetzt schon weh.

Ich zucke zusammen, als mein Vater etwas sagt.

»Wir wollen dir nicht schaden, Gideon.« Wie auch immer. »Wir wollen lediglich das Beste für dich.«

Ich starre durch das kleine ovale Fenster nach draußen. Die Turbinen des Jets dröhnen in meinen Ohren.

»Dann lasst mich an meiner Schule bleiben«, murmele ich, ohne ihn anzusehen.

2. KAPITEL

GIDEON

Ich kann erst wieder richtig atmen, seit wir in Edinburgh gelandet sind. Im Wagen zum Internat spielt der Fahrer klassische Musik, diesen Quatsch, den mein Vater gerne hört. Ich denke an Grace, damit ich an nichts anderes denken muss, was in der Regel funktioniert, aber jetzt hilft es nur begrenzt. Ein flattriges Gefühl breitet sich in meinem Magen aus, mit jedem Kilometer, den wir uns der Schule nähern. Noch nie war ich so lange Zeit am Stück fort. Den Großteil meiner Ferien habe ich im Internat verbracht, bin geblieben, während alle anderen nach Hause gereist sind. Mir war es lieber so. Rektorin Sinclair macht Ausnahmen für diejenigen, die einen triftigen Grund haben, nicht zu ihren Familien zurückzukehren, und mein Grund war wohl triftig.

Wochenlang mehr oder weniger allein im Internat, auf einem nahezu ausgestorbenen Flügel, weniger strenge Regeln als während der Schulzeit und Grace, deren Familie im Dorf ein paar Hundert Meter weiter lebt. Nur wir beide in dieser Ferienzeitblase, die man magisch nennen könnte. Mitternachtspartys nur zu zweit, stundenlang rumlaufen, reden, in der Sonne liegen, mehr reden, zu den Mahlzeiten mit einer Handvoll Hiergebliebener im Speisesaal essen, das gute Zeug bekommen, extra Dessert und bessere Getränke als das übliche stille Wasser.

In der siebten Klasse haben sie mich während der Sommerferien zum ersten Mal in der Schulküche mithelfen lassen. Acht Wochen lang habe ich dort mit Joseph und Carole gekocht. Anscheinend waren sie so überzeugt von mir und meinen Kochkünsten, dem vielleicht einzig Guten an meiner Kindheit im Fünf-Sterne-Hotel, dass ich meinen Gemeinschaftsdienst seitdem dort ableisten darf, anstatt wie die anderen Stalldienst, Gärtnern oder Nachhilfe zu übernehmen. Ich liebe es, kochen ist Frieden im Kopf, zumindest für ein paar Stunden und ganz besonders, wenn man Mahlzeiten für diese Menge an Personen zubereitet. Im *Attwell* ist es jedoch nicht das Gleiche, und glaubt mir, ich habe es während der letzten acht Wochen ausprobiert. Vermutlich habe ich mehr Zeit dort unten in der Hotelküche verbracht als im Penthouse unserer Familie. Bin nicht stolz drauf, aber ich habe es oben nicht ausgehalten.

Ich blicke auf, als sich unser Wagen der Kurve nähert, hinter der sich der erste Blick auf die Dunbridge Academy bietet. Meine Fingerspitzen fühlen sich kribbelig an, und als ich die spitzen Dächer, schmalen Türme und dunklen Backsteingebäude des Internats sehe, entspannen sich meine Schultern. Dann erkenne ich das Baugerüst um den Westflügel. Ein bedrückendes Bild, aber wenn man im Sommer gesehen hat, wie die Flammen aus dem Dach in den Nachthimmel geschlagen haben, muss man froh und dankbar sein, dass der Gebäudeteil nicht ganz abgerissen wurde. Wohl Grund zur Freude, keine Ahnung. Die Schule steht noch und ist in der Lage, uns zu empfangen, auch nach dieser Katastrophe. Zugleich packt mich die Erkenntnis, dass das hier mein letztes Jahr ist. Und dass ich keine Ahnung habe, wo ich danach hinsoll. Zurück nach London, ohne meine Leute? An irgendeine Uni, um Business zu studieren? Wenn es nach meinen Eltern ginge, dann genau das, aber der Gedanke lähmt mich. Mein Leben wäre dann vorbei.

»Wir haben gleich ein Gespräch mit der Rektorin.«

»Warum?« Ich reiße den Blick vom Internat los und sehe meinen Vater an.

»Wir haben sie über das Ereignis informiert. Ich schätze, sie möchte sichergehen, dass du zurechtkommst.«

»Das tue ich.«

»Schön, darüber kannst du sie ja gleich selbst informieren.«

»Bist du deshalb mitgekommen? Damit ich im Rektorat nichts Falsches sage?«

»Mach dich nicht lächerlich, Gideon«, sagt er, aber wir wissen beide, dass es so ist.

Ich stoße ein schnaubendes Lachen aus. Was er sich von dem Gespräch mit Rektorin Sinclair verspricht, ist mir ein Rätsel. Ich wüsste nicht, worüber wir uns unterhalten müssten, aber wenn Victor Attwell um ein Gespräch bittet, bekommt er ein Gespräch. Unmittelbar. So einfach läuft das in der Welt des Geldes. Manchmal wünschte ich, er hätte nicht seine Finger im Spiel mit diesen abartigen Summen, die er jedes Jahr für etwas Einfluss im Dunbridge-Förderverein lässt. Wobei er zuletzt eine bittere Niederlage einstecken musste, als Rektorin Sinclair auf Drängen der Schülerschaft die Kleiderordnung reformiert hat. Hat ihm gar nicht gepasst. Das war das erste Mal, dass er angedroht hat, mich von der Schule zu nehmen. Ist ihm dann wohl doch zu blöd gewesen, ich durfte bleiben, er respektiert Rektorin Sinclair seitdem noch weniger, aber das Geld fließt weiter, wohl für den Fall, dass er sie doch noch wegen etwas erpressen muss.

Eine unbeschreibliche Ruhe breitet sich in mir aus, während der Wagen über die Steinbrücke durch das Tor in den gepflasterten Innenhof rollt. In meiner Brust breitet sich ein heißes

Brennen aus, das mir für einen Moment das Atmen erschwert und dafür sorgt, dass ich angestrengt blinzeln muss. Weg ist die dumpfe Dunkelheit in mir, die während der letzten Wochen den Schmerz betäubt hat. Ich fühle wieder. Fuck, wie unangenehm.

Mein Vater steigt aus, sobald wir halten. Seine Miene ist völlig unbeeindruckt, während er den Westflügel betrachtet. Für die Schülerinnen und Schüler des Empfangskomitees hat er keine Begrüßung übrig, für die Neuen und ihre Eltern mit ihren tränenreichen Abschiedsumarmungen und den Bergen an Gepäck nur einen geringschätzigen Blick.

Kurz stehe ich da und sauge es ein, das Bild, das sich mir in dieser Konstellation nie wieder bieten wird. Und dann, so als wäre es gottgewollt und ganz genau so vorgesehen, treffen sich unsere Blicke. Sie finden sich zwischen all diesen Menschen, sie begegnen sich, saugen sich aneinander fest, verhaken sich und entfalten ihre magnetische Kraft, die mich fast nach vorn stolpern lässt. In ihre Richtung. Zu Grace, die auf der anderen Seite des Hofs steht, in ihrer Uniform, dunkelblauer Pulli, geflochtener Zopf, lange Beine, schlanke Fesseln, und ihr Gesicht, zum Sterben schön. Vögel zwitschern, Bienen summen, die Sonne geht auf und Blumen sprießen. Ich erwache zurück zum Leben. Ich bin wieder Gideon.

»Gideon, die Koffer«, sagt mein Vater, als ich auf Grace zugehen will, aber ich höre ihn gar nicht richtig. Ich nicke nur, weil mir das Gepäck gerade egaler nicht sein könnte. Alles könnte mir nicht egaler sein in diesem Augenblick, aber dann verändert sich der Ausdruck in ihren Augen, die braun sind, wie ich weiß, selbst wenn ich es auf die Entfernung nicht erkenne, aber Himmel, sind sie braun, und eine steile Falte gräbt sich zwischen ihre Brauen, ihr Mund spannt sich an, ein verletzter, schmerzhafter Zug, genau der, den man manchmal für einen Sekundenbruchteil bemerken konnte, wenn sie Henry mit Emma gesehen hat, aber jetzt ist von Henry mit Emma keine Spur. Jetzt sieht sie mich an, und die Enttäuschung in ihrem Blick sorgt dafür, dass sich alles in mir zusammenzieht.

Was ist geschehen? Warum verachtet sie mich? Warum sieht sie so verdammt verletzt aus?

Hat sie es schon gehört?

Unmöglich. Ich meine, wie denn? Das hier mag eine elitäre Schule sein, aber die Connections zu Londons verlorener High Society halten sich in Grenzen. An der Dunbridge bleibt man unter sich. Grace kann nicht wissen, dass ich in London Sex hatte mit irgendeiner poshen Maidenhead-College-Schülerin, aber sollte sie es wissen? Sollte es ein Geheimnis sein? Ich habe schon so viele Geheimnisse vor ihr, das würde sich nicht gut anfühlen. Andererseits kommt es auf eins mehr oder weniger nicht an, und außerdem hat es nichts bedeutet. Es würde sie nur verletzen. Ich will sie nicht verletzen, ich will, dass es ihr gut geht. Natürlich will ich das, schließlich liebe ich sie. Keine neue Erkenntnis, falls ihr euch fragt. Das weiß ich schon lange. Ich weiß es, obwohl ich sie niemals so haben kann, wie ich sie haben will. Weil sie die Ex-Freundin meines besten Freundes ist, und ja, es ist nicht so, als würde Henry irgendeine Art von Anspruch auf sie erheben. Es ist mehr ein moralisches Ding. Fakt ist, er hätte sie niemals gehen lassen dürfen. Emma ist toll, ich versteh's ja, aber Grace … Fuck, Grace ist verflucht noch mal alles.

Mein angespannter Kiefer lockert sich, ich öffne den Mund, aber bevor ich auch nur ein Wort sagen oder näher kommen kann, geht ein Ruck durch ihren Körper, und sie dreht sich weg. Ein Blinzeln und die Emotionen sind aus ihrem Gesicht gewischt. Sie strafft die Schultern, lächelt und sagt etwas zu einer offensichtlich neuen Schülerin, dann drängt sich ein Schwarm

Leute zwischen uns, und als dieser vorübergezogen ist, fehlt von Grace jede Spur. Ich drehe mich um mich selbst, wie eine Kompassnadel ohne funktionierendes Magnetfeld. Kann mich gerade noch so abhalten, hilflos nach Luft zu schnappen, weil ich nicht verstehe, was das gerade war und wo Grace ist und warum sie mich so ansieht und wie sie so schön sein kann.

»Die Freude ist ganz meinerseits, Ms Sinclair.«

Es heißt Rektorin Sinclair, will ich sagen, aber meinem Vater widerspricht man nicht.

Ich drehe mich um, jetzt wieder ähnlich betäubt wie zuvor. Als wäre mein ganzer Körper eine pelzige Zunge. Scheiße, ich bin so verflucht am Arsch, und nach Grace' Blick bin ich es noch viel mehr. Was habe ich auch erwartet? Dass sie mich erblickt, in ihrem Gesicht die Sonne aufgeht und sie strahlend auf mich zuläuft, um in meine Arme zu fallen, so wie sie es sonst immer getan hat? Ich habe sie acht Wochen lang ignoriert. Warum habe ich sie acht Wochen lang ignoriert? Warum habe ich es nicht hingekriegt, der Realität ins Auge zu blicken und ihr einfach zu sagen, was passiert ist? Warum musste ich alles verdrängen? Ich stehe richtig neben mir.

»Gideon, schön, dich zu sehen.« Rektorin Sinclair kommt auf mich zu und reicht mir die Hand. »Es ist gut, dich zurückzuhaben. Wie geht es dir?«

Ab da wird alles irgendwie unscharf. Ich weiß nicht mehr, was ich gesagt habe. Es waren wohl akzeptable Antworten auf besorgte Fragen, denn mein Vater hat mich nicht unterbrochen und das Wort an sich gerissen. Auch nicht später im Rektorat, wo Mr Acevedo zu uns gestoßen ist, mein Oberstufenkoordinator und Vertrauenslehrer. Ich lasse es über mich ergehen und hoffe, dass es schnell vorbei ist. Dass Rektorin Sinclair die Neuen begrüßen und mein Vater aufbrechen muss, damit ich so tun kann, als wäre alles hier wie immer. Als läge kein grausamer Sommer zwischen mir und der Version von mir, die Anfang Juli von hier weggegangen ist. Als hätte sich nicht alles verändert. Als wäre nicht das Schlimmste geschehen. Als würde man danach einfach so weitermachen können.

GRACE

Mein Herz rast wie nach einem Leichtathletiktraining, während ich über den Schulhof laufe, doch statt eines Vierhundertmeter-Tempolaufs war dazu nur eine einzige Sekunde lang In-Gideons-Gesicht-Blicken nötig. Normalerweise ruft in sein Gesicht zu blicken eine völlig andere Reaktion in mir hervor. Aber normalerweise bin ich auch nicht acht Wochen von ihm getrennt und muss mich fragen, wer er überhaupt ist. Wie ich ihm so egal sein konnte. Wie es sein kann, dass er mir das Gegenteil von egal ist, selbst wenn ich verletzt bin und ihn hasse.

Die ganze Welt ist stehen geblieben, als ich ihn zwischen all den Leuten entdeckt habe. Er stand vor dieser dunklen Limousine, sein Vater war schon ausgestiegen, und dann haben sich unsere Blicke gekreuzt und Gideon … hat sich keinen Zentimeter bewegt.

Die Sache ist die: In den letzten Wochen war ich gelegentlich wütend, weil er nichts von sich hat hören lassen, aber ich habe mir eingeredet, dass es nicht an mir liegt. Ich bemühe mich, Dinge nicht persönlich zu nehmen, aber es fällt mir wirklich verdammt schwer. Besonders dann, wenn Gideon Attwell nach wochenlangem Ghosten so vor mir steht, mich ansieht, aber keine Anstalten macht, auf mich zuzugehen, mich zu begrüßen und verflucht noch mal zu erklären, wohin er verschwunden ist. Offensichtlich zu viel verlangt.

Ich kann also froh sein, dass ich keine Zeit habe, hier herumzustehen und darauf zu warten, dass er sich erbarmt, ein Wort mit mir zu wechseln. Im Begrüßungskomitee hat man alle Hände voll zu tun, wenn die Neuen anreisen und verloren in der Gegend herumstehen. Also bringe ich eine Fünftklässlerin nach der anderen in den Südflügel, verbiete mir jeden Gedanken an Gideon und gebe den Jüngeren währenddessen einen ersten Überblick über das Gelände, der sie höchstwahrscheinlich überfordert, aber sie werden sich daran gewöhnen und bald schon blind zurechtfinden. So gut, dass es ihnen ganz und gar unmöglich vorkommt, dass sie eines Tages für immer von hier verschwinden sollen. Ich schlucke. Das wird so schlimm.

»Eure Schlafsäle befinden sich im Nordflügel. Hier sind auch die Krankenstation und das Schultheater untergebracht«, erkläre ich der Gruppe, die mir gerade folgt. »Die Unterrichtsräume und die Bibliothek sind im Südflügel, direkt gegenüber. Dazwischen liegt der Speisesaal im ehemaligen Kirchenschiff des Klostergebäudes.«

Die Mädchen nicken und schauen an mir vorbei zum Westflügel. »Ist das der Teil, in dem es gebrannt hat?«, fragt eine. »Stimmt es, dass eine Schülerin gestorben ist?«

»Niemand ist gestorben«, erwidere ich knapp.

»Aber fast, oder? Ich habe gehört, ein Mädchen hätte geschlafen und wäre in diesen brennenden Gebäuden …«

»Ist sie aber nicht«, unterbreche ich sie schärfer als nötig, woraufhin die drei mich erschrocken ansehen, aber bei dem Thema bin ich sensibel. Allein bei der Vorstellung läuft mir ein kalter Schauer über den Rücken. »Also kommt jetzt. Ihr und euer Gepäck müsst in den zweiten Stock. Es gibt keinen Fahrstuhl.«

Ein kollektives Stöhnen geht durch die Gruppe, und weil mir mein Ton bereits leidtut, nehme ich einen der Koffer. Er wiegt eine Tonne, und weil diese Elfjährigen ganz offensichtlich über endlose Energievorräte verfügen, hängen sie mich ab, während ich schon nach der ersten Treppenrunde das Schnaufen unterdrücken muss. Dabei bin ich den Sommer über so viel gerannt wie nie zuvor. Aus Angst, ohne das regelmäßige Training im Track and Field Team meine Kondition zu verlieren. Aber seit einer Weile bin ich nicht mehr in der Lage, meine persönlichen Bestzeiten zu übertreffen. Im Gegenteil. Ich werde immer schlechter, und eine Handvoll Stufen vor dem Eingang zum Flügel der Fünftklässlerinnen wird mir etwas schwindelig. Ich mache nicht langsamer, aber ich greife reflexartig nach dem schweren Knauf der Holztür.

»Hier sind wir.« Ich bete, dass ich mich nicht so angestrengt anhöre, wie ich mich fühle. »Mrs Buchanan, eure Hausmutter, wird euch Zimmer zuweisen und …«

»Ganz genau.« Ich atme auf, als Mrs Buchanan neben mich tritt und das Wort übernimmt. »Ich bin Mrs Buchanan, eure Flügelbetreuerin. Herzlich willkommen an der Dunbridge Academy. Stellt euer Gepäck gerne für einen Augenblick hier ab.« Sie dreht sich zu mir, als die Mädchen ihrer Anweisung folgen. »Ist alles in Ordnung, Grace?«

Ach, Mist.

»Natürlich.« Ich lächle und stelle den Koffer ab.

»Du siehst etwas blass aus. Ist dir nicht gut?«

»Das muss das Licht sein.« Wird sie mir garantiert glauben, wenn meine Stimme dabei so bebt. »Ich mache mich mal auf den Weg zurück hinunter und schaue, ob ich mehr Neuankömmlinge finde.«

Bevor sie etwas erwidern kann, habe ich mich schon umgedreht. Die kühle Dunkelheit im Treppenhaus tut gut, und nach einigen Metern lasse ich mich mit dem Rücken gegen die gewölbte Steinmauer sinken. Meine Brust hebt und senkt sich schnell. Wie oft in letzter Zeit klopft mein Herz so fest gegen meine Rippen, dass mir etwas übel wird. Es ist erbärmlich. Als hätte ich keine Ausdauer mehr. Ich dachte, ich könnte schneller laufen, wenn ich weniger wiege. So wie Emma, schließlich muss das ihr Trick sein. Anders kann ich mir ihre Zeiten nicht erklären, die immer besser sind als meine bei gleichem oder vielleicht sogar weniger Training. Daher musste ich die Unterschiede unseres Körperbaus eingehend analysieren und feststellen, wo meine Problemzonen sind. Gut, sie ist kleiner als ich, auf einer objektiven Ebene ist mir bewusst, dass es Unsinn ist, den Durchmesser ihrer Oberschenkel mit dem meiner zu vergleichen, aber mein wenig objektiver Verstand tut seit einem Jahr nichts anderes als das.

Erst bin ich tatsächlich schneller geworden, ob das nun an meinem Körpergewicht oder dem puren Schmerz liegt, der mich antreibt, sei dahingestellt, aber offenbar ist dieser Effekt gedeckelt, denn seit einer Weile scheint meine Leistung nicht nur ein Plateau erreicht zu haben, sie fällt sogar ab. Und das gefällt mir nicht, aber … Keine Ahnung, es ist alles sehr kompliziert, und irgendwie kann ich nun mit gewissen Methoden nicht aufhören, egal wie bewusst mir ist, dass sie nicht förderlich für meine Gesundheit sind, aber das ist eine Geschichte für einen anderen Zeitpunkt.

Jetzt will ich einfach hier stehen, für einen Moment die Augen schließen und hoffen, dass sich mein angestrengter Puls wieder beruhigt, ohne dass ich mich hier im Treppenhaus auf den Boden setzen muss oder ähnlichen Quatsch. Ich schlucke schwer und presse meine glühenden Handflächen gegen die Steinmauer. Derart heiße Sommer sollten in Schottland unmöglich sein, aber sie sind nicht unmöglich, sondern die logische Konsequenz dessen, was wir unserem Planeten antun, nur um das dann ganz erstaunt Jahrhundertsommer zu nennen und zu hoffen, dass es nächstes Jahr wieder kühler wird. Der einzige Ort, an dem solche Temperaturen erträglich sind, ist jedenfalls dieses Gemäuer. Es ist deutlich besser als mein Dachzimmer in Ebrington, in dem es so warm wird, dass ich in letzter Zeit nicht weiß, wie ich ein Auge zubekommen soll. Vermutlich hat das aber auch noch andere Gründe.

Eins achtundachtzig große, ehemals rothaarige, nun eher rotbraunhaarige Gründe, aber diese Augen haben immer noch die Farbe von flüssigem Honig, das weiß ich, auch ohne sie hier im schattigen Gemäuer von Nahem zu sehen.

Gideon bleibt mitten auf der Treppe stehen, als er mich ebenfalls bemerkt. Und es ist nicht fair. Wo kommt er überhaupt her? Vermutlich aus dem Ostflügel, wo die Oberstufenjungs sich nun zu zweit Zimmer teilen, damit genügend Platz für die Mädchen ist, die bislang den Westflügel bewohnt haben.

Hey, sagt sein Blick.

Hallo, blinzele ich stumm.

In Wahrheit sagen wir gar nichts. Kein Ton, kein Wort. Und dann, es grenzt an Lächerlichkeit, nur meine Meinung, fragt er: »Schöne Ferien gehabt?«

Fast lache ich laut auf.

Schöne Ferien gehabt? Nein, Gideon Attwell. Es waren die schrecklichsten Ferien meines Lebens. Und weißt du auch warum? Weil meine beste Freundin mit schweren Verbrennungen im Krankenhaus liegt und weil du verdammt noch mal weg warst, ohne ein Wort zu sagen oder dich bei mir zu melden. Nur um zurückzukehren und mir allen Ernstes diese Frage zu stellen. *Und du?*

Das alles will ich zu ihm sagen, aber es ist den Aufwand nicht wert. Also stoße ich nur den Atem aus und gehe weg. Zumindest habe ich das vor, aber er stellt sich mir in den Weg. Mein Magen reagiert darauf mit einem flauen Gefühl. Er steht eine Stufe unter mir und kann mir direkt ins Gesicht schauen.

»Grace«, sagt er mit diesen nach unten zeigenden Mundwinkeln und einem traurigen Blick, auf den er kein Recht hat. Ich sollte diejenige sein, die traurig ist, aber ich bin nur wütend.

»Was?«, feuere ich zurück.

Meine Kehle zieht sich ein bisschen zu, als er auf meine Stufe tritt. Ich hebe den Kopf und begehe den Fehler, ihm ins Gesicht zu sehen, wo ich so viel erkenne und zugleich absolut gar nichts. Dass er auch keine schönen Ferien hatte, zum Beispiel, was mir egal ist (ist es nicht). Dass er nicht versteht, was hier los ist, was mir kein bisschen leidtut (tut es doch). Dass sich diese acht Wochen zwischen uns geschoben und dafür gesorgt haben, dass wir uns fremd geworden sind und er sich immer noch wie das wärmste Zuhause anfühlt, das man finden könnte (wird er für immer). Und wisst ihr, genau das ist ja das Problem. Ich dachte drei Jahre lang, Henry wäre dieses Zuhause, nur um auf die harte Tour zu lernen, dass man einem anderen Menschen ein Attribut dieser markerschütternden Wichtigkeit besser nicht zuschreibt. Das empfehle ich wirklich niemandem, außer man leidet gern. Oh, wie ich gelitten habe, als Henry die Tür zugemacht und die Schlösser ausgetauscht hat. Und jetzt tut Gideon das Gleiche und besitzt zudem die Frechheit, mich verwirrt anzusehen.

»Was ist los?«, fragt er, was mich unverhältnismäßig wütend macht. Er weiß schließlich, was er getan hat beziehungsweise nicht getan hat. Ich weiß es. Ich saß hier wochenlang und habe auf ihn gewartet. Auf ein Lebenszeichen, irgendetwas. Und ich werde ihm nicht die Genugtuung geben und zeigen, wie sehr er mich verletzt hat.

Ich blinzele unberührt. »Was soll los sein?«

Er kommt einen Schritt näher. Angespannter Kiefer. »Warum bist du so?«

»Wie bin ich denn?«

»Du weichst mir aus.«

»Ach, tue ich das?« Ich stemme die Hände in die Seiten. Mehr Reaktion, als er verdient. »Damit kennst du dich ja aus.«

Tatsächlich hätte ich erwartet, dass er darauf etwas zu sagen hat. Eine Erklärung zum Beispiel, vielleicht sogar eine Entschuldigung, aber stattdessen friert er vor mir ein und schweigt. Mein Magen fühlt sich nicht gut an. Aber mal ehrlich, für so was habe ich keine Zeit.

»Wie auch immer«, murmele ich nach einem Augenblick und schiebe mich an ihm vorbei. Um ihn stehen zu lassen und zu gehen, aber bevor ich dazu komme, spüre ich eine Berührung an meinem Arm. Meine Augen füllen sich sofort mit Tränen, was lächerlich ist, aber ich habe ihn acht Wochen lang nicht anfassen können, ich bin quasi auf Entzug, und meine Nerven liegen blank. *Endlich*, denke ich und dann *Wie kann er es wagen?* So lange zu verschwinden, zurückzukommen, die Finger um mein Handgelenk zu legen und dafür zu sorgen, dass ich fast zusammenbreche und ihm alles verzeihen will? Was ich nicht werde, aber am liebsten würde ich. Es war so schlimm ohne ihn. Da war gar nichts mehr. Nur ich, ein Teil eines Ganzen, allein nicht voll funktionsfähig. Quasi nutzlos. Eine Tragödie.

Mein Blick geht von seinen Fingern zu seinem Gesicht, und bevor ich verstehe, was das zu bedeuten hat, zieht er die Hand zurück. Was besser ist, aber auch das Gegenteil dessen, was ich will. Habe ich nicht aus der Vergangenheit gelernt?

Es fällt mir schwer, zu atmen, während ich die Treppe runterlaufe. Weg von Gideon und meinen widersprüchlichen Gefühlen. Das Licht ist gleißend hell, als ich die schwere Holztür unten am Nordflügel aufdrücke und zurück nach draußen in den Hof trete, wo der Trubel weitergeht, was mich daran erinnert, dass die Zeit nicht wirklich stehen geblieben ist. Es hat sich nur so angefühlt. Es fühlt sich immer so an mit Gideon.

Der Innenhof hat sich ein wenig geleert, einige Fahrzeuge sind verschwunden, das meiste Gepäck ebenfalls, aber noch immer wuselt es vor Schülerinnen und Schülern. Verloren aussehende Neuankömmlinge kann ich auf den ersten Blick keine entdecken, dafür sehe ich Mr Ringling, der auf mich zueilt.

»Grace, hervorragend, dass ich dich erwische.« Er nimmt mich zur Seite und senkt den Kopf. »Wie geht es dir, waren die Ferien schön?« Mit dem Rücken seines Zeigefingers schiebt er seine randlose Brille auf der Nase hoch und fährt gleich fort, ohne meine Antwort abzuwarten, worüber ich nicht unerfreut bin. »Im Kollegium haben wir darüber gesprochen, dass die Abschlussball-AG dieses Jahr dringend eine Leitung festlegen sollte, über die jegliche Kommunikation mit dem Lehrkörper läuft.« Er seufzt tief und beschwört mich mit einem Blick, der wohl vielsagend sein soll. Was genau er mir sagen möchte, ahne ich leider tatsächlich. »So ein Drama wie letztes Jahr mit den Zwölfern darf nicht wieder passieren, da hat rein gar nichts funktioniert, weil sich niemand zuständig gefühlt hat, nicht?«

Ich nicke, obwohl ich keine Ahnung habe. Ich war daran schließlich nicht beteiligt.

»Könntest du dir vorstellen, das zu übernehmen?«

Manchmal verstehe ich nicht, warum es mich so ärgerlich macht, wenn Menschen mich um Hilfe bitten. Hat vermutlich was mit meinem inneren Kind zu tun, das sich immer selbst helfen musste, die selbstständige große Schwester, die ich nun einmal bin. Tatsächlich möchte ich trotzig mit dem Fuß aufstampfen und fragen *Warum ich?*, aber das tue ich nicht, natürlich tue ich das nicht. Ich bin Grace. Ich helfe immer. Liebend gern und wo ich nur kann. Ich bin so vernünftig und verantwortungsvoll, die reinste Ehre, diese Frage.

»Ich?« Ich lächle, aber mein Gesicht tut weh dabei. »Den Abschlussball? Ich weiß nicht, Sir, ich …«

»Du hast schon ein ordentliches Pensum, das ist mir bewusst. Aber wie vorbildlich du das alles meisterst, zeigt mir nur, wie sehr du dich für diese Leitungsposition eignest. Weißt du, Grace, wir waren uns im Kollegium rasch einig. Wenn du das übernimmst, dann wissen wir wenigstens, dass es funktioniert.«

Die Sache ist die. Eigentlich möchte ich dankend (patzig) ablehnen, weil Mr Ringling recht hat, mein Pensum ist ordentlich, ich habe viel zu tun und brauche nicht noch mehr, erst recht nicht im Abschlussjahr, wo sich alles darum drehen wird, bestmöglich vorbereitet in die Prüfungen zu gehen, aber ich bin nun einmal, wie ich bin. Ich kann Leute nicht enttäuschen. Anscheinend brauche ich das, die Gewissheit, jegliche Erwartungen, die andere an mich haben, stets erfüllen zu können. Weil man sich auf mich einfach verlassen kann.

Außerdem bin ich ohnehin schon in dieser Abschlussball-AG, und wenn ich sie nicht leite, dann wird Henry sie leiten, das ist ein Fakt, und ich brauche die Bestätigung dringender als er.

»Ich überlege es mir.«

Mr Ringlings Gesicht hellt sich auf. Er ist zufrieden mit mir, ich fühle mich wertvoll und akzeptiert. »Tu das, tu das. Sag mir Bescheid, dann stelle ich dich beim ersten Treffen als neue Vorsitzende vor.«

»Meinen Sie nicht, die Arbeitsgruppe sollte darüber entscheiden, wen sie als Vorsitz möchte?«

Mr Ringling überlegt kurz. »Doch, da hast du recht. Wir sollten sie abstimmen lassen.« Er nickt. »Ich bin zuversichtlich, dass sie meiner Meinung sind.«

Leider bin ich das auch.

Ich lächle kokett. »Danke, Sir.« Vielen Dank für diese zusätzliche Arbeit. Als ich der AG vor den Ferien beigetreten bin, habe ich das in der Annahme getan, mich um eine kleinere Aufgabe wie den Versand der Einladungskarten zu kümmern. Aber gut, eine Aufgabe mehr ist eine Möglichkeit weniger, darüber nachzudenken, was alles schiefgelaufen ist.

»Dein Engagement würde natürlich mit ins Abschlusszeugnis einfließen«, erwähnt Mr Ringling. »Nicht, dass du es bräuchtest, aber bei den Universitäten kommt so etwas gut an.«

Ich lächele weiter.

»Wunderbar.« Mr Ringling sieht über mich hinweg, und seine Augenbrauen rutschen entsetzt in die Höhe. »Oh, nein, bitte nicht auf die alte Eiche klettern! Diese Fünftklässler werden immer frecher …«

Ich blicke ihm nach, während er davoneilt, um ein paar Jüngere von den niedrig hängenden Ästen zu scheuchen.

3. KAPITEL

GIDEON

Das Gespräch mit Rektorin Sinclair war mindestens so unnötig wie erwartet. Ich habe überhaupt nicht zugehört, während sie Floskeln mit meinem Vater ausgetauscht hat. Nur Mr Acevedo, der dabei war, weil er mein Jahrgangskoordinator und Vertrauenslehrer ist, hat mich manchmal so komisch dabei angesehen. Hat mich nervös gemacht. Er tut immer so streng und kühl, aber er ist korrekt, und als unser Flügelbetreuer bekommt er schätzungsweise viel mehr mit, als wir alle ahnen. Ihm liegt das Wohlbefinden der Oberstufenjungs am Herzen. Das ist mir im Winter klar geworden, als Henry nach dem Tod seiner Schwester so abgestürzt ist. Falls Mr Acevedo befürchtet, dass diese Gefahr bei mir auch besteht, kann er sich beruhigen. Ich bin nicht hier, um mich bemitleiden zu lassen, ganz im Gegenteil. Es geht mir gut, ich komme zurecht. Ich komme immer zurecht. Bleibt mir schließlich nichts anderes übrig.

Eine qualvolle Dreiviertelstunde später kommen wir wieder aus dem Rektorat, ohne bahnbrechende neue Erkenntnis, außer vielleicht der, dass ich mir in den nächsten Wochen ein Zimmer im Ostflügel mit Henry teilen werde, weil die Mädchen bei uns einziehen, solange der Westflügel renoviert wird.

Hat meinem Vater maximal missfallen, insbesondere als sich herausgestellt hat, dass Sinclair derzeit als Einziger ein Einzelzimmer bewohnt, was womöglich eher Zufall ist als Rektorinnensohnbonus, von dem ich ihn in den vergangenen sieben Jahren kein einziges Mal habe profitieren sehen. Rektorin Sinclair scheint ihn aus Prinzip eher strenger ranzunehmen, damit ihr niemand etwas unterstellen kann. Armer Charles. Mein Vater ist jedenfalls entrüstet, dass sie sich nicht von ihm hat bestechen lassen.

»Unglaublich, was hier für Zustände herrschen«, wettert er, als wir zurück hinuntergehen. »Bei der Menge an Schulgeld, das diese Institution verlangt, sollte eine angemessene Unterbringung gewährleistet sein.«

Ja, unglaublich, denke ich und schalte gedanklich ab.

»Musst du los?« Ich werfe einen Blick den Flur entlang. Vor der Treppe nach unten bleibe ich stehen. »Ich muss eigentlich in diese Richtung.« Eine Lüge, aber gerade kommt mir die Vorstellung, mit ihm im Innenhof zu stehen und so zu tun, als würde mich die Verabschiedung mit etwas anderem als Erleichterung erfüllen, beinahe unerträglich vor.

Dad bleibt ebenfalls stehen. Er wirft einen Blick auf seine Breitling, dann richtet er den Ärmel seines Jacketts, das er immer trägt, egal wie drückend die Temperaturen sind. Er nickt.

»Deine Entscheidung steht weiterhin?«

»Ich bleibe«, sage ich knapp. Oder dachte er wirklich, ich wäre mit ihm hierhergereist, um es mir vor Ort noch einmal anders zu überlegen?

»Du kannst deine Meinung jederzeit ändern«, erinnert mich Dad. »Ein kurzer Anruf genügt, und ich kläre die Details mit St. Paul's für dich.«

»Wundervoll«, spotte ich und schiebe die Hände in die Hosentaschen. Dann warte ich.

Dad auch, aber nur für einen kurzen Moment. Er steht vor mir, mustert mich einmal von oben bis unten, ein Wahnsinnskompliment von einem Mann wie ihm, der keine Zeit zu verschwenden hat und mich normalerweise nicht mal vernünftig anschauen kann, dann nickt er knapp.

»Melde dich bei deiner Mutter«, sagt er. »Und mach mir keinen Ärger.«

Damit dreht er sich um und geht die Treppen hinunter. Hundert feine Nadelstiche in meine Brust, dabei habe ich nichts anderes erwartet. Er umarmt mich nicht. Keine Ahnung, wann er das das letzte Mal getan hat. Bei der Beerdigung jedenfalls nicht. Vielleicht hat er es überhaupt noch nie gemacht, ich kann mich tatsächlich nicht erinnern. Genauso wenig, wie ich mich erinnere, dass er je etwas gesagt hätte wie *Bis bald, mein Sohn, du wirst mir fehlen*, aber er wird mir schließlich auch nicht fehlen. Schätze, wir sind nur ehrlich miteinander. Wir wissen, dass wir kein gutes Verhältnis haben, und ich weiß, dass sich das nicht mehr ändern wird. Gab mal eine Zeit, da hatte ich Hoffnung. Kann man mir nicht vorwerfen, ich war erst zwölf oder so. Ein Kind, das die Whitmores kennengelernt hatte, Diane und Marcus, die Grace und ihre Brüder lieben und ihnen das sogar mitteilen. Ja, so etwas gibt es wirklich. Nur nicht in meiner Welt. Ich habe nicht damit aufgehört, Freddie zu sagen, wie wichtig er mir ist, auch dann nicht, als ich mir nicht mehr sicher sein konnte, ob meine Worte noch bei ihm ankommen. Auch dann nicht, als es mich innerlich zerrissen hat. Auch nicht, als alles vorbei war. Ich hoffe, das werde ich nie.

Ich schlucke angestrengt und betrachte den Fußboden, während ich ziellos durch die Flure laufe.

Mein Kopf pocht dumpf vor sich hin, als ich den Ostflügel erreiche, aber ich biege nicht zur Treppe ab. Ich will noch nicht hoch in den vierten Stock, mein Zimmer beziehen und möglicherweise Henry begegnen, der als Einziger Bescheid weiß und entsprechend Fragen stellen wird. Weiß nicht, ob ich es bereue, ihm letzten Winter von Freddie erzählt zu haben, irgendwann nachdem Maeve gestorben ist und er am Ende war. In dem Moment musste ich einfach. War unerträglich, ihn so zu sehen. Ihr versteht nicht, er ist für mich wie ein Bruder nach all der gemeinsamen Zeit hier. Der einzige Bruder, den ich jetzt noch habe. Ich liebe ihn wie einen Bruder, und ich hasse ihn wie einen, insbesondere seit der ganzen Scheiße mit Grace. Die einzige Sache, über die wir nie reden. Weil ich nicht weiß, wie ich ihm mitteilen soll, was ich von alldem halte, ohne ihn verflucht noch mal anzuschreien, wie er so mit ihr umgehen konnte. Ob er eigentlich den Verstand verloren hat.

Beste Voraussetzung für ein harmonisches Zusammenleben.

Je weiter ich mich vom Ostflügel entferne, desto leerer werden die Flure. Ich biege um eine Ecke, erreiche das Treppenhaus des Nordflügels, das sich wie eine steinerne Schnecke nach oben windet, spüre die angenehme Kühle, während ich die Stufen ins Erdgeschoss hinablaufe, und dann sehe ich sie.

Ihr Anblick reißt mir fast den Boden unter den Füßen weg. So wie vorhin. Grace steht mit dem Rücken gegen die Steinmauer gelehnt am Ende der Treppe und hat die Augen geschlossen. Was tut sie hier? Und warum beginnt mein Herz sofort zu rasen, sobald ich sie sehe? Geht es ihr nicht gut? Warum bin ich nicht bei ihr, wenn es ihr nicht gut geht?

Obwohl die gedämpften Stimmen und das Lachen vom Schulhof draußen zu hören sind, schlägt sie sofort die Augen auf. Weil sie meine Anwesenheit instinktiv spürt. So wie ich ihre. Ich weiß, wie das ist. Die Kompassnadel in meiner Brust hört auf, sich zu drehen. Sie richtet sich nach ihr aus, weil ich von ihr angezogen werde. Sich dem zu widersetzen, ist ein Kraftakt, quasi sinnlos.

Grace weicht von der Wand weg, reckt das Kinn, und dieser gekränkte Ausdruck kehrt zurück in ihre Augen. Verdammte Scheiße, es ist unerträglich, so von ihr angesehen zu werden. Letztes Schuljahr war das anders. Da sah sie glücklich aus, wenn sie mich entdeckt hat. Zufrieden, erleichtert, entspannt. Alles weg.

Es war schon einmal so zwischen uns, aber damals wusste ich wenigstens, woran es lag. Nach dieser Mitternachtsparty, bei der irgendetwas in meinem Hirn ausgesetzt hat und ich bereit war, ungefähr alles für sie auf eine Karte zu setzen hinterm alten Gewächshaus. Wir haben ein paar Tage nicht gesprochen, sie ist mir aus dem Weg gegangen, wir haben uns ignoriert, es hat mich fast umgebracht, und das ist keine Übertreibung. Aber je konsequenter wir versuchen, uns voneinander fernzuhalten, desto stärker prallen wir anschließend wieder aufeinander. Vermutlich Physik. Qualvolle Wochen mussten verstreichen, dann hat Henry sich von Grace getrennt, und sie ist mir in die Arme gelaufen, draußen an der Burgmauer, als ich an jenem verhängnisvollen Samstag eine Runde joggen gehen wollte. Habe sie gesehen und gewusst, was passiert war, noch bevor sie angefangen hat zu weinen.

Jetzt kommt mir das vor wie aus einem anderen Leben. Grace, die in meinen Armen heult, schlimmer als jemals zuvor, irgendwann schlafen wir ein, in ihrem Bett, und obwohl ich seitdem nie wieder versucht habe, alles für sie auf eine Karte zu setzen, waren wir einander so verflucht nah. Es war fast besser als die Vorstellung, es zu wagen und ihr zu gestehen, dass ich sie liebe. Es war perfekt, ich hatte Angst, sie wieder zu verlieren, und jetzt habe ich das – sie verloren. Ich schaue in ihr Gesicht und verstehe. Diesen Sommer ist nicht nur mein kleiner Bruder gestorben, sondern auch das, was Grace und ich hatten. Was auch immer es war.

4. KAPITEL

GRACE

»Du gehst schon?«, fragt Tori, als die letzten Neuankömmlinge versorgt sind und unsere Arbeit im Empfangskomitee getan ist. Die Neuen werden später von Rektorin Sinclair begrüßt, alle anderen haben bis zum Abendessen freie Zeit zur Verfügung, um anzukommen und ihre Zimmer zu beziehen. Normalerweise habe ich mich meinen Freundinnen in diesem Moment angeschlossen, um ihnen beim Auspacken Gesellschaft zu leisten, bevor Henry und ich zum Mittagessen mit meiner Familie gegangen sind. Das tun wir jetzt ja nicht länger. Meine Lust, Tori in das Zimmer zu folgen, das sie mit Emma teilt, hält sich zudem in Grenzen. Es ist nicht so, als hätte ich etwas gegen Emma, sie war immer nett zu mir, das ist ja das Problem, aber ich ahne nun mal, dass ich es heute nicht schaffe, angeregt lächelnd zuzuhören, wenn sie davon erzählt, wie die Ferien mit Henry waren. Es geht nicht, auch wenn das bedeutet, dass ich ein schlechter Mensch bin.

»Ich wollte nach Edinburgh fahren.« Ich zupfe meinen Pulli zurecht. »Olive besuchen, ich hab's ihr versprochen.«

Toris Augen werden groß. Sie blinzelt zweimal und nickt. Voller Verständnis, beherrscht und trotzdem nicht ganz in der

Lage zu begreifen, was da passiert ist. So haben wir uns diesen Sommer oft angesehen. Ein Blick in ihr Gesicht reicht, und ich weiß, woran sie gerade denkt. An die lodernden Flammen und das ohrenbetäubende Krachen der Holzbalken, die vom Westflügel in die Tiefe gestürzt sind. Olive, die da noch drin war, und in meinem Kopf ein einziger Gedanke: Das war's, da kommt niemand mehr lebend raus. Unmöglich.

Kennt ihr diese Träume, in denen man rennen will, aber man kann die Beine einfach nicht bewegen? So war das, nur schlimmer. Zu real. Die Hitze der Flammen auf meinem Gesicht, das Stechen in meiner Lunge, Gideons Arme um meinen Oberkörper, mit denen er mich zurückgehalten hat, wofür ich ihn gehasst habe, aber auch dankbar war, denn ich wäre reingerannt. Wäre ich. Ich konnte anschließend nicht sprechen. Auch nicht, als die Feuerwehrleute Olive rausgeholt hatten und der Rettungshubschrauber mit ihr an Bord abgehoben hat. Ich konnte nur zitternd in Gideons Armen liegen, die ganze Nacht lang, und dann war er fort. Er ist einfach verschwunden, kein Wort, keine Erklärung. Acht Wochen lang, wisst ihr ja.

»Ich war gestern bei ihr«, erzählt Tori. Nicht ihr erster Besuch bei Olive. Victoria Belhaven-Wynford ist während der Ferien mehrfach nach Edinburgh gekommen, um Olive im Krankenhaus zu besuchen. Meist haben wir uns dann noch in der Stadt getroffen. Ein kleines bisschen Normalität in diesem seltsamen Sommer, der ein einziger Ausnahmezustand war. »Heute Abend kommst du aber?«

»Heute Abend?«

»Mitternachtsparty?«, hilft sie mir auf die Sprünge. »Ich habe schon mit den Elfern gesprochen, man wird uns im alten Gewächshaus dulden, auch wenn das jetzt eigentlich ihnen gehört. Aber wo sollen wir denn sonst hin? Das Verlies ist immer noch gesperrt, und ich glaube nicht, dass sich daran was ändert, wenn die Renovierungen abgeschlossen sind.«

»Besser ist es.« Ich zucke mit den Schultern. »Ich kann mir nicht vorstellen, wie da unten gefeiert werden soll – nach dem, was geschehen ist.«

Tori nickt. »Es war sowieso ein ekelhaftes Loch.«

Kein großer Verlust. Mir war das Revier der Abschlussklassen im dunklen Gewölbekeller des Internats schon immer suspekt.

»Wer weiß, ob wir nicht die längste Zeit Mitternachtspartys gefeiert haben.«

Tori schürzt die Lippen. »Meinst du, sie greifen jetzt härter durch?«

»Möglich? Die Schule wäre fast abgebrannt wegen einer dieser heimlichen Partys.«

»Aber doch nicht unseretwegen. Bei uns würde niemand einen Zigarettenstummel auf der Couch ausdrücken.«

Ich stutze. »Steht das jetzt als Brandursache fest?«

»Keine Ahnung, aber wundern würde es mich nicht. Du weißt doch, wie es im Verlies immer gerochen hat.«

»Glaube, da hast du mir was voraus«, stichele ich. »Ich hatte ja leider keine Valentine-Ward-Phase.«

»Stimmt, bei dir ist es die Gideon-Phase.« Ihr forschender Blick legt sich auf mich. »Was gibt's da eigentlich so Neues?«

»Nichts«, sage ich rau und wende mich etwas ab. Der gepflasterte Weg zum Ostflügel ist plötzlich äußerst interessant.

»Hat er sich wirklich nicht mehr gemeldet?« Tori klingt verwirrt. »Den ganzen Sommer nicht?«

Ich zucke nur mit den Schultern. »Anscheinend hatte er Besseres zu tun.«

»Das sieht ihm überhaupt nicht ähnlich.«

»So gut kennen wir ihn dann wohl doch wieder nicht.«

Tori geht nicht darauf ein. »Charles hat auch kaum von ihm gehört«, meint sie, was mich nicht erleichtern kann, denn kaum ist immer noch mehr als gar nicht. Wir erreichen den Ostflügel. »Hast du ihn schon gesehen?«

»Nein«, lüge ich. Keine Ahnung, warum ich nicht ehrlich bin. Vielleicht weil es zu wehtut, laut auszusprechen, wie verdammt fremd sich die Begegnung mit Gideon vorhin angefühlt hat. »Ist mir aber auch egal. Ich muss jetzt los, sonst verpasse ich den Bus.«

Tori nickt. »Sag Olive, dass alles scheiße ist ohne sie.«

»Richte ich aus.«

»Und schreib mir wegen später!«

»Ja, ich überleg's mir«, verspreche ich, was einigermaßen schade ist, weil ich bis vor einer Weile nicht hätte überlegen müssen. Da hätte ich ohne zu zögern an einem Treffen wie diesem teilgenommen, weil es bedeutet, dass ich Gideon sehen würde, was es auch jetzt bedeutet, weshalb ich zögere. Aber ich will ihn auch nicht nicht sehen. Ein Dilemma.

5. KAPITEL

GRACE

Im Bus von Ebrington nach Edinburgh starre ich nach draußen und grübele, ohne wirklich zu denken. Ich trage noch die Uniform, zum ersten Mal seit Wochen, und es fühlt sich gut an, nicht nur, weil ich spüre, dass der Bund des Rocks lockerer sitzt als noch vor den Ferien.

Das ist nichts, worüber ich mich freuen sollte, aber ich kann nicht anders, seit ich gehört habe, wie Emma letztes Jahr gesagt hat *Ich musste XS nehmen, die Röcke fallen ja so riesig aus, S sah an mir aus wie ein Zelt.*

Ich habe in S noch nie reingepasst. M sieht an mir nicht aus wie ein Zelt, sondern so, als würde es passen.

Übelkeit in meiner Kehle, Handflächen, die feucht werden, und ich verabscheue, was das mit mir macht. Dass ich sofort wieder daran denke, vielleicht ein paar Tage nur Miso-Suppe zu essen oder andere Dinge zu tun, was sinnlos ist, weil ich trotz allem nie den Körper haben werde, den Emma hat, aber alles, was ich sehe, ist der Umfang ihrer Oberschenkel und Henry, der sie mühelos hochheben und sein Kinn auf ihren Scheitel legen kann, wenn er hinter ihr steht, weil sie so klein und beschützenswert ist. Ich hasse es. Dass sie die ganze Zeit isst und trotzdem so aussieht, dass wir den gleichen Sport machen und ich mich ständig frage, was ihr Geheimnis ist. Es gibt kein Geheimnis. Mein Körper ist eben nicht ihr Körper. Ich schreibe Bestnoten in Bioklausuren, mir muss das klar sein, und trotzdem verstehe ich es einfach nicht.

Na ja, dass dieser Wettbewerb, den ich heimlich, still und leise mit Emma führe, nicht zu meinen Gunsten ausgehen kann, weil nur Kategorien relevant sind, in denen sie natürlicherweise besser abschneidet als ich, muss niemand wissen. Sie nicht, Henry nicht, Tori und Olive auch nicht. Gideon wird in dieser Auflistung von Menschen, die mir nahestehen, übrigens absichtlich nicht erwähnt, falls ihr euch fragt. Bei Olive bin ich mir allerdings manchmal nicht sicher, ob sie nicht doch merkt, was in mir vorgeht.

»Und wie war's so?«, fragt sie später im Krankenhaus, nachdem sie von der nervigen Reha berichtet hat und ich genickt habe, tatsächlich aber sehr froh war, dass sie die nervige Reha macht, durch die ich deutliche Fortschritte sehe und vor Erleichterung fast weinen könnte, wenn wir so wie heute kurze Spaziergänge über die Krankenhausflure unternehmen. Vor einer Weile noch völlig unvorstellbar. »Mit den anderen?«

»Sie vermissen dich alle und lassen Grüße ausrichten«, erkläre ich und weiche einem Krankenpfleger aus, der einen Verbandswagen über den Gang schiebt und Olive und mir zunickt.

»Süß.« Olive schaut mich an. »Aber wie war es? Für dich? Mit Emma«, fügt sie hinzu, als ich ihr einen fragenden Blick zuwerfe.

»Gut, wie soll's schon gewesen sein?« Ich schlucke. »Ich hab nichts gegen sie. Und jetzt sag nicht, dass ich das aber sollte.«

»Das hab ich nie gesagt«, meint Olive. »Ich fand's nur einfach nicht okay, wie die letzten Herbst mit dir umgegangen sind.«

»Es war kompliziert, Livy«, erinnere ich sie. »Für alle.«

»Ja, dich eingeschlossen.« Sie hält sich kurz am Geländer an der Wand fest. Mein Zeichen, vorzuschlagen, langsam umzudrehen.

»Es ist fast ein Jahr her, was soll's.« Ich nicke in Richtung ihres Zimmers. »Sollen wir zurück?«

»Na gut«, murmelt Olive und klingt nur leicht genervt. »Was gibt's Neues an der Gideon-Front?«

Ich seufze nur.

»Hat er sich wirklich nicht mehr gemeldet? Olive schnappt empört nach Luft. »Du solltest ihn konfrontieren.«

»Und was bringt das? Er ist mir nichts schuldig oder so.«

»Du hast es verdient, dass man mit dir spricht und nicht so auf deinen Gefühlen rumtrampelt, Grace.«

Ich nicke und stoppe Olive nicht in ihrer leidenschaftlichen Erörterung darüber, dass Gideon Attwell und auch sonst niemand meinen muss, mich als selbstverständlich anzusehen, auch wenn es schmerzhaft ist. Noch schmerzhafter war ihr Zustand vor einer Weile, als ich ihr von Gideon und mir erzählt habe, um die Stille zu füllen, und kaum ertragen konnte, dass ihre Kraft für nicht mehr als ein paar einsilbige Antworten ausgereicht hat. Es hat mich fast zerrissen, sie so zu sehen, nicht wegen den Verbänden und Narben, sondern wegen der Leere in ihren braunen Augen, die gelegentlich von diesem puren Grauen abgelöst wurde, das ich vermutlich nur ein Stückweit nachvollziehen kann.

Als wir dreizehn waren, hat es mal in Ebrington gebrannt, die alte Scheune der McQuills, Gideon und ich hatten es aus einiger Entfernung über die Felder beobachtet, wir hatten Gus im Schlepptau. Er war noch klein und hat geheult, weil ich rüberrennen wollte wegen der Schafe, die so laut geschrien haben, während sie vermutlich verbrannt sind.

»Gracie?«

»Hm?« Ich blinzele. »Ja, du hast recht. Ich schaue mal, ob ich mit ihm drüber reden kann, aber gerade will ich ihn eigentlich überhaupt nicht sehen.«

Olive betrachtet mich. »Ist das so?«

»Ja«, sage ich.

Nein, denke ich.

Das Problem ist, ich will Gideon immer sehen. Es geht mir besser, wenn er bei mir ist, aber wenn ich etwas gelernt habe nach letztem Jahr, dann, dass es fatal ist, das eigene Wohlbefinden so von der bloßen Existenz einer anderen Person abhängig zu machen.

»Gut, das unterstütze ich«, erklärt Olive kurz vor ihrem Zimmer. »Er ist ein Arsch, und ich hasse ihn.« Grundsätzlich stimme ich ihr zu, aber er ist auch Gideon, und ich liebe ihn.

»Ja«, sage ich nur und halte die Tür auf.

»Wenn ihm eure Freundschaft etwas bedeutet, wird er sich bestimmt noch bei dir entschuldigen und alles erklären.«

»Unsere Freundschaft ist gestorben«, sage ich. »Sie ist eingegangen wie eine Gänseblume.«

»Sind Gänseblümchen nicht winterhart?« Olive setzt sich auf ihr Bett.

»Kann sein, aber sie verblühen wie jede andere Blume und selbst wenn nicht, dann wurden sie totgetrampelt, von völlig rücksichtslosen Leuten.« Ich schließe die Tür.

»Vielleicht ist die Wurzel noch stark genug, damit es noch mal treibt?«

»Livy, nein.« Ich blicke aus dem Fenster. »Er ist mir egal.«

»Der Gänseblümerich?«

»Nenn ihn nicht so.«

Olive kichert.

»Ich meine es ernst.«

»Entschuldige. Auf jeden Fall kann er nicht so mit dir umgehen, starke Wurzel hin oder her. Ehrlicherweise kann er sogar froh sein, dass ich gerade nicht an der Schule bin, sonst bekäme er es mit mir zu tun.«

Das kann er wirklich. Mit Olive möchte man sich nicht anlegen. Sie ist nicht boshaft oder grundlos fies, sondern nur mit Grund. Dann aber so richtig. Tori meint, es hat mit Olives Sternzeichen zu tun, aber ich glaube nicht an so etwas. Sie ist einfach loyal gegenüber ihren Freundinnen, deshalb liebe ich sie so.

»Ich bin mir sicher, dass Henry ihn davor gewarnt hat«, murmele ich.

»Besser ist es.« Sie schnaubt, und ich frage mich einmal mehr, was ich tun würde, wenn sie nicht mehr hier wäre. Womöglich täte ich gut daran, mich darüber mal ein bisschen mit der Schulpsychologin auszutauschen, so wie damals nach dem Scheunenfeuer. Gott, die Schafe. Gideon hat auch geweint, als wir nach diesem doch recht traumatischen Erlebnis zu Ms Vail geschickt wurden, und er hat dabei meine Hand gehalten. Nach dem Brand im Westflügel wurde uns das selbstverständlich ebenfalls angeboten, aber ich wollte nicht sprechen. Gideon war weg, ich habe mich haltlos im leeren Raum gedreht, und jetzt ist es schon so lange her, außerdem geht es Olive besser. Zum Glück geht es ihr besser.

»Also teilen die sich jetzt wirklich ein Zimmer?«, will sie wissen.

»Anscheinend.«

»Wie ätzend«, meint Olive.

»Warum?«, frage ich schnell. »Ist doch egal. Ich wüsste nicht, was ich noch in diesem Zimmer verloren hätte.«

»Hm.« Olive mustert mich. »Stimmt, Gideon kann ja zu dir kommen.«

»Gideon kann mir gestohlen bleiben.« Das sollte entschlossen klingen, aber leider klingt es nur verdammt verletzt. »Ich will meine Zeit nicht mehr mit so was verschwenden«, füge ich daher hinzu. »Heute Nacht treffen wir uns im Gewächshaus«, berichte ich schnell, bevor sie mich auf meine offensichtlichen Lügen hinweist. »Hoffen wir, dass er nicht kommt.«

Olive wirft mir einen vielsagenden Blick zu. »Als ob er nicht kommt, wenn er weiß, dass du da bist.«

»Weiß er ja aber nicht.«

»Wird er sich aber denken können.«

»Nein, Olive, ganz offensichtlich kann er nämlich nicht denken.« Ich seufze, doch eigentlich möchte ich schreien. »Aber egal. Haben die Ärztinnen was wegen deiner Entlassung gesagt?«

Ihre Schultern sacken leicht nach vorn. »Nicht wirklich.«

Ich nicke, und es fühlt sich an wie ein Schlag in den Magen. Woche für Woche komme ich her und erkundige mich, und Woche für Woche ist Olive anzusehen, wie fertig es sie macht, den Schulbeginn mit uns zu verpassen. Meine Ablenkungsversuche scheitern kläglich, und wenig später kommen Olives Eltern, woraufhin ich mich verabschiede und zurück nach Ebrington fahre.

Im Bus drehen sich meine Gedanken wieder nur um Gideon und die seltsame Begegnung mit ihm am Mittag. Als ich auf mein Handy schaue und da noch immer keine Nachricht von ihm ist, keine Bitte um ein Gespräch, keine Entschuldigung, gar nichts, sinkt mein Herz. Was, wenn er sich im Sommer schlicht und ergreifend nicht bei mir melden wollte? Wenn das kein seltsames acht Wochen langes Missverständnis war, sondern eine bewusste Entscheidung?

Ich stecke mein Handy weg und schaue nach draußen, aber ich nehme nichts von Edinburgh wahr.

Ich habe ihn mal gefragt, warum er nicht nach Hause fährt, das müsste in der sechsten Klasse gewesen sein. Er hat mit den Schultern gezuckt, auf seine wortkarge Gideon-Art, und eine Weile nichts gesagt. Schließlich: *Weiß nicht. So halt.* Eine typische Gideon-Antwort, wenn Gideon nicht antworten will. Ich habe damals genickt und mich neben ihm auf den Rücken gedreht auf dieser vertrockneten Wiese, auf der wir lagen, im Halbschatten, es war ziemlich warm, und ich weiß alles noch genau. Was ich anhatte (kurze Jeansshorts und das gelb-weiß gestreifte Top, das zwei Sommer später gelb-grau gestreift war, nachdem Mum meinte, ich müsse lernen, wie man Wäsche wäscht), wie es gerochen hat (etwas staubig und trocken, ein wenig nach Tannennadeln, Heu und frischem Schweiß, aber nicht unangenehm, wisst ihr), wie die vertrockneten Grashalme in meine nackten Arme und Beine gepikst haben, und wie Gideon den Kopf gedreht und mich angesehen hat, bis ich das alles nicht mehr gespürt habe und ich mir gedacht habe, verrückt eigentlich, wie das Gehirn alles nicht Relevante ausblendet, obwohl es immer noch da ist. Wir haben später Wassereis im Dorf gekauft, eine ganze Packung mit verschiedenen Geschmacksrichtungen, damit wir alle ausprobieren konnten und Greg und Gus keine tränenreichen Wutanfälle bekommen, weil wir ihnen nichts übrig gelassen haben. Ich hätte es ja riskiert, aber Gideon war nicht bereit, das in Kauf zu nehmen. An das Eis gekommen sind meine kleinen Brüder jedoch nie, Gideon ist nämlich mit meinem Fahrrad gestürzt und hat sich das ganze Knie aufgeschlagen und das halbe Kinn, alles nur weil er nicht schieben, sondern das restliche Eis in einer Hand halten und mit der anderen lenken wollte. Eine absolut unnötige Aktion, auch wenn er das nie zugegeben hat. War jedenfalls ganz schön viel Blut, aber er hat nicht geweint, er war megatapfer, als Olives Vater auf der Dunbridge-Krankenstation die

Platzwunde an seinem Kinn mit sieben Stichen nähen musste. Das war auch das erste Mal, dass ich bei Gideon geschlafen habe. Nicht auf der Krankenstation, aber in seinem leeren Bett in seinem leeren Schlafsaal im Internat, um mich ihm nah zu fühlen. Er wusste das nicht mal, glaube ich. Er weiß es bis heute nicht. Niemand weiß es, auch nicht meine Eltern, denn ich habe mein Bett mit Kleidung unter der Decke so präpariert, dass es aussah, als läge ich darin, und bin erst über das Vordach rausgeklettert, als Mum und Dad unten das Licht ausgemacht haben.

Später habe ich im Sommer manchmal bei Gideon im Schlafsaal übernachtet, meistens in Henrys Bett. Das hat sich einfach so ergeben, weil wir uns so viel zu erzählen hatten und Gideon meinte, er könne nicht einschlafen ohne die Geräusche in ihrem Schlafsaal, ohne Omars Schnarchen und Henry, der manchmal im Schlaf redet. Tatsächlich frage ich mich, ob Gideon weiß, dass er selbst auch schnarcht, wenn er auf dem Rücken liegt, was er nicht oft tut. Es ist kein nerviges Schnarchen, keins, von dem man aufwacht, weil es so laut und unerträglich ist. Es ist eigentlich schön, weil man dadurch hört, dass er da ist. Wenn Gideon bei mir geschlafen hat, letztes Jahr, hätte ich ihn anstoßen und bitten können, sich auf die Seite zu drehen, damit es aufhört, aber ich habe ihn nicht angestoßen. Ich habe neben ihm gelegen, zu seinem Atem meditiert und an die Decke gestarrt oder auf sein Gesicht. Dabei habe ich an überhaupt nichts gedacht. Das klingt jetzt vermutlich nicht besonders krass, aber für mich war es das. Mein Kopf kann nicht gut an nichts denken. Irgendwas ist da immer. Schule, Hausaufgaben, Noten, meine persönliche Bestzeit auf den vierhundert Metern, die nicht mehr besser wird, Emmas persönliche Bestzeit, der Umfang von Emmas Oberschenkeln, Henrys Blicke, Henrys Hände, Henrys Hände um Emmas Oberschenkel,

Henrys Mund und wie ich nichts sage, obwohl ich so viel sagen will. Neben Gideon zu liegen, ist ein bisschen mehr Frieden im Kopf, mehr Ruhe, Zuversicht wäre wohl zu viel des Guten. Es war eben einfach gut, zumindest für diese paar Stunden der jeweiligen Nacht.

Zu sagen, ich würde mir das nicht zurückwünschen, wäre gelogen. Mir würde schon reichen, zu verstehen, warum es sich plötzlich verändert hat. Aber verstehen wollte ich im letzten Jahr viel. In meiner Vorstellung ist das fast wie ein Zaubertrick. Etwas passiert, es tut mir weh, ich muss es verstehen, in der Hoffnung, es täte dann weniger weh, was es nicht tut, was wiederum bedeutet, dass ich es vielleicht noch nicht ausreichend verstanden habe. Das ist dann ein richtiger Teufelskreis. Manche Dinge kann man nämlich nicht verstehen. Ich zumindest nicht.

6. KAPITEL

GIDEON

Der Raum, den Henry und ich uns dieses Schuljahr teilen werden, ist als Einzelzimmer ausgelegt. Zwei Betten, zwei Schreibtische, zwei Kommoden und ein Schrank passen nur mit Müh und Not hinein, aber ich werde mich nicht über den Platzmangel beklagen, sondern packe stumm mein Gepäck aus. Es ist ein seltsames Gefühl.

In der Regel habe ich meine Sachen am Ende der Sommerferien nur achtlos in meine Koffer geworfen und ein Stockwerk hinauf in unsere neuen Schlafgemächer getragen. Grace hat mir dabei geholfen, daher ging es schnell. Wenn die anderen zurückgekommen sind und ihre Sachen wieder in die Fächer und Schubladen geräumt haben, habe ich meist nur noch zugesehen. Mit jedem Gegenstand ist ein Stück weit Leben in die Räume zurückgekehrt. Meist ein fröhlicher Anlass, aber es kam mir zugleich vor, als würde ich mit dem Ende der Ferien auch etwas betrauern. Diese Zeit mit Grace. Eigentlich habe ich mich immer etwas schuldig gefühlt, wenn Henry zurückkam, Grace geküsst hat und mich gefragt hat, wie die Ferien waren. Großartig. *Weil du nicht da warst.*

Nicht falsch verstehen, ich mag Gesellschaft, ich verbringe gerne Zeit mit unseren Leuten, gehe auf die Mitternachtspartys, ich liebe die Jungs, sie sind meine Familie, aber neben Grace verblasst verständlicherweise alles.

Ich schrecke auf, als ich einen Schlüssel im Schloss höre. Kurz darauf wird die Tür aufgestoßen, und Henry kommt herein. Er trägt die Uniform, volle Montur, woraus ich schließe, dass er gerade von Rektorin Sinclairs Begrüßungsansprache an die Neuen kommt, bei der er sich als Schulsprecher vorstellt.

Es ist anders als sonst, das spüre ich sofort.

Henry bleibt stehen, die Tür fällt hinter ihm ins Schloss, sein Gesicht ist ernst, und sein Blick liegt auf mir. Analysiert binnen Sekundenbruchteilen alles, jede Gefühlsregung. Ich bemühe mich, möglichst emotionslos auszusehen, keine Ahnung warum, schließlich ist Henry halbwegs im Bilde. In den Ferien:

H: Wie geht's?
G: Gut.
H: Alles okay?
G: Ja. Bei dir?
H: Auch mit Freddie?
G: Nein.
H: Willst du telefonieren?
G: Vielleicht später.
H: Okay.
H: Wie schlimm ist es?
G: Schlimm.
H: Okay.
H: Melde dich, wenn ich was tun kann. Bitte.
G: Okay.

Ich habe mich nicht gemeldet, aber Henry hat sich weiter gemeldet, auch dann, wenn ich nicht geantwortet habe. Nicht so wie Grace, die irgendwann aufgehört hat zu schreiben. Ich hätte an ihrer Stelle auch aufgehört.

Jetzt schaut Henry mich an, und irgendwie genügt ihm ein Blick, und ich weiß, dass er es erraten hat. Er sagt nichts, doch es tritt dieser wissende Ausdruck in seine Augen. Er fragt nicht, aber ich nicke leicht, und er versteht. Dann kommt er auf mich zu.

»Scheiße, tut mir leid«, sagt er leise.

Ich muss die Augen schließen, als er mich umarmt. Normal wäre wahrscheinlich, jetzt gegen die Tränen kämpfen zu müssen, aber aus irgendeinem Grund kann ich nicht weinen, seit es passiert ist. Ich stehe nur da und atme mit geschlossenen Augen für die Dauer von Henrys Umarmung und denke, dass er womöglich der Einzige ist, der das versteht. Wegen Maeve und dem Schmerz in seinen Augen, der seitdem ein treuer Begleiter ist.

»Wann?«, fragt Henry, als er mich wieder losgelassen hat.

»Ende Juli.«

Henry nickt. Ich denke, er hätte jetzt noch eine Menge andere Fragen stellen können. *Wie geht's dir? War es schlimm? Warum hast du nicht angerufen? Kommst du klar?* Aber vermutlich kennt er die Antwort auf alle. Es gibt keine Antwort. Es gibt gar nichts mehr, und gleichzeitig ist alles einfach weitergegangen, ich habe in London gefeiert, getrunken, verdrängt, so getan, als wäre nicht das Schlimmste der Welt geschehen, und mich gefragt, warum ich nicht einfach zurück nach Schottland gefahren bin. Zurück in mein normales Leben. Zurück zu Grace, die ich schon zu lange ignoriert hatte und die Fragen gestellt hat, auf die ich keine Antworten habe.

»Wenn ich irgendetwas tun kann«, beginnt er, aber ich schüttele den Kopf.

»Ich will nur Normalität«, sage ich. »Meine Eltern wollten, dass ich in London bleibe und die Schule wechsle.«

Ein Muskel an Henrys Wange zuckt. »Warum sollte das jetzt eine gute Idee sein?«

Ich zucke mit den Schultern. »Sind plötzlich wieder ganz scharf drauf, dass ich mit der jungen Londoner Oberschicht connecte, jetzt, wo es nichts mehr zu vertuschen gibt.«

»Sie haben das durchgezogen?« Henry stößt ungläubig den Atem aus. »Und bei der Beerdigung? Ich meine …«

»Plötzlich und unerwartet verstarb unser geliebter Sohn Schrägstrich Bruder Frederic Attwell im Alter von nur vierzehn Jahren viel zu früh am einundzwanzigsten Juli«, rezitiere ich die Traueranzeige. Zu sehen, wie Henrys Miene dabei ausdruckslos wird, hilft mir mehr als erwartet. Weil ihm anzusehen ist, dass er das nicht nur makaber findet, sondern schlicht und ergreifend widerwärtig. Fand ich auch. Mein Name stand trotzdem drunter. Hatte keine Ahnung, es ging so schnell, und der Text war seit Ewigkeiten vorbereitet, wie ich rausgefunden habe, als ich mit der Zeitung in der Hand im Wohnzimmer stand und vor Dad rumgebrüllt habe. Ich drücke die Zunge gegen meine Wange und muss den Blick abwenden.

»Sorry, aber das ist so verdammt abgefuckt«, murmelt Henry.

Ich kann ihm nur recht geben. Es ist verdammt abgefuckt, dass meine Eltern dem Rest der Welt vorgegaukelt haben, Freddie wäre ebenso wie ich an ein weit entferntes Internat geschickt worden, obwohl sie ihn nach seiner Diagnose in diesem Hotel versteckt haben, nur um später so zu tun, als sei sein Tod unerwartet eingetreten. Das alles, es ist einfach nicht fair. Dass er so etwas wie hier nie erleben durfte. Zusammenhalt, Teamgeist, eine zweite Familie, die ehrlich gesagt viel besser ist als die erste. Er hätte das geliebt. Internatsleben, Mitternachtspartys, den Speisesaal, Rugbyspiele. Vermutlich wäre er eine Art Henry geworden, wortgewandt und allseits beliebt, ist ihm immer leicht gefallen, überall tausend Freunde zu finden, egal ob im Kindergarten, der Grundschule, wenn wir in den Ferien in Antibes waren oder im Winter in Megève.

Henry fragt nicht weiter, als er merkt, dass ich nicht in der Lage bin, über Freddie und das alles zu reden, dafür redet er, über die Ferien, über das neue Schuljahr, über all die Belanglosigkeiten, ohne die ich nicht wüsste, wie ich klarkommen sollte. Nachdem wir beide unsere Koffer ausgeräumt haben, laufen wir rüber zum Speisesaal, wo wir am Tisch Platz nehmen, der für die Abschlussklasse reserviert ist. Also für uns. Auf einmal sind wir die Ältesten, und für einen kurzen Moment sehe ich den ersten Abend vor all den Jahren, als ich hier ankam und mir alle so ehrwürdig und erwachsen vorkamen, völlig klar vor mir. Fühlt sich gut an, die anderen zu begrüßen und zwischen ihnen Platz zu nehmen, auch wenn es besser wäre, wenn Grace auch hier wäre. Aber sie ist eine externe Schülerin und nimmt an den Abendessen im Internat nicht teil. Es ist, wie es ist.

Die Stimmung, die am Mittag auf dem Schulhof noch teilweise bedrückt war, ist jetzt so wie immer nach den Ferien: laut, ausgelassen und fröhlich, zumindest bei den älteren Jahrgängen. Die Fünfer sitzen mit großen, feuchten Augen an ihren Tischen und werfen heimwehgeplagte Blicke durch die Reihen, die aus der Siebten sind außer Rand und Band, die Achter zu cool, um auch nur den Anflug von Emotionen zu zeigen, und uns, den Ältesten, gehört dieser Saal mehr oder weniger, zumindest bis Rektorin Sinclair reinkommt. Wir stehen auf.

In der Regel hält sie vor dem ersten Abendessen nur eine kurze Ansprache, um uns willkommen zu heißen. So richtig wird das neue Schuljahr dann am nächsten Morgen beim Montagsassembly eingeläutet, aber dass es dieses Jahr anders ist, spüre ich bereits, als ihr Blick länger als sonst über uns streift. Rektorin Sinclair sieht ergriffen aus, und aus irgendeinem Grund fühlt sich das an wie ein schwerer Stein, der meinen Magen Richtung Erdmittelpunkt zieht. Kein Gefühl, das mir in letzter Zeit unbekannt wäre.

»Ich freue mich«, erklärt sie, und ihre Stimme klingt relativ fest, aber nicht so fest wie sonst, »euch alle gesund und munter zurück an der Dunbridge Academy zu sehen.«

Vermutlich schlucken wir alle synchron. Vermutlich denken wir alle an Olive.

»Was kurz vor den Sommerferien hier an unserer Schule geschehen ist, macht mich noch immer tief betroffen«, fährt Rektorin Sinclair fort. »Ich bin froh und dankbar, dass die Einsatzkräfte den Gebäudebrand rechtzeitig eindämmen konnten und wir heute lediglich Sachschaden zu bedauern haben, anstatt um Menschenleben zu trauern.«

Ich schlucke erneut. Seitenblick von Henry.

»Sicher habt ihr bei eurer Ankunft bereits festgestellt, dass der Brand schwere Schäden am Westflügel hinterlassen hat. Dank der großzügigen Spenden unseres Fördervereins konnten die Reparaturarbeiten bereits während der Sommerferien in die Wege geleitet werden, aber bis sie abgeschlossen sind, wird es noch eine Weile dauern. Über die neue Zimmerverteilung und Wohnsituation wurdet ihr bereits informiert.

Wir werden enger zusammenrücken müssen, um zu gewährleisten, dass diese Schule weiterhin ein Zuhause für alle sein kann. Das ist nicht ideal, aber aktuell nicht anders möglich. Daher nur so viel: Ich bin überzeugt, dass ihr an der Dunbridge Academy Zusammenhalt und gegenseitige Rücksichtnahme verinnerlicht habt und diese Werte auch an eure neuen Mitschülerinnen und Mitschüler weitergeben werdet …« Es wundert mich nicht, dass sich ihr Blick auf uns Älteste legt, und es wundert mich auch nicht, dass ich das Bedürfnis spüre, mich aufrechter hinzustellen. »… sodass es uns allen gelingt, uns mit den Übergangslösungen und ihren Herausforderungen zu arrangieren. Das Ende des letzten Schuljahres war eine Zeit schwerer Prüfungen«, spricht sie weiter. »Uns ist gelungen, sie gemeinsam zu meistern. Lasst uns nun nach vorne blicken und das neue Schuljahr einläuten. In diesem Sinne: Willkommen zurück an der Dunbridge Academy. Lasst es euch schmecken.«

Beifall brandet auf, und Rektorin Sinclair geht an den Tisch der Lehrkräfte. Es ist seltsam, dass anschließend wir diejenigen sind, die zuerst aufstehen und nach vorne gehen dürfen. Die Ältesten. Die, die am längsten hier sind. Nächstes Jahr sind wir weg. Ich kann an nichts anderes denken, während ich hinter Henry und Sinclair durch den Mittelgang laufe.

»Der gleiche Fraß wie immer«, seufzt Sinclair, als wir uns Teller nehmen, aber in seiner Stimme schwingt ein Unterton mit, fast liebevoll, weil er jetzt schon weiß, dass er den Fraß vermissen wird. So wie wir alle.

»Charles.« Joseph vom Küchenteam blickt ihn warnend an.

»Hallo Sir«, bringt Sinclair peinlich berührt heraus.

Joseph ignoriert ihn und nickt mir zu, bevor er mir eine zusätzliche Scheibe vom Braten auf den Teller legt. Seine Sprache der Liebe. Ich bin froh, zurück zu sein.

7. KAPITEL

GRACE

Im Bus von Edinburgh zurück nach Ebrington habe ich Dad geantwortet, dass ich bei Olive war, schon mit ihr gegessen habe und sie dementsprechend nicht mit dem Abendessen auf mich warten müssen. Weil das unweigerlich für Diskussionen sorgen wird, schalte ich mein Handy danach in den Flugmodus und schaue aus dem Fenster. Nach Hause muss ich trotzdem, denn die anderen sind noch beim Abendessen im Internat, und ich will etwas Bequemeres anziehen, bevor wir uns später zur Mitternachtsparty treffen. Kurz überlege ich, den unkonventionelleren Weg über das Vordach in mein Zimmer zu nehmen, aber ich entscheide mich dagegen und bereue es sofort, als die Fernsehgeräusche im Wohnzimmer verstummen, sobald ich die Haustür hinter mir zugezogen habe.

Ich bleibe stehen und höre auf zu atmen, aber es ist zwecklos.

»Grace?«

Ich schließe kurz die Augen.

»Bin wieder da«, rufe ich und laufe zur Treppe.

»In der Küche ist eine Portion Auflauf für dich«, höre ich Mum sagen.

Mein Herz schlägt schneller, als ich ins Wohnzimmer gehe, weil alles andere zu verdächtig wäre.

»Ich hab doch gesagt, ich hab mit Olive gegessen.«

Meine Eltern antworten nicht sofort. Sie sitzen auf der Couch und werfen mir skeptische Blicke zu. Ich weiß, was nun kommt. Sie werden mir nicht glauben.

Das geht so seit einer Weile.

Sie: Hast du gegessen?

Ich: Ja.

Sie: Was?

Ich: Irgendwas.

Sie: Beweis es.

Ich: Nein.

Sie: Grace, doch.

Ich: Ihr habt mir gar nichts zu sagen.

Dann renne ich nach oben und schließe mich ein. Heute schon wieder.

Mir tut es auch leid, dass ich nicht mehr die erwachsene und vernünftige Tochter sein kann, die meine Eltern sich wünschen. Ich werfe mich auf mein Bett und starre die Wand an, volltapeziert mit motivierenden Sprüchen und ästhetischen Bildern. Oxford und Cambridge, Jura, meine Traumbestzeiten auf der Laufbahn, dabei weiß ich weder, ob ich eigentlich nach Oxford oder Cambridge will, weil es mein Wunsch ist oder weil mir die Idee gefällt, das zu schaffen, was die meisten anderen niemals schaffen, noch, ob sich auch nur eine Zelle meines Körpers ehrlich für Rechtswissenschaften interessiert. Letztendlich egal. Ich weiß ja auch nicht, was ich stattdessen will. Mit einem Schnitt wie meinem studiert man schließlich Jura oder Medizin, alles andere wäre Verschwendung, und da ich Krankenhäuser so schlecht ertrage, ist Letzteres wohl keine echte Option.

Ebenfalls Verschwendung wäre es, die Pflichtlektüre für das letzte Schuljahr nun zum dritten Mal zu lesen oder Themen vorzubereiten, von denen ich nur ahnen kann, wann sie drankommen werden, um Zeit totzuschlagen.

Mir bleibt daher nichts anderes übrig, als durch Emmas Instagram-Account zu scrollen und mir zum hundertsten Mal anzusehen, was sie in den Ferien mit Henry unternommen hat. Nicht, dass ich das nicht längst in- und auswendig wüsste. Die erste Woche nach dem Feuer an der Dunbridge kamen keine Storys, dann war ausreichend Taktgefühl bewiesen worden, wir wussten, dass Olive es höchstwahrscheinlich schafft, und die Fotos von ihr und Henry bei seinen Eltern in Namibia fingen an. Danach dreieinhalb Wochen Kapstadt, Tafelberg, Roadtrip, anschließend schienen sie mit Emmas Mutter einige Zeit auf Mallorca verbracht zu haben, die letzten zwei Wochen schließlich in Deutschland. Frankfurt, Abstecher nach Berlin, Hamburg, und sogar nach Amsterdam sind sie gekommen. Henry sieht auf jedem Foto und Video so glücklich und entspannt aus, und er hat nur Augen für sie. Auf einmal scheinen ihm die Reiserei und das Unterwegssein wieder Spaß zu machen. Solange er Emma bei sich hat, na klar. Sie sind auch ständig zusammen laufen gegangen. Ja, er geht jetzt laufen, sogar in seiner Freizeit.

Warum kann ich das nicht ansehen und mich einfach für ihn freuen? Henry und ich sind nicht mehr zusammen, und wir werden es auch nie wieder sein. Ich sehe mit eigenen Augen, dass er jetzt glücklicher ist, aber alles, was diese Erkenntnis in mir hervorruft, ist die Frage, warum er mit mir nicht glücklich war. Was ihm gefehlt hat.

Manchmal frage ich mich, ob ich, angenommen ich hätte einen Wunsch frei, Henry dazu bringen würde, sich doch wieder für mich zu entscheiden. Eine Zeitlang war das vielleicht der Fall, aber inzwischen bin ich mir nicht mehr so sicher. Ich bin nicht illusorisch. Vielleicht neige ich dazu, die Vergangenheit zu verklären, ich erinnere mich an die guten Momente mit ihm, aber auch an die schlechten. Haben wir das Beste ineinander hervorgebracht? Nicht notwendigerweise. Muss man das in einer Beziehung? Keine Ahnung, ich denke nur, es sollte sich gut anfühlen, und das hat es, aber auch bevor Emma an die Dunbridge Academy kam, habe ich mich pausenlos gefragt, ob ich Henry eigentlich reiche. Das war schon lange eine sehr reale Angst von mir. Dass er eines Tages aufwacht, mich ansieht und erkennt, dass ich gar nicht so perfekt bin, wie ich tue. Es war, als müsse ich mich ständig für ihn bemühen, ihm beweisen, dass er sich richtig entschieden hat, weil seine Entscheidung jederzeit reversibel sein könnte, was sie dann ja auch war. Meine größte Sorge hat sich bewahrheitet: Es hat nicht gereicht. Ich habe nicht gereicht. Ich war Henry Bennington nicht genug. Das kann ich ihm nicht einmal vorwerfen. Ich ganz allein trage dafür die Verantwortung.

Manchmal habe ich diese Träume, an die ich mich beim Aufwachen glasklar erinnern kann und weinen will, weil sie sich so real angefühlt haben und Henry wieder da war. Hier in meinem Zimmer, in meinem Bett, seine Finger auf meiner Haut und sein Geruch in meinen Haaren. Es kommt mir grausam vor, dass das nie wieder so sein wird. Dass er vermutlich keinen Gedanken dieser Art an mich verschwendet, weil er in Emmas Bett liegt. Es sollte verboten sein, von einer Beziehung direkt in die nächste zu flüchten. Nach einer Trennung sollte eine Sperrfrist oder so etwas Ähnliches gelten. Sechs Monate ordentlich leiden und diesen Liebeskummer spüren müssen, anstatt ihm aus dem Weg zu gehen und direkt wieder glücklich zu sein. Mindestens.

Bei Henry und mir gab es keine sechs Monate. Ich denke, bei ihm waren es nicht mal sechs Stunden. Sechs Minuten vielleicht, wenn überhaupt. Na gut, das ist vielleicht ein wenig überspitzt. Als er herkam, um sich von mir zu trennen, hat ihn das fertiggemacht, das war deutlich zu spüren. Ich kenne ihn, ich weiß, dass er ein furchtbar schlechter Schauspieler ist, in den letzten Wochen unserer Beziehung war das ja für alle offensichtlich. Er kann einem nichts vormachen, erst recht nicht mir, weshalb ich weiß, dass ihm die Trennung alles andere als leichtgefallen ist. Das macht es allerdings nicht besser. Mein Schloss war längst ins Bröckeln geraten, und an diesem Samstagmittag ist es in sich zusammengestürzt. Ich habe genickt, leer und betäubt, ich habe ihm zugehört, mich nicht von ihm umarmen lassen und darauf gewartet, dass ich aufwache aus diesem Albtraum. Ich bin nicht aufgewacht. Nicht, als Henry wieder weg war. Nicht, als Mum von ihrer Schicht in der Nationalgalerie zurückkam und unten in der Küche rumgeschrien hat, ob es niemand in dieser Familie für nötig hält, mal die Spülmaschine auszuräumen.

Warum konnte ich nicht zu ihr nach unten gehen? Warum musste ich auf dem Weg ins Internat, wo ich Olive mein Herz ausschütten wollte, in Gideon rennen, hinten an der Burgmauer, wo er gerade aus der kleinen Lücke kam, um auf den Feldern zu laufen. Warum hat ihm ein Blick gereicht und meine Dämme sind gebrochen?

Er hat mich angesehen, verstanden, die Hände zu Fäusten geballt und mich dann in den Arm genommen, anstatt irgendwas kaputt zu schlagen. Ich habe so geweint wie noch nie in meinem Leben, als wir später in meinem Zimmer waren, nachdem ich ihm alles erzählt habe. Es war anders als am nächsten Morgen bei Olive oder Tori, was wohl daran lag, dass Gideon nicht versucht hat, mich zu trösten oder mir gut zuzureden. Er stand nur da und hat mich festgehalten, mit dieser eisernen Miene und seinen starken Armen, ohne die ich schlichtweg auseinandergefallen wäre.

Er ist an diesem Tag nicht zum Abendessen im Internat gegangen. *Warum nicht?*, habe ich später gefragt. Er hat mit den Schultern gezuckt und dann gesagt, dass er Henry vielleicht die Nase gebrochen hätte, wenn er sich dort im Speisesaal mit ihm an einen Tisch hätte setzen müssen. Ich habe genickt und mir gewünscht, er wäre hingegangen.

Niemand hat Henry die Nase gebrochen, auch nicht Olive, aber viel hätte nicht gefehlt, das war klar. Aber ich wollte nicht, dass sie für mich eine Szene veranstaltet. Was hätte das gebracht? Henry hätte seine Meinung nicht geändert, ihm wäre dadurch nicht auf wundersame Weise wie Schuppen von den Augen gefallen, dass er mich eigentlich immer noch liebt, so sehr wie eh und je oder vielleicht sogar mehr, und für Emma war diese ganze Situation schon schwierig genug. Das macht mich immer noch mit am wütendsten an dieser ganzen Sache. Henry Bennington ist schuld daran, dass ich eine andere Frau als meine ärgste Konkurrentin betrachte und nicht einmal jetzt damit aufhören kann. Es zerreißt mich fast, weil meine Werte und Gedanken gegensätzlicher nicht sein könnten. Meine Handlungen habe ich unter Kontrolle, ich habe kein einziges Mal etwas Fieses zu Emma gesagt, aber was mir durch den Kopf gegangen ist in meinen schwächsten Momenten und den dunkelsten Nächten, davon darf man niemandem erzählen.

8. KAPITEL

GRACE

Ich schleiche mich raus, nachdem ich genug gegrübelt habe und die anderen das Abendessen wahrscheinlich beendet haben. Der Innenhof hat sich geleert, die Autos der Eltern sind verschwunden, die Koffer in die Zimmer gebracht worden. In den Arkaden treffe ich Inès und Salome (*Schöne Ferien gehabt?*) und erfahre von ihnen, dass Tori und die anderen noch im Speisesaal hängen, also gehe ich dorthin und laufe ihnen vor der mächtigen Flügeltür der alten Kirche in die Arme. Tori steht neben Emma, und kurz erwäge ich, mich umzudrehen und wieder zu verschwinden, aber ich will so nicht sein, also gehe ich auf die beiden zu.

»Wie geht es ihr?«, fragt Emma, als ich erwähne, dass ich vorhin bei Olive war.

»Ein bisschen besser, sie lässt Grüße ausrichten«, sage ich.

»Gibt es schon Neuigkeiten wegen ihrer Entlassung?«, fragt Tori hoffnungsvoll, aber ihr muss ebenso klar sein wie uns allen, dass es nun, mit Beginn der ersten Schulwoche, für Olive immer schwieriger wird, weiterhin in unserer Stufe zu bleiben.

»Nichts Konkretes«, meine ich, woraufhin Tori enttäuscht nickt. Dann findet mein Blick über ihre Schulter hinweg den von Gideon. Er starrt zu mir rüber, natürlich ohne etwas zu sagen. Glücklicherweise schaut Tori mich an und liefert mir einen Grund, jetzt nicht zu ihm gehen zu müssen, auch wenn das vermutlich die erwachsenere Entscheidung wäre. Es ist nur ein klein wenig schmerzhaft, als sie auffordernd in Richtung Westflügel nickt, obwohl sie jetzt im Ostflügel wohnt, was ihr daraufhin wohl ebenfalls bewusst wird, denn ihre Miene wird eine Sekunde lang gespenstisch glatt. Ich zögere und fühle mich furchtbar, als ich bemerke, dass Emma unsere stumme Interaktion beobachtet hat.

Ihr Gesicht leuchtet auf, als ich sie frage, ob sie mit uns nach oben kommt. Sie nickt sofort und folgt uns, nicht ohne Henry einen kurzen Blick zuzuwerfen, was einem minimalen Stich gleicht, aber ich hätte ihm auch einen Blick zugeworfen.

Toris Seite ihres gemeinsamen Zimmers sieht aus, als hätte sie bereits zwei Wochen Zeit gehabt, es zu verwüsten. Sie braucht erstaunlicherweise nur ein paar Minuten, bis sie aus den Untiefen ihrer Schreibtischschublade einen Kristall gekramt hat, auf den sie in Südfrankreich mit Sinclair gestoßen ist und von dem sie eine gute Energie für mich ausgehen spürt. Bis heute bringe ich es nicht übers Herz, ihr zu sagen, dass ich so etwas eigentlich für Unfug halte. Sie glaubt daran, und es kann wohl nicht schaden, außerdem wird sich der blasslila Stein hervorragend in die Ecke meines Regals einfügen, in der ich die Glücksbringer sammle, die Tori mir im Laufe der letzten Jahre anvertraut hat.

»Wird er warm in deiner Hand?«, erkundigt sich Tori aufgeregt und strahlt, als ich nicke. »Dann funktioniert seine Energie für dich, genau wie ich es mir dachte.«

Emma und ich wechseln einen kurzen Blick, dann muss ich in ihr Bad flüchten, als Ms Barnett zum Flügelzeitrundgang vorbeischaut. Durch die geschlossene Tür lausche ich ihrem

Wortwechsel im Nebenzimmer und drehe meinen tatsächlich erstaunlich warmen Kristall in den Händen. Ich muss leise lachen und schüttele stumm den Kopf. Draußen höre ich, wie die Tür wieder geschlossen wird.

»Wie könnt ihr es wagen, noch nicht zu schlafen?«, wispere ich, als ich anschließend aus dem Bad komme und Tori ein kleines Licht anmacht.

»Pshht«, flüstert sie aufgekratzt und kichert.

Ich lasse mich aufs Fußende ihres Bettes fallen. »Ich traue Ms Barnett zu, dass sie vor der Tür wartet und lauscht, ob wir still sind.«

»Es ist der erste Abend.« Emma zuckt mit den Schultern. »Da ist sie nicht so streng.«

»Du redest schon wie ein alter Hase«, erklärt Tori voller Stolz, woraufhin Emma zu glühen beginnt und lächelt.

»Schon verrückt eigentlich«, meint sie und umarmt ihr Kopfkissen. »Vor einem Jahr kam ich hier an und kannte keinen von euch.«

»Ja, wie ein verschüchtertes Reh.« Tori seufzt. »Und jetzt schau, wie prächtig du dich entwickelt hast. Man hört auch fast nichts mehr von deinem deutschen Akzent.«

»Hey.« Eine empörte Falte gräbt sich zwischen ihre Brauen, und kurz denke ich, dass mich so vieles an ihr inzwischen an Henry erinnert.

»Stimmt, das *th* konntest du glücklicherweise ja schon von Anfang an vernünftig aussprechen.«

»Tori.« Ich kichere. »Das ist unverschämt.«

»Ich meine es nur lieb, ihr kennt mich doch«, flüstert sie. »Wie ist jetzt eigentlich die Situation mit deinem Vater?«

Emma seufzt leise. »Frag mich was Leichteres. Er meinte, er meldet sich, aber dann habe ich die Ferien über nichts mehr von ihm gehört. Vermutlich sollte ich mich darüber nicht wundern. War ja zu erwarten, dass er sich nach all den Jahren nicht plötzlich auf wundersame Weise ändert.«

»Ja, du musst dich schützen.« Dass diese Worte von mir kamen, verstehe ich erst, als Emmas und Toris Blicke auf mir liegen. »Ich meine, es ist nicht okay, weißt du? So mit deinen Gefühlen zu spielen.«

Emma nickt nach einem Augenblick.

Da wäre noch mehr, was ich nun zu ihr sagen könnte. Dass es gut ist, dass sie inzwischen einen Freund wie Henry hat. Jemanden, auf den man sich zu einhundert Prozent verlassen kann. Weil er sein Wort hält. Doch etwas hindert mich daran.

»Du hast voll recht«, sagt Emma, aber ihr Blick ruht dabei mit einer seltsamen Schwere auf mir. »Danke, Grace.«

Ich lächele schnell und schaue zu Tori. »Und deine Mum?« Ein schwieriges Thema, das weiß ich schon, bevor Tori mit den Schultern zuckt.

»Sie hat den Entzug gemacht. Mal schauen, wie sie zurechtkommt. Die in der Klinik haben gesagt, dass Rückfälle häufig sind.« Sie schluckt. »Du kannst ehrlich so froh sein, dass deine Familie intakt ist.«

»Ja, bin ich auch«, murmele ich. Schade nur, dass dafür ich diejenige bin, die anscheinend beschädigt ist.

Toris Handy vibriert. »Ach, die Jungs sind schon drüben.« Sie stößt beleidigt den Atem aus. »Frechheit.«

»Gideon auch?«, frage ich und ärgere mich sofort über mich selbst.

»Ja, glaube ich zumindest.« Toris Blick liegt auf meinem Gesicht. »Redest du dann mit ihm?«

»Ist zwischen euch eigentlich alles gut?«, fragt Emma wie auf Kommando.

»Keine Ahnung, er hat sich ebenfalls entschieden, sich den Sommer über nicht bei mir zu melden.«

»Echt?« Emma schweigt kurz. »Aber du magst ihn, nicht wahr?«

Ich zwinge mich, diplomatisch zu antworten: »Er ist ein guter Freund. Zumindest dachte ich das.«

»Würdest du wollen, dass er mehr als das ist?«, fragt Emma.

Bei der Vorstellung verliert mein schweres Herz etwas Gewicht. »Keine Ahnung«, wispere ich. »Ich will nicht noch mal verletzt werden.«

Ein Schatten legt sich über Emmas Augen, bevor sie nickt.

»Aber vielleicht ist Gideon es wert, das zu riskieren?«, meint Tori.

Ich schlucke. Im Grunde gibt es darauf nämlich nur eine Antwort. Gideon ist alles wert. Er ist der beste Mensch, den ich kenne, und ich will ihn zurück. Als guten Freund oder was auch immer. Warum bin ich noch hier und nicht bei ihm?

»Gehen wir?« Mein Herz klopft plötzlich unruhig.

Tori nickt und springt sofort auf.

9. KAPITEL

GRACE

Wir ziehen unsere Schuhe wieder an, werfen uns Jacken über und huschen durch den Flur, vorbei an Ms Barnetts Zimmer, in dem noch Licht brennt.

Als wir im Treppenhaus sind und in der Dunkelheit die Stufen runterrennen, bin ich einfach nur froh, dass Tori und die anderen wieder hier sind.

Der Rasen auf dem Weg zum alten Gewächshaus fühlt sich feucht an, die Nächte werden schon kühler, und Gideon trägt eine Jacke, die er später mir geben wird, als wir durch die Tür kommen. Er sitzt auf dem abgewetzten braunen Ledersofa neben den Jungs. Keine Ahnung, wann sie hier angefangen haben, aber Gideon ist es bereits gelungen, sich mit dem Rotwein abzuschießen. Das erkenne ich sofort. Es dauert nämlich mehr als eine Sekunde, bis er mich bemerkt. Sein Blick wandert abwesend durch den Raum, so als würde er mich spüren, aber nicht verstehen, was er spürt. Als würde er mich suchen, aber nicht finden, und dann findet er mich, und die Härte verschwindet aus seinem Gesicht. Mit ihr die ganze verfluchte Anspannung und Traurigkeit. Seine Mimik wird weich. Gott, er ist betrunken. Warum stoppt ihn niemand? Ja, es ist der letzte Tag vor

Schulbeginn, man muss es noch mal krachen lassen, bevor ab morgen ein strenger Dunbridge-Wind weht, aber mal ehrlich, wäre ich an Omars Stelle, würde ich Gideon diese dämliche Flasche jetzt abnehmen und sie durch Wasser ersetzen, was er wahrscheinlich nicht mal bemerken würde.

»Ich hasse es, die müssen den Elftklässlern wohl was beweisen«, murmelt Tori mir zu, als wir zu ihnen gehen. Sie klingt gestresst. Nachvollziehbar. Ich finde es auch unnötig, aber ihre Theorie stimmt wohl. Es ist eng im alten Gewächshaus mit den Leuten aus der Elften. Ich setze mich zu Tori, weil kein Platz neben Gideon frei ist und er auch niemanden neben sich wegschiebt oder aufsteht und zu mir kommt. Es gelingt mir kaum, mich auf die Gespräche unserer Runde zu konzentrieren. Ich bin zu beschäftigt damit, den Jungs hinter uns zuzuhören. Besonders schwer ist das nicht.

»Stimmt das, Omar?«, ruft einer der Elftklässler, Alexis Smithe ist das, reich, vorlaut, aus London. Belgravia, glaube ich. »Du hast jetzt eine Maidenhead-Freundin?«

»Kann sein«, sagt Omar lässig und trinkt einen Schluck, aber die Hälfte davon landet auf seiner Hose, weil Kit Irvine ihm beeindruckt gegen die Schulter boxt.

»Nicht Maidenhead«, murmelt Tori neben mir.

»Was ist Maidenhead?«, fragt Emma.

»Das lächerlichste Internat im Umkreis von hundert Kilometern«, erklärt Toris Bruder William. Er dreht sich zu Emma. »Nur Neureiche, die sich mit ihrem Geld makellose Abschlüsse erkaufen und dabei Hockey, Polo und Golf spielen.«

»Aber gevögelt wird mit den Dunbridge-Rugby-Jungs, weil die noch richtig zupacken können«, grölt Alexis. Mein Gott. Emma, Tori und ich rollen synchron mit den Augen, aber dann frieren meine Muskeln ein, als er sich Gideon zuwendet. »Habe ich zumindest gehört?«

»Du auch, Alter?«, ruft Sinclair und starrt Gideon aufgeregt an. Der wirft ihm einen warnenden Blick zu.

Alexis Smithe lehnt sich leicht vor. »Oder stimmt es nicht, was man sich in London erzählt?«

»Halt's Maul«, sagt Gideon gefährlich leise.

»Stimmt doch, Francines Bruder hat das auch erwähnt«, berichtet Omar. »Die Maidenhead-Mädels wollen jetzt alle einen Dunbridge-Kerl, seit Gideon auf ihren Partys aufgekreuzt ist.«

Wisst ihr, wie das ist, wenn sich ein schriller Pfeifton in den Ohren ausbreitet? Erst leise, aber unumgänglich anschwellend, mit jeder Sekunde, in der Gideon nicht widerspricht. Warum widerspricht er nicht? Ist das wahr?

Ich kenne die Antwort, bevor Gideons Blick zu mir geht. Seine Kiefermuskulatur ist angespannt, seine Lippen fest aufeinandergepresst. Beweis genug, dass es sich hierbei nicht um eine falsche Behauptung handelt. Mein Atem beschleunigt sich. Mir wird ganz heiß, ein bisschen schlecht, ziemlich schwindelig, und nichts ergibt mehr Sinn. Nichts. Hat Gideon …? Hat er wirklich …? Wie konnte er, und warum habe ich nicht im Traum daran gedacht, dass er … jemals mit einer anderen als mir …?

Was? Etwas anfangen könnte? Ich kann es nicht einmal zu Ende denken. In meinem Kopf war das nie auch nur der Hauch einer Option. Hochverrat, ohne Verrat zu sein, denn Gideon und ich, wir sind doch nur … gut befreundet. Ich atme leicht keuchend ein.

Nein, ich kann hier nicht länger sein, das ist unmöglich, aber die Falte zwischen seinen Brauen verschwindet, und ein verzweifelter Ausdruck tritt in seine Augen. Fuck, er kann mich mal. Warum bin ich so dramatisch? Warum fühlt sich das an wie Sterben? Wie die größtmögliche Demütigung, hier vor all den Leuten, vor denen ich bereits vor einem Jahr gedemütigt wurde. Es ist nicht vergleichbar, es ist viel schlimmer. Wie konnte ich vor einer halben Stunde noch ernsthaft darüber nachdenken, mein Herz für ihn zu riskieren? Das darf ich keinesfalls tun. Es wird wehtun. Tut es jetzt schon.

Ich stehe auf, obwohl ich befürchte, vielleicht hinzufallen. Tori erhebt sich ebenfalls und Gideon auch. Es ist albern, und nach einem Moment setzt Tori sich wieder hin, doch Gideon folgt mir nach draußen.

Er sagt nicht meinen Namen, und er bittet mich auch nicht, stehen zu bleiben. Er folgt mir nur, schnelle Schritte, bis wir uns ein paar Meter vom Gewächshaus entfernt haben. Dann packt er mich am Handgelenk. Ich fahre zu ihm herum.

»Lass mich«, fauche ich.

Er lässt mich, mein Handgelenk fühlt sich nackt und leer an ohne seine Finger. Ohne seine große Hand, in der einfach alles winzig wirkt.

Ich blicke mit nassen Augen zu ihm auf. »Stimmt das?«

»Ja«, sagt er mit seiner betrunkenen, kehligen Stimme. Er klingt selbst ganz ungläubig.

Ich hasse ihn.

»Wow.« Ich schnalze mit der Zunge, weil ich sonst weinen müsste, und will ihm eine knallen. So richtig ins Gesicht schlagen, als hätte ich einen Grund dafür. Als könnte Gideon Attwell, mein bester Freund, der wichtigste Mensch in meinem Leben, nicht mit so vielen Maidenhead-Mädels rummachen, wie er will, anstatt mir zu erklären, wohin er sich in den Ferien verpisst hat. Jetzt habe ich wenigstens meine Antwort und muss mir nicht länger den Kopf zerbrechen, woran es lag, dass er sich nicht bei mir gemeldet hat. Er hatte zu tun.

»Grace.« Er folgt mir, als ich weitergehe. »Tut mir leid.«

»Warum sollte dir das leidtun?« Ich bleibe nicht stehen. »Ist doch egal.«

Er schluckt gekränkt, wofür ich ihn nur noch mehr hasse, weil er dazu überhaupt kein Recht hat. »Ich wollte das nicht.«

»Ah, es war also ein Versehen. Es war reiner Zufall, dass deine Hose aufgegangen und dein erigierter Schwa…«

»Nein, das war es nicht«, unterbricht er mich, mit einer Stimme so hart und verletzt, dass ich verstumme.

Wenigstens ist er ehrlich. Gevögelt. Tatsächlich also.

Ich blinzle stark und nicke. »Geht mich ja auch nichts an. War's wenigstens gut?«

Er fährt sich mit der Zunge über die Zähne, wie immer, wenn er angepisst ist. »Keine Ahnung, ist nicht so, als könnte ich mich an viel erinnern.«

Wow.

Wer ist dieser Kerl, der da vor mir steht? Wo ist Gideon? Was zur Hölle ist passiert, und wie konnte es so werden?

Ich schüttele ungläubig den Kopf und finde es erstaunlich, dass ich noch nicht weine.

»Cool«, sage ich. »Ein richtig cooler Typ bist du, Gideon.«

»Hör auf.«

»Womit?«

»Mit diesen Fragen.«

»Was soll ich dich dann fragen? Schöne Ferien gehabt?«

Ein Schatten legt sich über seine Augen. »Grace«, sagt er leise und so einschüchternd wie möglich, was nicht besonders einschüchternd ist. Nicht für mich. Er könnte mich niemals einschüchtern. Er fühlt sich viel zu vertraut an. Der sicherste Ort, den ich kenne. Jetzt brennen meine Augen doch.

»Ja, dachte ich mir«, erwidere ich. »Freut mich, dass es so ereignisreich war.«

»Es war nicht ereignisreich«, knurrt er. »Es war die Hölle.«

»Ach, bei dir auch? Sag das doch gleich, dann hätten wir uns darüber austauschen können. Oh, warte. Du hast mich ja leider ignoriert, um währenddessen mit irgendwelchen Maidenhead-Mädchen zu vögeln.«

»Bist du deshalb jetzt eifersüchtig, oder was?«

»Nein, Gideon, es ist mir scheißegal!«

»Okay«, sagt er und ahmt meinen Tonfall von vorhin nach, was mich einfach wahnsinnig macht. »*Cool.*«

»Ganz ehrlich, du kannst mich mal«, flüstere ich.

Sein Blick verdunkelt sich. »Das meinst du nicht.«

»Sag mir nicht, was ich meine und was nicht.«

»Grace.« Mein Name aus seinem Mund, und ich werde schwach. Die tatsächliche körperliche Reaktion, die es in mir hervorruft, wenn er das tut, beunruhigt mich.

Tränen, blinzeln. Ich schlucke.

»Wo warst du?«, flüstere ich.

Er sagt nichts, er steht nur vor mir und atmet schwer durch den Mund aus. Ich lasse zu, dass er den Arm ausstreckt und meine Hand nimmt. »Ich bin hier.«

Das ist keine Antwort auf meine Frage, aber es ist das Einzige, was mich gerade interessiert. Acht Wochen habe ich hierauf gewartet. Da ist so viel, worüber wir reden müssen, aber jetzt will ich nicht reden. Jetzt will ich nur das Gesicht an seinen Körper drücken und seine Hand an meinem Kopf spüren. Seine Brust hebt und senkt sich gegen meine Wange, ich schließe die Augen, und er ist noch der Gleiche. Gideon, der nach Sommer riecht, nach trockenen Gräsern und schattigen Wäldern, nach Auf-der-Wiese-am-See-Liegen, In-der-Sonne-Einschlafen, aufwachen, bemerken, dass er mich ansieht, vielleicht schon die ganze Zeit.

»Wo schlafe ich heute?«, fragt er nach einer Weile, ohne mich loszulassen.

»Weiß nicht«, wispere ich. »In deinem Bett.«

Ich spüre, wie er erleichtert ausatmet, weil mein Bett auch sein Bett ist. »Gehen wir?«

Wann wir damit angefangen haben, kann ich gar nicht mehr so genau sagen. Irgendwann letztes Frühjahr, kurz nachdem die Theaterproben begonnen hatten. Wie erwähnt haben wir schon manchmal in den Sommerferien beieinander übernachtet, aber nie im gleichen Bett. Dann jedoch war das mit Henry offiziell beendet, und die Theaterproben waren äußerst intensiv, wir haben uns getroffen, um uns den Text abzufragen, und Gideon war ständig total fertig, ist nach dem Training auf meinem Bett eingeschlafen, manchmal neben mir auf den Kissen, manchmal mit dem Kopf auf meinem Bauch, und irgendwann ist es einfach passiert. Es wurde Nacht, ich wurde müde, und ich wollte nicht, dass er geht. Vielleicht habe ich nie eine stärkere Emotion gespürt als diesen Wunsch, unsere von der Zeit losgelöste Blase in meinem Dachgeschosszimmer mit ihm nicht zu verlassen. Es war intensiv, weil es mir so verboten vorkam. Gideon, der eigentlich zur Flügelzeit ins Internat musste, aber einfach nicht gehen wollte, erst morgens, ganz früh, ist er aufgestanden und im Morgengrauen rübergerannt, um rechtzeitig für den Morgenlauf dort zu sein. Ich glaube, niemand wusste das. Und es ist auch nie was passiert. Also zwischen uns. Wir haben nur geredet, dagelegen und geschlafen, nachdem wir abends über die Gartenmauer und das Vordach in mein Zimmer eingestiegen sind. So wie jetzt auch.

Gideon schaut sich erst mal um, sobald er hinter mir durch das Fenster geklettert ist. Vermutlich muss er rausfinden, ob sich etwas verändert hat. Hat es nicht. Alles ist wie immer, also geht er zu seiner Schublade an meiner Kommode, in der er ein paar Sachen hat. Kleidung, Unterwäsche, seine Zahnbürste, so was. Mir ist wichtig anzumerken, dass es nicht Henrys ehemalige Schublade ist, sondern eine andere. In die von Henry habe ich alte Schulhefte und Unterlagen gestopft, so viele, dass sie klemmt und sich kaum noch öffnen lässt. Zuoberst liegt die

Mappe mit der Englischklausur, in der ich besser war als er. Traurig, ich weiß.

Gideon steht hinter mir, während wir uns die Zähne putzen, an dem Waschbecken, das die Zimmer in diesen alten englischen Häusern praktischerweise haben, und es ist fast wieder wie immer. Sein Arm um meine Schultern, während wir da stehen, putzen, manchmal begegnen sich unsere Blicke über den angelaufenen, ovalen Spiegel, aber wir sagen nichts, wir sehen uns nur an. Irgendwann beugt er sich an mir vorbei zum Waschbecken, und sobald er fertig ist, mache ich das Gleiche.

Ich tue, als würde ich wegschauen, während er seine Hose auszieht und den Pulli, bevor er in das Shirt schlüpft, das er hier deponiert hat. Normalerweise ziehe ich mich auch vor ihm aus, aber ich habe den Verdacht, dass es jetzt für Drama sorgen würde, wenn er meinen halb nackten Körper sieht und ihn mit meinem halb nackten Körper vor acht Wochen vergleicht. Darauf habe ich keine Lust, also schnappe ich mir das zu große Dunbridge-Rugby-T-Shirt von ihm und verschwinde damit aufs Klo.

Als ich zurückkomme, liegt Gideon auf seiner Seite im Bett. Er dreht den Kopf in meine Richtung und hebt die Decke hoch, damit ich zu ihm schlüpfen kann, dann zieht er mich an sich. Mein Herzschlag beruhigt sich. Alles beruhigt sich. Der Wind flacht ab, der Sturm zieht weiter, die letzten Tropfen versickern in der Erde, und die Wurzeln unserer Beziehung welcher Art auch immer saugen alles auf nach dieser langen Dürre. Gerade noch rechtzeitig.

»Ich wollte dir nicht wehtun«, sagt er, nachdem wir eine Weile geschwiegen haben. Er klingt jetzt wieder fast nüchtern. »Und es war scheiße.«

Gut, denke ich. *Immerhin.*

Sein Körper bleibt angespannt, er braucht eine Antwort.

Hat er nicht verdient. Ich habe auch keine bekommen. Ich atme aus.

»Ja«, sage ich. »War es.«

Dann schließe ich die Augen.

10. KAPITEL

GIDEON

»Darüber wird nicht diskutiert«, sagt mein Vater, ohne von seiner Morgenzeitung aufzublicken, die er sich weigert, auf dem iPad zu lesen. »Es ist die Beisetzung deines Bruders. Du kommst mit, Ende der Diskussion.«

Es ist keine Diskussion, wenn wir ehrlich sind. Ich bin nur zum Frühstück erschienen, und Mum sieht mich an und fragt *Alles in Ordnung?*, woraufhin ich nicke und sie wissen will *Was ist los, mein Schatz?*, und der Kloß in meinem Hals wächst, und ich schlucke, und er wächst, und ich schlucke, ehe ich schließlich frage: *Muss ich mitkommen?*

Nicht mitzukommen, das wäre – ihr habt es erraten – geschmacklos. Also konzentriere ich mich auf diesen salzigen und leicht metallischen Geschmack im Mund, während ich dastehe und versuche, nicht zu weinen, weil niemand weint. Mum nicht, Dad nicht, die Großeltern, die noch leben, nicht, nur unsere Tante aus Oxshott tupft sich mit dem Dior-Monogram-Tuch etwas unter dem Auge weg, nachdem sie dem Rest unserer Familie ihr herzliches Beileid ausgesprochen hat.

Mein Kopf ist leer, und mein Körper hat kein Gewicht, während ich in der ersten Reihe stehe, mich erhebe und wieder setze, so wie die christlichen Regeln eines katholischen Gottesdienstes es verlangen. Ich denke nicht *Vater unser im Himmel, geheiligt werde dein Name,* ich denke *In diesem Sarg liegt mein kleiner Bruder, und wenn er in der Erde ist, wird er vergammeln.* Mum und Dad wollten keine Feuerbestattung. Nicht bei einem so jungen Kind. Geschmacklos. Ich frage mich, ob es geschmackvoller ist, zu wissen, dass mein kleiner Bruder verbrannt wurde, anstatt von nun an zu mutmaßen, wie fortgeschritten die Verwesung des Körpers in genau dieser Sekunde jetzt wohl ist. Welche Farbe die Haut hat. Wie es riecht. Ob schon Würmer und …

Ich wache auf, ringe nach Luft, und Grace hat sich mit dem Ellbogen neben mir abgestützt.

»Gid«, sagt sie nur. Ihre Hand liegt auf meinem Arm.

Es ist dunkel, ich weiß nicht, wo ich bin, obwohl sie bei mir ist, was eigentlich nur bedeuten kann, dass ich bei ihr bin.

Weil die Ferien vorbei sind.

Weil alles vorbei ist.

Richtig.

»Was?«, flüstere ich, meine Stimme klingt heiser.

Blasses Mondlicht fällt durch das Dachfenster über ihrem Bett auf ihr Gesicht. Sie sieht besorgt aus.

Ich gebe mir Mühe, mich zu beruhigen, aber mein Herz rast ekelhaft, und der Geschmack in meinem Mund ist zurück.

»Es war nur ein Traum«, sagt sie. War es nicht. Aber ich nicke, weil ich nicht will, dass sie Fragen stellt.

»Ja«, flüstere ich und fühle mich wie eine surreale Masse in einer echten Realität.

»Alles okay?«

»Ja«, flüstere ich noch mal.

Grace schaut mich weiter an, dann legt sie sich wieder neben mich. Ihr Kopf ruht auf dem Kissen neben meinem, ihre Hand immer noch auf meinem Arm.

»Kannst du mich festhalten?«, flüstert sie nach einer Weile, weil sie weiß, dass ich sie niemals darum bitten würde, von ihr festgehalten zu werden.

Ich nicke und hebe den Arm. Sie rutscht ganz zu mir rüber und legt den Kopf an die Kuhle zwischen meinem Hals und meiner Schulter. Ihre Hand ist jetzt auf meiner Brust. Es ist das beste Gefühl der Welt, wenn ihre Hand auf meiner Brust ist. Es ist sogar so gut, dass ich langsamer atmen kann und spüre, wie sich mein Herzschlag etwas beruhigt.

Ich will nicht wieder einschlafen und auf der Beisetzung meines kleinen Bruders stehen und mich fragen, wie weit seine Verwesung fortgeschritten ist, aber nach den letzten drei Nächten fällt es mir allmählich schwer, wach zu bleiben. Schlafentzug ist eine effektive Foltermaßnahme, man kann nur so viele Nächte durchmachen, bis man der Müdigkeit irgendwann erliegt und in eine Tiefschlafphase fällt und dann in eine REM-Schlafphase, in der alle Muskeln schlaff und funktionslos sind, damit man nicht um sich schlägt, wenn man träumt. Ich wünschte, man würde nicht träumen. Aber es ist wichtig, damit das Gehirn Dinge verarbeiten kann. Mein Gehirn ist wohl nicht das beste.

Ich schätze wenn ich wirklich wieder einschlafen muss, dann am liebsten hier, in Grace' Bett, Grace in meinen Armen, Grace' Hand auf meiner Brust. Wenn ich mich nur darauf konzentriere, wie sie atmet und ob sie noch wach oder schon eingeschlafen ist, kann ich nicht länger über Schlafphasen und Verwesung nachdenken. Sie ist wach, wie mir ihre Finger zeigen, die sich langsam über meine Brust bewegen. Ganz vorsichtig. Ich schließe die Augen. Ihre Hand liegt an meinem Kinn, als ich wieder blinzele. Mein Gesicht ist zu ihr gedreht. Ihre Finger sind kühl.

Darüber wird nicht diskutiert, sagt mein Vater.

11. KAPITEL

GIDEON

Acht Wochen lang bin ich in London um die gleiche Uhrzeit aufgewacht, obwohl ich es nicht musste. Fünf Uhr fünfundvierzig, eine Dreiviertelstunde vor Beginn des Morgenlaufs. Normalerweise brauche ich zehn Minuten, um aufzustehen, mich anzuziehen und mir die Zähne zu putzen, dann weitere sieben, um rüberzulaufen und pünktlich im Schulhof anzukommen mit allen anderen.

Eine Dreiviertelstunde ist also viel zu früh, aber würde ich später aufwachen, würde mir die Zeit fehlen, in der ich daliegen und Grace ansehen kann, was fatal wäre.

Ihr Kopf befindet sich nicht mehr an der Kuhle zwischen meiner Schulter und meinem Hals, und wie immer hoffe ich, dass ich sie nicht in der Nacht weggeschubst habe, weil mein Arm eingeschlafen ist oder so etwas in der Art. Mir wäre lieber, er würde kribbeln, stechen, nicht mehr richtig durchblutet werden und schließlich absterben, solange es bedeutet, dass Grace' Kopf weiter auf meiner Schulter ruhen kann.

Aber wie jeden Morgen liegt sie neben mir, halb auf der Seite, halb auf dem Bauch, ihr Gesicht ist entspannt, und ich sehe sie an.

»Das hat dir gefehlt«, sagt sie und schlägt die Augen auf. »Gib's zu.«

Mir wird kurz kalt, aber wirklich nur kurz, dann erkenne ich diese Gelassenheit in ihren Augen und denke, mein Gott, wie braun. Wie verdammt schön. Wie jeden Morgen.

»Möglich.«

Sie nickt leicht. »Warum warst du weg?«

Es ist zu früh für Fragen dieser Art, aber sie hat mich jetzt festgenagelt, hier in ihrem Bett, und ich kann nicht ausweichen.

Ich nehme langsam ihre Hand. Und einen Augenblick überlege ich wirklich, ihr von allem zu erzählen. Freddie, die unzähligen Arztbesuche, die Krankenhausaufenthalte, die bittere Gewissheit, dass sein Leiden fortschreitend ist, nicht heilbar, nirgends, nicht in England, auch nicht in den Vereinigten Staaten oder in der Schweiz, wo meine Eltern mit ihm waren, bei den besten Medizinerinnen und Medizinern auf diesem Gebiet. Es war aussichtslos.

Und es bringt mich um. Dieser Schmerz, der mit jedem Gedanken an meinen kleinen Bruder einhergeht, und die Gewissheit, wie vollumfänglich absolut real es werden würde, wenn ich ihr nun von ihm erzähle.

Ich schlucke, und anscheinend treffe ich eine Entscheidung. »Meine Eltern wollten, dass ich komme.«

Sie schweigt eine Weile, betrachtet unsere Hände. Dann schaut sie mir wieder ins Gesicht. »Und warum hast du mir nicht geschrieben?«

»Weiß nicht. Viel los gewesen. Es tut mir leid, ich war einfach überfordert.«

Acht Wochen lang. Ich sehe den Gedanken in ihrem Blick, aber sie spricht ihn nicht aus. »Hattet ihr Streit?«

Ich nicke, weil es nicht *nicht* stimmt.

»Wir hätten reden können.« Ihre Stimme klingt sanfter. Meine Kehle zieht sich etwas zu. Ein Vorgeschmack dessen, was geschehen würde, wenn sie es wüsste. »Du hättest anrufen können.«

Ich nicke noch mal, aber ich wollte nicht reden. Ich wollte sterben und auf Partys trinken und mein London-Leben vergessen, also habe ich genau das getan, also außer das Sterben, und es hat geklappt, zumindest vorübergehend. In der Nacht nach der Beisetzung beispielsweise. Geschmacklos, in einen Club zu gehen und zuzusehen, wie Jos Mayfair den Champagner köpft. Ich habe getrunken, bis ich nicht mehr darüber nachdenken konnte, wie still es sein muss, ein Meter achtzig unter der Erde, und wie lange es dauert, bis das Holz morsch und weich wird.

»Du wolltest aber nicht reden«, stellt Grace fest.

»Wie war es hier?«, frage ich, ein erbärmlicher Ablenkungsversuch, aber noch erbärmlicher wäre, ihr davon zu erzählen, wie es sich anfühlt, über sieben Jahre hinweg jegliche Bindung zu jemandem zu verlieren, der nicht mehr lange zu leben hat, und auf der Beerdigung prätentiös losbrüllen zu wollen, während die meisten Anwesenden schockiert ihr Beileid und Entsetzen aussprechen zu diesem völlig unerwarteten Schicksalsschlag, mit dem ja nicht zu rechnen war. Weiß nicht, was ich schrecklicher fand. Diese unverfrorene Lüge, die von meinen Eltern breit gestreut wurde, oder die diskreten Blicke von Mitgliedern der engeren Familie, die die Wahrheit kannten, wissend nicken und salbungsvoll beteuern *Es war besser so. Es war kein lebenswertes Leben mehr.* Wenn ihr das sagt.

Aber egal. Verdrängen. Grace ansehen, die meine Frage noch nicht beantwortet hat.

»Schrecklich«, flüstert sie, was dafür sorgt, dass etwas in mir aufflammt, weil es schrecklich war und ich nicht bei ihr gewesen bin. Ich ziehe sie näher zu mir. Die einzige Art von Entschuldigung, die ich beherrsche.

»Wegen Olive?«

Sie überlegt eine Weile und bewegt sich nicht in meinen Armen. »Wegen allem«, antwortet sie schließlich. »Wegen dir.«

Ich schließe für einen Moment die Augen. »Tut mir leid.«

Sie nickt nur.

Eine Weile liegen wir da und schweigen, so als ließe sich die Zeit dadurch verlangsamen.

»Wir müssen los«, sagt Grace irgendwann.

Ich nicke und bewege mich nicht, aber es stimmt leider, wir müssen aufstehen, ich muss mich rausschleichen und rüberrennen, damit der Zeitplan aufgeht und niemand bemerkt, dass ich die Nacht nicht auf meinem Flügel verbracht habe.

Oh, fuck. Eine Person wird es in jedem Fall bemerkt haben. Henry. Mein neuer Zimmernachbar. Der Ex-Freund des Mädchens, das ich heute Nacht gehalten habe. Mir wird kurz kalt, aber darüber kann ich jetzt nicht nachdenken. Ich muss mich beeilen, selbst wenn heute Montag ist und kein Morgenlauf stattfindet. Die Teilnahme am Assembly ist für uns alle Pflicht.

»Bis gleich«, flüstert Grace, als ich aus dem Fenster steige, leise und vorsichtig, weil sich das hier bei Tageslicht noch verbotener anfühlt und ich weiß, dass unten Marcus und Diane darauf warten, Grace und ihre Brüder zu ihrem ersten Schultag zu verabschieden. Meine Finger rutschen über die taubelegten Efeublätter, und ich lande mit beiden Füßen auf dem Rasen, bevor ich noch mal hochschaue. Zu Grace, die mich beim Runterklettern beobachtet hat und jetzt das Fenster schließt. Ich sehe ihr Gesicht durch die Scheibe und will mich nicht wegdrehen. Das will ich nie.

12. KAPITEL

GIDEON

Die Luft ist frischer, und über den Feldern hängt der Nebel, was bedeutet, dass der Herbst kommt, was wiederum bedeutet, dass wieder Leben im Internat herrscht. Die Ersten sind schon auf dem Weg Richtung Aula, also beeile ich mich und renne die Treppen im Ostflügel hoch.

Henry steht vor dem Kleiderschrank und bindet die Krawatte seiner Uniform, die wir montags tragen müssen. Sein Blick liegt auf mir, wissend und schwer, und ich frage mich, wie viel er wirklich weiß. Dass ich schon letztes Schuljahr die Nächte bei Grace verbracht habe. Aber selbst wenn er es wüsste, es ginge ihn nichts an. Am liebsten würde ich ihm das zurufen, noch vor einer Begrüßung, aber das wäre etwas unnötig, und außerdem bin ich auf sein Wohlwollen angewiesen. Henry Bennington wird fortan mitbekommen, wenn mein Bett in unserem gemeinsamen Zimmer leer bleibt. Nicht, dass ich denke, er würde mich verpfeifen. So etwas tut man nicht, das ist ein ungeschriebenes Gesetz, aber ich will nicht, dass er was vor den anderen erwähnt oder anfängt, Fragen zu stellen, die mich dazu zwingen würden, ebenfalls Fragen zu stellen. Grace und mir selbst. Das führt zu nichts.

»Morgen«, murmele ich und verschwinde sofort im Bad, um mich fertig zu machen. Da die Zeit drängt, muss ich kurz darauf aber wieder raus an meinen Kleiderschrank, nur um festzustellen, dass Henry offenbar auf mich wartet.

»Alles okay?«, fragt er, während ich ein weißes Hemd vom Bügel zerre und parallel in die dunkelblaue Anzughose schlüpfe.

»Ja, bei dir?«

»Auch.« Henry mustert mich von der Seite. Manchmal frage ich mich, ob er Grace riechen kann, wenn ich bei ihr war, aber ich glaube nicht, das wäre irgendwie ziemlich abgefuckt. »Gut geschlafen?«

Ich bemühe mich, keine verdächtige Reaktion zu zeigen, und knöpfe das Hemd zu. »Sag's einfach keinem, okay?«

»Werde ich nicht.« Er zögert, aber er fragt nicht weiter. Wo ich war. Bei wem. »Wenn du weg bist, hättest du was dagegen, wenn Emma …?«

»Nein«, meine ich sofort. »Mach ruhig. Schreib mir nur, damit ich Bescheid weiß und nicht reinplatze.«

»Das wird auch nicht ständig sein, Sinclair hat ein eigenes Zimmer, und wenn Tori bei ihm ist, gehe ich zu Emma. Du kannst dann unser Zimmer haben.«

Ich nicke, weil das erstens nett von ihm ist und zweitens beweist, dass er keine Ahnung hat, dass es Grace ist, zu der ich gehe, denn wenn er wüsste, dass es Grace ist, würde er es nicht anbieten. Sie, mit mir, im Zimmer ihres Ex. Das würde nicht funktionieren. Es war anders, letztes Jahr, als ich noch meinen eigenen Raum hatte, und ich glaube, selbst da hat sie ständig dran denken müssen, dass Henrys Zimmer neben meinem Zimmer war und Emma womöglich in Henrys Bett liegt, gemeinsam mit Henry, nur eine Wand weiter. Bei ihr zu Hause war sie einfach entspannter.

In der Regel denke ich nicht darüber nach, dass seit den Theaterproben letztes Jahr entweder Grace bei mir schläft oder ich bei Grace, aber wenn ich darüber nachdenke, bekomme ich dieses drückende Gefühl im Magen, das stundenlang nicht weggeht, genau wie damals, in der Nacht nach ihrer Trennung, als ich zum ersten Mal mit ihr in einem Bett lag und mir kurz die Frage stellen musste, ob das gerade eigentlich richtig ist. Weil Henry noch immer keine Ahnung hat und mein bester Freund ist.

Ich weiß, sagt sie dann, wenn ich das beiläufig erwähne, um zu sehen, wie sie drauf reagiert. *Verrückt eigentlich. Willst du damit aufhören?*

Will ich nicht. Ich will höchstens damit aufhören, ein Geheimnis daraus zu machen, aber dann sagt Grace Dinge wie *Ich kann seitdem einfach niemanden mehr so nah ranlassen,* während ich neben ihr in ihrem Bett liege, und ich nicke nur und sage nichts und hoffe, dass sie nicht eines Tages von der plötzlichen Erkenntnis eingeholt wird, dass sie auch mich zu nah rangelassen hat. Ich würde es schlichtweg nicht ertragen, von ihr weggeschickt zu werden, also nehme ich sie so, wie ich sie kriegen kann. Heimlich.

Ich nehme die Uniformjacke vom Bügel und ziehe meine Schuhe an. Henry steht schon bei der Tür, ungeduldig wie immer, weil Zuspätkommen nichts ist, was man von ihm erwarten würde. Wir rennen die Stufen runter, werden in den Arkaden von Sechstklässlern überholt, die an uns vorbeiflitzen, und wie immer, wenn diese kleinen Stöpsel auf den Fluren zwischen uns hindurchwuseln, kann ich an nichts anderes denken als an Freddie und die Frage, wie er sich gefühlt haben muss, als er mit elf nicht mehr ohne Hilfsmittel laufen konnte, ob er das überhaupt noch realisiert hat, denn jetzt am Ende, wenn ich ihm aus unseren Lieblingsbüchern vorgelesen habe, um mich nicht damit beschäftigen zu müssen, ob er überhaupt noch versteht, wer ich bin, hatte ich meine Zweifel.

Mein Herz fühlt sich hart und schwer an, als wir in die Aula kommen, wo alles genau so weitergeht wie vor den Ferien. Meine Leute suchen, zu ihnen in die Reihe gehen, Grace sehen, mich sofort besser fühlen. Nicht darüber nachdenken, wie das nächstes Jahr werden soll. Was ich nach dem Abschluss mache. Wenn es nach meinen Eltern geht, steht das längst fest. Businessschule, Abschluss und eines Tages das Hotel übernehmen, eine Aufgabe, auf die ich seit Jahren vorbereitet werde. Und wenn es nach mir geht, dann … keine Ahnung. École Ducasse in Paris, eine der renommiertesten Kochschulen der Welt, aber sie würden mir den Vogel zeigen, wenn ich ihnen das sage. Also behalte ich es für mich und sage schulterzuckend Cambridge, wenn mich hier jemand fragt, wo es für mich hingehen soll, denn Cambridge oder Oxford ist, was Grace auch meistens sagt.

Rektorin Sinclair hält ihre Ansprache kurz, und wenig später werden wir entlassen, gehen rüber in den Speisesaal, Frühstück runterschlingen, Zeit schinden, bevor es zur ersten Stunde läutet und einem wirklich nichts anderes übrig bleibt, als sich auf den Weg zu den Unterrichtsräumen zu machen.

Meine Stundenpläne haben sich nicht verändert. Montagmorgen, Doppelstunde Englisch bei Mr Acevedo.

»Gideon.« Er nickt mir zu, als ich das Klassenzimmer betrete. Ich schlucke nur und nicke zurück. Dann setze ich mich auf meinen Platz, der sich nach acht Wochen irgendwie nicht mehr wie mein Platz anfühlt. Bis Grace hereinkommt, sich neben mir niederlässt, ohne eine Sekunde zu zögern, und alles ist wieder, wie es sein soll.

Sie schaut mich nicht an, aber das ist auch nicht nötig. Es reicht, ihre Anwesenheit neben mir zu spüren, so wie letzte

Nacht. Wir reden nicht miteinander, aber mein Knie streift ihr Knie, und anstatt ihres wegzuziehen, bewegt sie es näher zu mir her. Erst als Mr Acevedo mit der Stunde beginnt, rückt sie von mir ab.

Ich kann ihm kaum zuhören. Ich will nur Grace anschauen, die kerzengerade neben mir sitzt. Ihre aufrechte Haltung und ihre gestrafften Schultern. Und – mir wäre lieber, ich würde das nicht bemerken, aber ich bemerke es – die Konturen ihrer Wangenknochen, ihre Handgelenke und die Schärfe ihrer Gesichtszüge. Gestern war alles so viel, dass ich nicht richtig darauf geachtet habe, aber jetzt kann ich es nicht länger leugnen. Ich war acht Wochen fort, und ein Teil von ihr ist währenddessen verschwunden. Sie ist so verflucht dünn geworden, dass es mich wütend macht. Weil ich etwas sagen sollte, aber ich weiß nicht wie. Letztes Schuljahr habe ich es versucht, und was war das Ergebnis? Sie hat vier Tage nicht mit mir kommuniziert, außer über diese stechenden Blicke, in denen ich ihre Wut erkannt habe, aber auch ihre Angst. Ich habe sie seitdem nicht noch mal darauf angesprochen. Schwach, ich weiß, aber es ist so schwierig, dabei nichts falsch zu machen. Gar nichts zu machen, ist aber wohl noch viel schlimmer, also habe ich mich bemüht, sie möglichst oft zum Essen zu bringen. Da sie nur noch isst, wenn andere auch essen, habe ich mir angewöhnt, in ihrer Gegenwart ständig zu essen. Keine Ahnung, ob das hilft.

»Womit wir zu dem Thema kommen, das euch mit Sicherheit am meisten interessieren dürfte«, sagt Mr Acevedo am Ende der Doppelstunde. »Die Abiturprüfungen.«

Grace schreibt kein Wort mit, während er die Prüfungstermine und zeitlichen Abläufe dieses Schuljahres erläutert, weil sie mit Sicherheit längst alles verinnerlicht und ihre Lernpläne erstellt hat. Meine Noten sind besser geworden, seit wir … ähm, mehr Zeit miteinander verbringen, oder was auch immer.

Mehr Zeit mit Grace zu verbringen, bedeutet nämlich auch, mehr Zeit mit Hausaufgaben, Sich-Abfragen und Lernen zu verbringen. Gottlos unnötig, aber wenn es dafür sorgt, dass sie ruhiger schläft, verbringe ich jede dämliche freie Minute mit Analysis und den Standardwerken des Englisch-Lehrplans. Meine Eltern waren jedenfalls erfreut. Nicht dass sie mich gelobt hätten, aber mein Vater hat wenigstens nicht rumgebrüllt, nachdem er mein Zeugnis überflogen hat. Ein Sieg ist ein Sieg.

Ich steige gedanklich aus, während Mr Acevedo weiter über die kommenden Monate spricht. Nichts, was wir während der Abi-Infoveranstaltungen vor den Sommerferien nicht schon gehört hätten.

»Im Laufe der Woche erhaltet ihr außerdem das Programm für die Studienfahrt«, sagt er. Nun horche ich doch auf. Die Studienfahrt. Fast vergessen. Eine Reise, die in erster Linie für die Spanisch-Leistungskurs-Leute stattfindet. Für die restlichen freien Plätze durften sich auch die Teilnehmenden der anderen Kurse anmelden, was darin resultiert, dass alle meine engsten Freunde Teil der zweiunddreißigköpfigen Reisegruppe sind. »Ich erstelle in den nächsten Tagen die Zimmerverteilung. Wünsche diesbezüglich können bis heute Abend per E-Mail an mich zugestellt werden.« Mr Acevedo unterbricht sich selbst. »Ja, Oliver?«

»Ist die Zimmerverteilung gemischt?«

Ein aufgeregtes Murmeln geht durch das Klassenzimmer. Seitenblick von Grace.

Mr Acevedo seufzt nur. »Diese Frage kannst du dir mit deinem gesunden Menschenverstand selbst beantworten.«

Tja, wäre auch zu schön gewesen.

»Aber bevor es zu Missverständnissen kommt, wiederhole ich die Schulregeln, die selbstverständlich auch während unseres Aufenthalts in Madrid gelten, gerne noch einmal für alle.«

Er räuspert sich, ich verdrehe die Augen. Ich kann es mit runterbeten, jeden Satz, jede Sprechpause, die Tonalität und Betonung. »Alkohol- und Rauchverbot für *alle* unter achtzehn, keine Drogen, für niemanden, oder der SOFORTIGE Schulverweis, keine Mädchen in den Jungszimmern oder andersrum.« Augenbrauen heben, strenger Blick. »Haben wir uns verstanden?«

»Die aus der Zwölften waren jede Nacht in irgendwelchen Clubs«, wispert Omar mir über den Gang zu.

»Richtig, Omar«, sagt Mr Acevedo, woraufhin Omar zusammenzuckt. »Das ist der Grund, warum dreizehn Leute aus eurer Vorgängerstufe früher nach Hause fahren durften. Lernt aus ihren Fehlern und erspart euch allen dieses unnötige Drama, habe ich mich klar ausgedrückt?«

»Ja, Sir«, murmelt Omar.

»Wunderbar.« Es klingelt zur Pause, alle werden sofort unruhig. »Ach, eine Sache wäre da noch«, fährt Mr Acevedo fort. »Unsere Studienfahrt findet dieses Jahr in Kooperation mit dem Maidenhead College statt.«

Ich verstehe erst, was das bedeutet, als Grace sich neben mir anspannt. Ich spüre es in jeder Faser meines Körpers. Jede Zelle richtet sich neu aus, nach ihr. Dann trifft mich die Erkenntnis ebenfalls.

Scheiße. Nicht Maidenhead. Nicht, nachdem ich in den Ferien dumm genug war, diese folgenschweren Fehler mit Clara Berry zu begehen. Und jetzt weiß Grace auch noch davon. Wobei ich mir nicht sicher bin, ob ich es besser finde, wenn sie es nicht wüsste. Es würde sich scheiße anfühlen, ihr das zu verschweigen. Als sie es gestern herausgefunden hat, hat es sich aber auch scheiße angefühlt.

»Wir haben eine wundervolle Unterkunft gefunden, die wir uns teilen. Ich bin sicher, ihr werdet gut miteinander zurechtkommen.« Mit diesen Worten verlässt Mr Acevedo den Klassenraum, und das aufgeregte Gemurmel geht los. Es tritt in den Hintergrund, als Grace mich ansieht. Ein Blick, der keine Worte nötig macht, aber dafür sorgt, dass ich schlucken muss.

Ich frage nicht *Was?*, weil ich weiß, dass sie antworten wird *Nichts*, woraufhin ich sagen muss *Grace …* und sie wird erwidern *Wird das ein Problem?*, und ich werde antworten *Nein*, damit sie sagen kann *Okay*. Wir erledigen das mit einem Blick, der ungefähr vier Sekunden dauert und in den ich alles lege, was ich zu sagen habe. Schließlich nickt sie leicht und wendet sich ab. Ich frage mich, ob es damit getan ist. Ob ich noch mal beteuern sollte, dass das mit Clara Berry eigentlich nichts war – also außer scheiße ungefähr jedem gegenüber. Ihr, Grace … mir? Keine Ahnung, wahrscheinlich bin ich nicht in der Position, da eine Aussage zu treffen. Warum war ich so dumm und verzweifelt?

»Kommst du?«, fragt Grace.

Ich sehe sie an und frage nicht, wohin.

Wir gehen nebeneinanderher.

»Später«, sagt sie, als ich den Mund öffne.

Ich schließe ihn wieder und frage auch nicht, was sie damit meint. Muss ich nicht. Es ist mir längst klar.

13. KAPITEL

GRACE

Ich komme fast zu spät zum ersten Treffen des Abschlussballkomitees, was damit zu tun hat, dass ich nach dem Mittagessen in den Ostflügel laufen musste, auf die Toilette neben der Krankenstation, die zu dieser Uhrzeit meist leer ist, um dort etwas zu tun, worauf ich nicht stolz bin. Es ist nach wie vor jedes Mal schlimm, ekelhaft und schlichtweg demütigend, wenn ich mich heimlich übergebe. Keine Ahnung, wie oft ich das seit letztem Jahr gemacht habe. Ich habe längst aufgehört zu zählen.

Ihr müsst wissen, dass das erste Mal Übergeben keine bewusste Entscheidung war. Eher eine Kurzschlussreaktion. Letzten Herbst, eines Abends, kurz nach der Flügelzeit, ich war noch bei Olive und habe es für eine gute Idee gehalten, Henry einen unangekündigten Besuch abzustatten, so wie wir das früher manchmal gemacht haben. Keine Ahnung, was ich mir davon versprochen hatte. Bestätigung vielleicht. Zuneigung. Vermutlich auch Sex, den wir zu diesem Zeitpunkt schon gar nicht mehr hatten. Es war wohl so etwas wie ein letzter Versuch.

Jedenfalls war mir schlecht, als ich danach, ohne Erfolg, dafür mit einer neuen Erkenntnis, aus Henrys Zimmer gekommen bin und es nicht mehr leugnen konnte. Nicht nachdem er so getan hat, als hätte er schon geschlafen, in seinem dunklen Zimmer, Emma ist meines Wissens nicht bei ihm gewesen, aber er hat an sie gedacht. Und nicht an mich. Ich weiß, wie seine Stimme klingt, wenn er kurz davor ist, zu kommen, und ich weiß auch, wie sein Gesicht aussieht. Das Erniedrigende daran war, dass ich dachte, er hätte Bock und würde mich bitten zu bleiben, ich hatte richtig Hoffnung und war kurz davon überzeugt, dass ich mich in den letzten Wochen geirrt hatte und zwischen uns alles in Ordnung sein musste, auch wenn unser letztes Mal im Juni gewesen war, und nun war September, aber er hat mich nicht gebeten zu bleiben. Er war richtig peinlich berührt, als hätte ich ihn in flagranti bei etwas erwischt, und da habe ich verstanden, dass er nicht meinetwegen hart war, sondern wegen ihr. Er hat sich zu einer anderen einen runtergeholt, und ich habe ihn dabei gestört. Zu Emma, mit der er zu diesem Zeitpunkt schon jeden Morgen laufen war und die er mit diesem verträumten Blick anschaut und nicht einmal merkt, dass ich ihn dabei beobachte, wie er sie beobachtet. Es war ihm scheißegal. Er hat sich nicht einmal Mühe gegeben, es zu verstecken. Okay, an diesem Abend schon, er hat die Decke über seinen Schritt gezogen, während er sich aufgesetzt und mit seiner heiseren und leicht gepressten Prä-Orgasmus-Stimme gefragt hat: »Ist alles okay? Was machst du hier?«, und da habe ich verstanden, dass nichts mehr okay ist.

Ich habe das nie jemandem erzählt. Nicht mal Gideon. Aus Scham und auch aus Angst, denn ich schätze, das wäre der letzte Tropfen gewesen, und ich wollte nicht, dass es zwischen den beiden eskaliert.

Ich habe geschwiegen, ich habe gesagt *Schlaf gut, Henry* und bin gegangen. Alles, woran ich denken konnte, waren Emma und er, und wie lange er gebraucht hat, um den Job zu erledigen, nachdem ich verschwunden bin, vermutlich nur Sekunden. Ich habe mir gewünscht, ich wüsste nicht, wie Henry nackt aussieht, und ich habe mir auch gewünscht, ich müsste mir nicht vorstellen, wie Emmas Körper im Vergleich zu meinem Körper aussieht, wenn sie unter ihm liegt oder über ihm, Henry ist in der Regel lieber unten, aber es hat mich nicht losgelassen. Eine meiner größten Stärken ist meine Vorstellungskraft, ich bin eine visuelle Lernerin, ich fertige meine Lernzettel an, verschiedene Farben, spezielle Anordnung der Textblöcke, jede Information an ihrer ganz bestimmten Stelle. Einmal eingeprägt, kann ich sie für immer abrufen. Wie Emma nach dem Track-and-Field-Training, zu dem ich sie selbst eingeladen habe, in der Umkleide steht und aus ihrem Oberteil schlüpft. Wie das Wasser in der Gemeinschaftsdusche über ihren Rücken läuft, welche Form ihre Brüste haben, wie viel davon in Henrys Hand passt, verdammt gestört, ich weiß, aber ich kriege das alles nicht mehr raus. Wie seine Hände an ihrer Taille aussehen und wie an meiner. Anders.

Ich schmecke die Galle jedes Mal, wenn ich an dem Stückchen Wiese vorbeikomme, auf dem ich in dieser Nacht die Kekse und Chips wieder rausgewürgt habe, die ich mit Olive in ihrem Zimmer gefuttert habe, bevor ich zu Henry gegangen bin. Übersprungshandlung, wie gesagt, mir war so scheißschlecht, ich habe jedes Gramm meines Körpers gespürt und mir gewünscht, ich hätte keinen Körper, den Henry nicht mehr will, und ich habe mir auch gewünscht, einfach schreien zu können, es rauszubrüllen, aber ich konnte nicht. Ich bin still geblieben, auch dann, als ich plötzlich stehen bleiben musste, zwischen dem Ortsschild von Ebrington und der Bushaltestelle, neben diesem kniehohen Busch, der inzwischen hüfthoch ist, und auf einmal war mein Finger in meiner Kehle. Es war fast befreiend. Natürlich war es auch saueklig. Mir war nicht klar, dass man so angewidert von sich selbst sein kann. Aber es war dunkel, ich habe das feuchte Gras unter meinen Händen gespürt und das saure Brennen in meinem Rachen, und plötzlich konnte ich weinen, zumindest kurz. Dann kam ein Auto näher, und ich bin aufgesprungen und weitergerannt. Der Geschmack in meinem Mund ist ewig geblieben.

Inzwischen habe ich in jeder Tasche Kaugummis, die starken, die alles wegbrennen, und ich bin schneller, leiser und effektiver geworden. Ich will nicht zu sehr ins Detail gehen, aber es ist eine präzise Routine, und es lenkt mich ab. In diesen Momenten, in denen mir alles wieder unerträglich vorkommt, ich etwas sehe oder denke, das zu schlimm ist, um es hier zu erwähnen, und ich Gideon nicht schnell genug finden kann, ist es besser als nichts.

Er weiß natürlich nicht davon. Niemand weiß es, ich bin schließlich nicht lebensmüde. Dass Gideon keine Ahnung hat, ist allerdings fast unglaublich, aber ich bin diskret. Sonst weiß er alles über mich, was ich gut finde, aber diese Sache geht ihn nichts an. Es ist außerdem auch nicht relevant, ich habe nämlich nicht vor, mich mein Leben lang wegen jeder winzigen Unannehmlichkeit zu übergeben. Es ist nur eine kurzfristige Sache, der ich derzeit nachgehe. Ich könnte jederzeit aufhören, und wenn jetzt das Lauftraining wieder beginnt und ich weiß, dass Emma sich nicht mehr bewegt als ich, muss ich es auch weniger häufig machen.

Mir wird trotzdem jedes Mal eiskalt, wenn sich Gideons Blick anschließend auf mich legt. Ich schätze, ich habe einfach Angst, dass er es mir ansieht, so wie er mir alles ansieht. Dass ich mein Gesicht nicht richtig abgewaschen habe, mein Mund noch rot ist, oder er etwas riecht, egal, wie viel Kaugummi ich kaue und mit wie viel Deo und Signature Chloé ich mich anschließend einneble.

»Tut mir leid«, sage ich also, nachdem ich zu ihm und dem

Rest des Abschlussballkomitees stoße, und setze mich schnell hin. Nicht direkt neben Gideon, mein Rachen brennt, und meine Augen sind noch etwas wässrig, das würde ihm auffallen. Er kaut auf einem Salami-Stick herum und durchbohrt mich mit seinem Blick. »Ich wurde aufgehalten.«

»Kein Problem, wir haben noch nicht angefangen«, erklärt Mr Ringling. »Ich begrüße euch zum ersten Treffen des Abschlussballkomitees. Schön, dass ihr euch so zahlreich am Gelingen eurer Abschlussfeierlichkeiten beteiligen möchtet.« Er schaut mich an. »Nachdem im letzten Jahr einige organisatorische Schwierigkeiten aufgetreten sind, möchte ich euch nahelegen, einen Vorsitz der Arbeitsgruppe aufzustellen, über den die Kommunikation mit den Lehrkräften sichergestellt ist. Ich hatte dabei an Grace gedacht, aber wie Grace ganz richtig festgestellt hat, seid ihr ein demokratischer Arbeitskreis. Wir werden dieses Treffen daher mit einer Abstimmung starten.« Er dreht sich zum Smartboard und schreibt *Vorsitz AG Abschlussball* und darunter meinen Namen, bevor er wieder zu uns schaut. »Weitere Vorschläge für die Leitung?«

Ich schaue mich um. Warum sagt niemand was?

»Ich höre?«, meint Mr Ringling. »Niemand?«

Ich beschwöre Tori mit meinem Blick, aber sie blinzelt nur hilflos und zuckt mit den Schultern.

»Grace ist super«, erklärt jemand. Inès, die Verräterin. »Wenn sie das machen will?«

Will ich doch gar nicht. Ich wurde gezwungen! Das wird wieder so viel unnötige Arbeit, die an mir hängen bleibt.

»Also, ich muss wirklich nicht unbedingt …«, beginne ich, aber Mr Ringling nickt erfreut.

»Dann wollen wir abstimmen? Wer ist für Grace?« Die Hände gehen nach oben. Er schaut sich zufrieden um. »Wunderbar! Einstimmig angenommen, das dachte ich mir doch.

Herzlichen Glückwunsch, Grace. Dann übergebe ich das Wort doch gleich an dich und lasse euch allein weitermachen.«

Omar klatscht und stößt ein albernes *Wuhu* aus, sobald Mr Ringling aus dem Raum ist, aber er verstummt nach einem einzigen Blick von Gideon.

»Na gut«, murmele ich und ziehe mein iPad aus der Tasche. »Sorry, ich find's auch unnötig, aber er hat darauf bestanden. Können wir einfach die übrigen Aufgaben verteilen? Wer möchte Protokoll führen?«

»Ich«, sagt Gideon knapp und hebt den Kopf. »Jemand was dagegen?«

Die anderen schütteln die Köpfe.

»Super.« Er nimmt mir mein iPad aus der Hand und beginnt zu schreiben. *Abschlussballkomitee, Kick-off, siebenundzwanzigster August. Vorsitz: GW. Schrift: GA.*

GIDEON

Normalerweise bin ich nicht gerade erpicht auf solche dämlichen extrakurrikularen Aufgaben, aber wenn Grace die AG-Leitung übernimmt und einen Schriftführer braucht, dann bin ich eben Schriftführer. Eine Möglichkeit mehr, in ihrer Nähe zu sein.

»Okay, super.« Sie räuspert sich. »Lasst uns am besten zuerst die übrigen Aufgaben sammeln, dann können wir alles verteilen.«

Eine halbe Stunde später haben wir jemanden für die Deko bestimmt, die Programmplanung, Finanzierung, Catering, Musik, Licht- und Tontechnik verteilt. Grace sieht mit jeder Minute entspannter aus. Vorhin, als sie reinkam, war irgendwas los. Ich habe das gespürt, konnte aber nicht sagen, was es war. Sie hat sich absichtlich woanders hingesetzt. Dann hat Mr Ringling ihr die AG-Leitung aufgedrückt, aber sie hat diese natürlichen Führungsqualitäten, was ihr den Respekt der anderen wie von selbst einbringt. Das ist ähnlich wie bei Henry. Wenn Grace etwas zu sagen hat, hört man zu. Man unterbricht sie nicht, man lässt sie ausreden.

Ich zucke zusammen, als Sinclair mich unter dem Tisch anstößt.

»Du starrst sie an«, murmelt er.

Ich richte mich etwas auf. Ja, und? Ich meine, wie soll man Grace nicht anstarren? Aber ich habe dabei wohl ganz vergessen, Tori und ihn für das Catering aufzuschreiben, also hole ich das schnell nach.

»Wir müssen noch entscheiden, wer den Abend moderiert«, erinnert Grace, während ich schreibe. »Am besten gehen wir bis zum nächsten Treffen alle mal in uns und überlegen, wer sich berufen fühlen könnte.« Die Blicke der anderen liegen auf ihr, als ich den Kopf hebe. »Was?«, fragt sie mit diesem warnenden Unterton in der Stimme.

»Willst du nicht?«, fragt Quentin. »Ich glaube, du würdest das richtig gut machen.«

»Ja, ich dachte auch, du und Henry macht das«, pflichtet Inès ihm bei.

Seitenblick von Sinclair. Seitenblick von gefühlt jedem. Frontaler Blick von Grace. Ich lasse den Stift sinken.

»Äh …« Henry setzt sich etwas aufrechter hin. »Ich weiß nicht …«

»Du bist Schulsprecher«, sagt Ollie. »Die Schulsprecher machen das immer.«

Henry zuckt mit den Schultern »Okay, aber das heißt ja nicht, dass wir es deshalb auch so machen müssen.«

»Dann lasst abstimmen«, schlägt Quentin vor. »Wer ist für

Henry und Grace?« Um mich herum heben sich die Hände. Quentin schaut sich um. »Seht ihr? Alle sind für euch.«

Der Blick, den Henry und Grace wechseln, ist lang, und ich hasse ihn. Er ist eine vollumfängliche Konversation. Stumm und ohne Ton, aber ich kenne beide gut genug, um sie zu verstehen. Ich höre ihrem wortlosen Austausch seit Jahren zu, habe ihn mir angeeignet wie eine Fremdsprache, die ich nur gebrochen spreche, aber ich verstehe jedes Wort. *Jedes.*

Er: Sorry, ist das okay?

Sie: Keine Ahnung, willst du das überhaupt?

Er: Weiß nicht, aber wenn sie es alle wollen?

Sie: Aber *willst du* es?

Er: Wir kriegen das schon hin. Oder?

Sie: Werden wir wohl.

Er: Okay.

Sie: Okay.

Und dann schauen sie beide zu mir, woraufhin ich wegschaue. Keine Ahnung, warum, aber dass ich seit einer Weile an ihren Geheimsprachekonversationen beteiligt werde, ohne wirklich beteiligt zu werden, regt mich auf. Redet entweder richtig mit mir oder lasst es sein.

»Oder willst du?«, fragt Henry mich dann tatsächlich.

Fast lache ich auf. Was wird das hier? Er hat doch gesehen, dass alle ihn wollen.

»Kein Bedarf«, sage ich also, und ich hasse mich dafür, dass ich dabei Grace ansehe und meine Stimme hart klingen lassen muss.

Ein Schatten legt sich über ihre Augen, sie beißt auf die Innenseite ihrer Wange und nickt leicht.

»Wir können ja bis zum nächsten Treffen überlegen, ob uns noch eine andere Kombination für die Moderation einfällt«, schlägt sie vor. Ich hasse, wie beherrscht sie klingt. Nüchtern und kühl. Als würde das nichts mit ihr machen, aber ich weiß, dass es alles mit ihr macht. Sie und Henry als Moderation für diesen Abend, das bedeutet nicht nur, dass sie Zeit miteinander verbringen werden, um zu üben, es wäre die reinste Rückentwicklung. Es würde unsere gesamte Zeit an dieser Schule zusammenfassen. Die beiden auf der Bühne, alle Augen auf ihnen, und ich schaue zu, unsichtbar, ein Teil der Menge, der ihnen zujubelt. Aber was wäre die Alternative? Mit Grace auf der Bühne zu stehen. Ist es das, was sie will? Ist es das, was *ich* will? Henrys Platz einnehmen? Ihr Trostpreis sein, weil der, den sie eigentlich wollte, nicht mehr interessiert ist? Mich ewig fragen, ob ich weiter unsichtbar geblieben wäre, wenn Henry seine Meinung nicht geändert hätte?

Manchmal überlege ich, wie alles gelaufen wäre, wenn ich damals in der siebten Klasse, als Henry angefangen hat, Grace auf diese mir äußerst vertraute Art anzusehen, einfach was gesagt hätte. Wenn ich nicht nur genickt hätte, wenn er abends im Schlafsaal meinte, dass sie irgendwie echt süß ist. Das war mir schon lange klar, aber ich habe diesen Fakt für mich behalten und Grace dadurch verloren. An meinen besten Freund, der die gleichen Dinge denkt wie ich, aber sie auch verbalisiert – anders als ich. Es war der dunkelste Tag in meinem Leben, zumindest bis zu diesem Sommer. Wir kamen vom Eislaufen in Ebrington, irgendwann vor den Weihnachtsferien, und Henry meinte, er hätte sie gefragt.

Ich: Was gefragt?

Er: Ob sie mit mir zum Neujahrsball geht.

Ich: Echt?

Er: *Nickt.* Sie hat Ja gesagt.

In mir ist etwas gestorben, aber Henry hatte diese aufgeregte rote Farbe in den Wangen, er war so glücklich, und Grace war auch so glücklich, die ganze Zeit im Unterricht konnte sie niemand anderen anschauen als ihn. Zwei leuchtende Hälften eines Ganzen, die zusammengehören. Jeder hat das gesagt. Henry und Grace. Königsklasse, ein perfektes Match. Und ich, das fünfte Rad am Wagen, der Depp, der es einfach nicht auf die Reihe bekommen hat. Meine eine Chance, verspielt, und ich konnte nicht mal sauer sein. Nicht auf Henry und erst recht nicht auf Grace.

Ich glaube, ihr erster Kuss war beim Neujahrsball. Ein verfluchter Cinderella-Moment, die Uhr hat Mitternacht geschlagen, Henry sah aus wie ein Prinz, und Grace war hin und weg von ihm. Der Rest ist Geschichte. Hab versucht, mich abzulenken, nur um zu bemerken, dass es sinnlos ist. Also habe ich mein Schicksal akzeptiert. Ich habe ihnen von außen beim Perfektsein zugesehen, aber ich habe auch zugesehen, als letzten Herbst auf einmal eine neue Figur das Spielfeld betreten hat. Emma. Fast zu schön, um wahr zu sein, und damit meine ich nicht nur ihr Aussehen, sondern das, was sie mit Henry gemacht hat. Er hatte nicht den Hauch einer Chance. Und Grace auch nicht. Sie haben Emma Wiley, die Austauschschülerin aus Deutschland, zum ersten Mal gesehen und wussten es beide. Und ich habe Hoffnung geschöpft, aber ich habe nicht berücksichtigt, wie fest verankert Henry in Grace' Herz ist. Wie tief sein Abdruck, erhärteter Beton. So was bekommt man nie wieder raus. Das bleibt für immer drin.

Also Trostpreis. Der Hofnarr. Ihr versteht es jetzt. Ich wünschte, es wäre anders, aber es ist eben nicht anders. Es ist verdammt aussichtlos und ein riesengroßer Witz, dank dem mir nichts anderes übrig bleibt, als zu nicken, als Grace mich nach dem Treffen anschaut, fast entschuldigend. Ich will gegen die Wand schlagen.

Die anderen haben den Raum bereits verlassen, es sind nur noch wir beide. Ich habe auf sie gewartet, weil ich immer auf sie warte, selbst dann, wenn ich am liebsten abhauen würde. Ein Mädchen wie Grace lässt man nicht stehen.

»Ist das okay?« Ich schaue auf, sehe ihr Gesicht, und jedes Bedürfnis, angepisst zu antworten, löst sich in Luft auf. Das ist, was sie mit mir anstellt. »Das mit Henry«, fügt sie leise hinzu. »Oder soll ich Sinclair überreden, das mit mir zu machen?«

Überhaupt niemand soll das mit ihr machen. Niemand außer mir, aber ich will mich ja auch nicht bereit erklären aus den eben genannten Gründen.

»Wenn dir das lieber wäre«, sage ich also, möglichst vage, aber Grace versteht.

»Gid.« Sie kommt näher.

Ihr müsst wissen, dass es etwas mit mir macht, wenn sie mich so nennt. Keiner sonst tut das. Dabei ist die Abkürzung naheliegend, aber sie gehört nun mal Grace. Eigentlich gehört alles an mir ihr.

»Kannst du es übernehmen?«, fragt sie, was mich gewissermaßen überrascht. »Bitte?«

Ich schmelze unter ihrem durchdringenden Blick, und ich will nicken, aber was machen wir uns vor? »Henry ist der Schulsprecher«, sage ich. »Ich denke, es wäre besser, wenn er das …«

Grace wendet sich ab, ich verstumme. Gott, ich bin dumm. Ich bin so unendlich dumm, sie steht vor mir, sie bittet mich wortwörtlich darum, an seine Stelle zu treten, aber ich weigere mich.

»Stimmt, du hast recht.« Sie schluckt beherrscht, dieselbe Art und Weise, wie sie andauernd schluckt, bei jeder zwischenmenschlichen Mikroverletzung, die Henry ihr zufügt, und vielleicht sollte ich doch an seine Stelle treten, schließlich bin ich immerhin darin genau so gut wie er. Wenn nicht sogar besser. »Ich geh dann mal zur Studierstunde.«

14. KAPITEL

GIDEON

Sie schultert ihr Tasche, und weg ist sie. Ich sitze da wie ein begossener Pudel und brauche geschlagene dreißig Sekunden, bis ich endlich aufstehen kann. Die Studierstunde beginnt erst in vierzig Minuten, aber da Grace gerade offensichtlich nichts von mir wissen will, brauche ich eine Beschäftigung.

Ich laufe rüber zum Speisesaal, auch wenn ich für heute aufgrund meiner Teilnahme an der Abschlussball-AG vom Küchendienst abgemeldet bin.

Joseph sagt nichts, als ich durch die Tür in die Küche komme. Er nickt mir nur zu. Nachdem ich mir die Hände gewaschen und die Schürze angelegt habe, sagt er: »Zwiebeln und Möhren, feine Würfel, danach kannst du mit der Mehlschwitze für die Bechamel beginnen.«

In dieser Küche wird nicht viel gesprochen. Es wird auch selten geschrien und herumgebrüllt, anders als im *Attwell.* Joseph kommt aus der Sterneküche, er hat in Paris gelernt, ein paar Jahre in London gekocht, und ich denke, ihm wurde das zu viel. Er sagt immer *Ja, 'ne Zeitlang kann man das machen, solange du jung bist und das körperlich packst, aber irgendwann reicht's.* Ich nicke dann und denke an den Trubel und die Hektik im

Hotel, und frage mich, ob mir das fehlen würde. Vom frühen Nachmittag bis spät in die Nacht in dieser fensterlosen Parallelwelt, sieben Tage die Woche, den ganzen Tag stehen, im Weg sein, Hitze, Lärm, Schweiß, aber ich liebe es auch, wenn im Akkord Gerichte entstehen und der Service im Sekundentakt nach draußen schwebt ins gedimmte Licht unter den Pianoklängen des britischen Fine Dining. Mir fällt kein krasserer Kontrast ein. Auf der einen Seite der Schwingtür Schlachtfeld, auf der anderen dieses mondäne Paradies. Ich liebe es einfach.

Hier ist es allerdings umgekehrt. In Josephs Küche geht alles ruhig und gediegen zu, rennen verboten, wer schreit, kann vor die Tür, um sich wieder abzuregen, während draußen im Speisesaal die Fünft- bis Siebtklässler toben, kaum zu zügeln in ihrer surrealen Angst, bei der Raubtierfütterung zu kurz zu kommen.

Alles ein klein wenig egaler, während ich vor den Edelstahlfronten stehe und die Zwiebeln hacke. Man könnte meinen, Zwiebeln schneiden wäre eine niedere und äußerst undankbare Aufgabe, aber bevor man nicht mindestens drei Tonnen davon verarbeitet und seine Hackkünste perfektioniert hat, sollte man sich kein Urteil erlauben. Ich schneide gerne Rohkost. Ich denke an alle Tipps und Kniffe, die ich in der Hotelküche gelernt habe. Handhaltung, Tempo, der richtige Winkel der Klinge. Schnell, präzise, ohne jeglichen Kraftaufwand. Joseph war damals schon beeindruckt von meinem Wiegeschnitt. Er hat ihn mich demonstrieren lassen, wortlos genickt und mich dann meinem Schicksal überlassen: dreißig Kilo Kartoffeln.

Ich würde lieber bleiben, anstatt zur Studierstunde zurück in den Ostflügel zu laufen, aber da kennt Joseph keine Gnade. Anschließend kann ich zurückkommen, wenn ich Lust habe, aber eine Ausnahme gibt es bei ihm nicht. In unserem Zimmer bin ich also Henrys Blicken ausgesetzt und zähle in Gedanken die Minuten, bis er endlich anfängt zu fragen. Wegen der Sache mit der Moderation. Ob ich wirklich nichts dagegen hätte.

Keine Ahnung, woran es liegt, aber er spricht es nicht an. Es fuckt mich ab, dass er nicht mal die Eier hat, es zu thematisieren, aber aus seiner Perspektive gibt es vielleicht auch gar nichts zu thematisieren. Aus seiner Perspektive ist alles geklärt. Aus meiner Perspektive steht die Welt in Flammen. Wie soll ich das überleben, die beiden beim Abiball dort vorne? Emma hat damit sicher kein Problem. Sie weiß schließlich, dass Henry sie gewählt hat. Ich bin nur der Clown, der für Grace da ist, sie immer schon heimlich liebt und es niemals auf die Reihe bekommt. An ihrer Stelle hätte ich mich auch für Henry entschieden.

GRACE

Das Ding ist, ich weiß selbst nicht, wie ich dazu stehe, den Abiball mit Henry zu moderieren. Irgendwie ist es naheliegend, ja, kann sein. Es kann auch sein, dass ich mir das in den letzten Jahren das ein oder andere Mal genau so vorgestellt habe, aber das war, bevor sich alles verändert hat und ich mich mit den Überresten des Chaos auseinandersetzen musste, das er zu verantworten hat.

Gideon war offensichtlich angepisst von der Vorstellung, aber ganz ehrlich, das ist nicht mein Problem. Er hätte etwas sagen können, als ich ihn gefragt habe, ob er mit mir moderieren würde. Was er nicht will. Also kann er mich mal. Verdammt, warum will er nicht? Was erwartet er denn?

Ich weiß es nicht, der Kerl ist mir ein Rätsel und wird es wohl auch immer bleiben. In der Bibliothek packe ich sofort meine Lernsachen aus und starte mit der Mathehausaufgabe, obwohl die Studierstunde noch gar nicht offiziell begonnen hat. Mir egal, solange ich nicht mehr an gerade eben denken muss, dabei lief das AG-Treffen abgesehen von den letzten fünf Minuten erstaunlich glatt. Besser als erwartet sogar, alle haben mitgemacht und sich motiviert gezeigt. Vor dem nächsten Treffen, bei dem wir das Motto des Balls bestimmen wollen, graut es mir allerdings schon, nach dem wenig ernst zu nehmenden Vorschlag von Omar und Ollie, die einen *Star Wars* inspirierten Abend für eine originelle Idee halten. Ganz genau.

In den folgenden achtzig Minuten schaffe ich Mathe, die Politikteilaufgaben, und ein bisschen Grübelei bringe ich auch noch unter. Kann sein, dass es nichts bedeutet hat, aber diese Sache mit Gideon und den Maidenhead-Mädels geht mir nicht aus dem Kopf. Welche war es? Wie heißt sie? Wie sieht sie aus? Ist sie dünner als ich?

Ich weiß, ich hasse mich auch. Das einzig Gute ist, dass ich jetzt zum Lauftraining muss und mich dort so verausgaben werde, dass für Gedanken dieser Art kein Platz mehr in meinem Kopf bleibt. In der Umkleide treffe ich die Track-and-Field-Mädels. Emma schnürt gerade ihre Laufschuhe und hebt den Kopf, um mir zuzulächeln, was mich erstaunlicherweise ehrlich freut.

Ich schlüpfe ebenfalls in meine Trainingssachen, schnüre meine Schuhe und renne mit den anderen nach draußen. Wir beginnen mit ein paar dynamischen Übungen, laufen uns etwas warm und wechseln dann zu den technischen Laufschuleinheiten, die Ms Ventura vorbereitet hat. Es ist ein lauer Abend, der Himmel färbt sich langsam orange und pink. Nur Ms Venturas Rufe sind zu hören, und die der Rugby-Jungs und ihres Trainers auf dem Platz, der von der Leichtathletikbahn umkreist wird. So war das schon immer. Ich laufe und ziehe meine Kreise, eisern und ehrgeizig, rundherum um das Objekt der

Begierde. Heute würdige ich Gideon allerdings keines Blickes. Nicht nach diesem unnötigen Drama vorhin.

Manchmal denke ich, dass ich die Regeln des Rugbyspiels nie verstehen werde, was mich normalerweise stören würde, schließlich habe ich den Anspruch, immer alles zu verstehen, aber man muss realistisch bleiben. Rugby ist für mich ein Buch mit sieben Siegeln, und das wird es auch bleiben. Ich konzentriere mich lieber auf mein nächstes Intervall, das auch das wichtigste ist, ich laufe nämlich gegen Emma. Anstatt sich aber neben mir aufzustellen und für den Start bereit zu machen, ist Emma einige Meter weiter stehen geblieben. Ich folge ihrem Blick rüber zum Rugbyfeld, wo die Muskelprotze vor lauter überschießender Energie rumächzen, der typische Anblick, aber etwas stimmt nicht.

Ich kann es spüren, etwas liegt in der Luft.

Gefahr.

Mein Blick sucht Gideon. Er wälzt sich mit Henry im Dreck, und ich kann nicht mal sagen, was genau mich daran beunruhigt, aber es geht ganz schön grob zu, und während die anderen Jungs auf das Kommando des Trainers in ihren Linienkämpfen innehalten, hört Gideon nicht auf. Ich kriege plötzlich Angst, dass jeden Moment Fäuste fliegen.

»Hey!«, brüllt Mr Cormack und stapft zu ihnen rüber. »Genug. Es reicht, Attwell.«

Gideon tut so, als hätte er ihn nicht gehört, oder er hört ihn wirklich nicht, während er Henry runterdrückt, dann packt Omar ihn an der Schulter und reißt ihn weg. Gideons Brust hebt und senkt sich schwer, sein Trikot ist dreckverschmiert, und Henry rappelt sich unter ihm auf. Einen Moment lang ist es still. Alle sind wie erstarrt.

»Alter?«, stößt Henry hervor, aber Gideon sagt nichts. Ihr Blickwechsel dauert nur eine Sekunde, ein kurzes Kräftemessen, während dem ich den Atem anhalte. Wer gewinnt, kann ich auf die Entfernung nicht sagen, und Vermutungen anzustellen wäre gewagt. Aber ich atme auf, als Gideon mit einem Ruck von Henry ablässt und sich umdreht.

»Auf die Bank«, herrscht Mr Cormack ihn an. »Da kannst du dich abregen, Sportsfreund.«

Gideons Kiefer mahlen, aber er nickt nur. Ich will zu ihm hinrennen, ihm eine knallen und ihn in den Arm nehmen, aber ich zucke nur zusammen, als Ms Ventura ein Kommando erteilt.

»Sind wir so weit?«

Emma schaut mich an, und sie hat das gerade auch so verstanden wie ich – komplett und kein bisschen. Sie schüttelt entgeistert den Kopf, ich zucke mit den Schultern, dann begeben wir uns in Startposition. Allein auf dem Block zu starten, kann schon sinnvoll sein, man verinnerlicht die Bewegungsabläufe, die idealen Abdruckpunkte, aber es ist nicht so effektiv wie gegen jemanden anzutreten. Jeder Muskel angespannt, mein Körper gebückt wie ein Raubtier, bereit loszusprinten. Ms Ventura gibt das Kommando, wir richten uns auf, ihr Pfiff ertönt, und wir fliegen los. Und Emma hatte schöne Ferien mit Henry, sie hat sich entspannt und etwas von der Welt gesehen, aber sie hat nicht so oft und hart trainiert wie ich. Das ist offensichtlich, denn obwohl ich außen laufe, bleibe ich vor ihr. Mein Herz rast wie eine Maschine, und meine Beine machen ganz genau das, was sie sollen. Es gibt ehrlich nichts Besseres, auch wenn ich nach der Vierhundert-Meter-Linie taumelnd langsamer werde, fast zusammenbreche, nicht genug Luft einatmen kann, mich auf den Oberschenkeln abstütze und am Rand der Wiese auf die Knie gehe, nachdem ich mit Emma eingeschlagen habe.

»Krass«, keucht sie anerkennend und lässt sich neben mir auf den Rücken fallen.

»Ja«, sage ich nur und ringe nach Luft. »Was war das handgestoppt?«

Ms Ventura sagt ein paar Zahlen, und ich fühle mich fantastisch und wertvoll, weil ich endlich meine dämliche Bestzeit übertroffen habe, am ersten Tag nach den Sommerferien, gegen Emma. Ich lächele, obwohl mir nicht danach ist. Aber als Ms Ventura uns entlässt und mein Blick rüber zur Ersatzbank der Rugbyjungs geht, lächle ich nicht mehr. Gideons Miene ist undurchdringlich, und er zeigt keine Regung, während der Trainer etwas mit ihnen bespricht.

Ich schnappe mir meine Sachen und laufe rüber, als Mr Cormack das Team entlässt. Gideon bleibt auf der Bank sitzen und greift nach seiner Wasserflasche.

»Hey«, sage ich, als ich vor ihm stehe. Er schaut auf, und all die Wut verschwindet aus seinem Gesicht. »Was sollte das?«

Er fragt nicht, was ich meine, weil er es ganz genau weiß.

»Das war Rugby«, sagt er schroff, aber ohne meinem Blick auszuweichen. Ich denke, das ist wichtig zu erwähnen, weil es zeigt, dass er wusste, was er tut. »Da geht's auch mal härter zur Sache.«

»Es war sauunnötig, Gid«, widerspreche ich langsam. Er steht auf, richtet sich vor mir zu voller Körpergröße auf. Ich senke die Stimme. »War das wegen der Moderation?«

»Nein, war's nicht«, sagt er in dieser bedrohlichen Tonlage, die mich kein bisschen einschüchtert, was ihm bewusst ist, aber er versucht es trotzdem. Jedenfalls lege ich die Hand auf seine Brust, spüre die feuchte Wärme dieses Rugbytrikots und wie er die Luft erst einzieht, dann sieht er mir ins Gesicht, lässt den Atem entweichen und das Feuer verschwindet aus seinen Augen. Brand gelöscht, aber auf die Glut muss man aufpassen.

Ich ziehe die Hand zurück, er nimmt einen tiefen Schluck aus seiner Wasserflasche. Sein rotbraunes Haar ist dunkel und verschwitzt. Es ist länger geworden über den Sommer. Den Sommer, den er dazu genutzt hat, sich von mir abzukapseln und mit anderen zu schlafen. Mit Maidenhead-Mädchen, die mit uns nach Madrid fahren. Mir ist wieder heiß und schlecht.

»Geht's dir gut?«, frage ich. Gideon hält inne. Es geht ihm nicht gut.

»Und dir?«, erwidert er.

Es geht mir auch nicht gut, aber ich nicke beherrscht.

»Das war schnell gerade.« Er schultert seine Sporttasche und blickt in Richtung unserer Startblöcke. »Gegen Emma.«

»Neue persönliche Bestzeit«, sage ich nur.

»Dachte ich mir.«

Wir gehen eine Weile nebeneinanderher. »Willst du nicht sagen, dass du stolz auf mich bist?«

»Nein«, sagt er, Blick nach vorn. »Ich bin auch stolz, wenn du keine Bestzeit läufst.«

Hm. Darauf weiß ich nicht direkt etwas zu antworten, also schweige ich. Zumindest bis wir den Eingang zum Sportkomplex erreichen.

»Bis gleich«, sage ich, ohne stehen zu bleiben oder Gideon anzusehen. Dann biege ich ab und laufe durch den Flur zur Mädchenumkleide.

15. KAPITEL

GIDEON

Nach dem Training dusche ich meist in den Mannschaftsduschen oder oben in meinem Zimmer. Bei Grace wäre das zu riskant, ihre Eltern würden mitbekommen, dass sie nicht allein ist, aber ehrlich gesagt frage ich mich, ob sie nicht längst wissen, dass ich ständig bei ihr schlafe. Sie sind so anders als meine Eltern, ich kann sie nicht richtig einschätzen. Ich würde ihnen zutrauen, dass sie Bescheid wissen, es jedoch dulden, weil sie Grace nicht bevormunden wollen und befürworten, dass sie ihre eigenen Entscheidungen trifft. Zumindest bis zu einem gewissen Grad. Grace hat seit letztem Jahr ständig Stress mit ihnen, dabei sind sie keine bösen Menschen, sie sind nur strenger geworden, weil sie denken, Grace damit zu helfen, aber wenn man Grace kennt, weiß man, dass das bei ihr überhaupt nichts bringt. Man kann ihr nicht vorschreiben, sich an einen Tisch zu setzen und einen Teller leer zu essen, wenn sie das nicht will. Man kann nur hoffen, dass sie es nicht übertreibt.

Heute Mittag hat sie im Speisesaal gegessen, eine relativ normale Portion, die reicht, um meine Sorgen vorerst zu verdrängen. Lieber wäre mir, sie würde auch das Abendessen mit uns im Internat einnehmen, aber so läuft es eben nicht mit den

Externen, die nach ihren Sporttrainings oder Musikstunden nach Hause abzwitschern.

Henry bin ich absichtlich aus dem Weg gegangen, falls ihr euch fragt. Es ist nicht so, als wäre ich stolz darauf, was vorhin passiert ist. Ich weiß selbst nicht, was das war. Eine Energie, die sich seit ungefähr einem Jahr in mir angestaut hat und endlich entladen musste. Das gehört im Rugby dazu. Kämpfen, miteinander ringen, sich in den Dreck runterdrücken, aber man muss auch aufhören können, wenn man checkt, dass man den anderen überwältigt hat, und anscheinend wollte ich nicht aufhören. Anscheinend wollte ich, dass Henry mal versteht, wie sich das anfühlt. Den Kürzeren zu ziehen. Keine Chance zu haben. Nicht, dass er keine Chance gehabt hätte. Wenn er mich richtig auf den Rücken legt, bin ich auch erledigt, aber in diesem Fall war ich eben im Vorteil, weil uns gleichermaßen überrascht hat, was plötzlich aus mir rauswollte. Es hat mir jedenfalls schon leidgetan, als Mr Cormack uns angebrüllt hat und ich zur Bank gegangen bin. Sauunnötig, da hatte Grace schon recht, aber sie hat keine Ahnung, und es geht auch nicht um die Abiballsache. Mir ist das nämlich egal. Es regt mich nur alles auf. Henry, diese Moderation, wie sie mich deshalb anschauen, das mit Maidenhead, Grace' enttäuschte Blicke und der ganze Scheiß. Dass diese Deppen jetzt sogar mit uns nach Madrid kommen. Dass ich es für eine gute Idee gehalten habe, in London mit Clara Berry zu vögeln. Ich meine, wie dumm kann man sein? Scheiße war es so oder so, aber wenigstens würde mir der ganze Müll nicht nachhängen, wenn es irgendeine x-beliebige Person gewesen wäre in diesem Club. Jemand, dem Grace nie begegnen würde.

Tja, das hätte ich mir vorher überlegen können. Jetzt kann ich nur beten, dass Mr Acevedo und die Maidenhead-Lehrkräfte nicht auf die grandiose Idee kommen, uns auch noch ein gemeinsames Programm aufs Auge zu drücken. Normalerweise hätte ich wohl Henry gefragt, ob er was gehört hat, weil wenn jemand etwas hört, dann er, aber ich wage es nicht. Nach dem Training ist er mit Emma verschwunden, und während des Abendessens sitzt er am anderen Ende der Tafel, was nichts mit mir zu tun haben muss, aber falls es etwas mit mir zu tun hätte, müsste ich mich nicht wundern. Als wir unsere Teller abgeräumt haben, beeile ich mich, ihn am Ausgang abzufangen.

»Sorry, Mann«, murmele ich, als ich ihn erreiche. »Das vorhin, das war echt unnötig.«

Er wirft mir einen Blick von der Seite zu. »Hab das Training wohl etwas schleifen lassen über den Sommer«, sagt er langsam.

Ich atme verhältnismäßig erleichtert auf. »Du musst an den Boxsack gehen. Kit hat mir das gezeigt.«

Mir gefällt nicht, wie Henry mich mustert. Er bleibt stehen, was bedeutet, dass ich auch stehen bleiben muss. Unsere Gruppe zieht weiter, ich erwarte, dass es jetzt noch mal um die Kacke mit der Moderation gehen wird, aber ich irre mich.

»Du kommst klar?«, fragt er, sobald sie weit genug weg sind.

Ich hasse ihn und zucke mit den Schultern, aber Henry schaut mich immer noch an.

»Was hast du gemacht?«, bringe ich hervor. »Damals, als Maeve …?«

In seinen Augen verändert sich etwas, als er versteht.

»Erst mal gar nichts« sagt er dann. »Ich konnte nicht. Aber irgendwann ging weinen, und später war ich bei Ms Vail. Sie hat mir echt geholfen.« Er zögert kurz. »Immerhin bist du schon wütend. Hab ewig gebraucht, bis ich so weit war und das zulassen konnte.«

Wie ein Vorteil kommt mir das nicht gerade vor, außerdem hat die Wut eher einen anderen Grund, wie er sicher weiß. Ein

Grund, der im Dachgeschosszimmer in der Water Street auf mich wartet.

»Sorry«, wiederhole ich daher und bringe das hier schnell zu einem Ende.

»Hör auf, schon vergessen.«

»Kann sein, dass ich woanders schlafe«, sage ich, während wir wieder zu den anderen aufschließen. Eigentlich eine Lüge, schließlich bin ich mir relativ sicher, dass ich woanders schlafe.

Henry nickt. »Bin eh so müde, dass es mir nicht auffallen wird.«

Ich atme aus und lächle knapp. Dann biege ich links ab und laufe durch den Ostflügel bis zum Ausgang, der um diese Uhrzeit von niemandem benutzt wird. Vorsichtig sein muss ich trotzdem, auch wenn es noch dauert bis zur Flügelzeit. Ich will nicht gesehen werden.

Die Sonne ist fast untergegangen, und die Straßen von Ebrington sind leer. Durch die Fenster der Reihenhäuser sehe ich Familien an den Esstischen und vor den Fernsehern. Es ärgert mich, dass ich deshalb an London denken muss und daran, wie es jetzt wohl in der Residential Suite im *Attwell* ist. Noch stiller als zuvor. Es hat mir verdammt noch mal den Atem abgeschnürt, den Sommer über dort zu sein. Wieder ganz einzuziehen, würde ich nicht überleben. Ich würde eingehen wie eine Pflanze ohne Licht. Was soll man seinem kleinen Bruder sagen, wenn er einen fragt, warum Mum und Dad ihn im Hotel verstecken, seit sich die Prognose der Ärzte bewahrheitet hat und er nicht mehr ohne Unterstützung laufen kann und auch kognitiv abbaut? Wie oft kann man versuchen, ihn abzulenken mit Fifa und dem F1-Simulator, beides Spiele, von denen ich erwartet habe, dass er mich demnächst gnadenlos abziehen wird, aber das ist nicht passiert. Am Ende habe nur noch ich gespielt und Freddie hat zugesehen, zumindest habe ich das gehofft.

Ich schüttele mich leicht, aber die Erinnerungen kleben an mir wie vollgesogene Kleidung, klamm und schwer. Vor dem Haus der Whitmores bleibe ich stehen. Durch das Fenster im Esszimmer und den Durchgang in den hinteren Teil des Erdgeschosses sehe ich Grace' Eltern auf der Couch sitzen, wo sie gerade die Abendnachrichten schauen. Ein Teil von mir würde gerne klingeln und mich mit ihnen unterhalten, aber da das nicht geht, setze ich einen Fuß auf die niedrige Mauer neben der Veranda, werfe einen Blick über die Schulter und ziehe mich hoch. Ihr Vater sollte den Efeu mal wieder trimmen, ich kann den darunterliegenden Stein kaum noch vernünftig greifen. Fünf Sekunden, länger dauert es nicht, dann bin ich oben und schiebe ihr Fenster hoch, das bereits einen Spaltbreit auf ist.

Grace hockt vor ihrem Bett auf dem Teppichboden und hält Notizbuch und Stift in der Hand. Gut, sie schreibt wieder. Ich bin so froh, das zu sehen, dass ich mit dem rechten Fuß am Fensterbrett hängen bleibe, ins Straucheln gerate, mich abstützen will, aber sie hat das niedrige Regal umgestellt, ich greife ins Leere und falle mit einem gottlosen Poltern zu ihr runter. Fast lande ich auf ihr, aber ich kann mich gerade noch rechtzeitig an ihrem Bett abfangen. Unsere Gesichter sind nur Zentimeter voneinander entfernt. Unsere Münder auch. Die Zeit steht still.

»Ups«, flüstere ich, nachdem wir beide für einen Augenblick den Atem angehalten haben.

Grace' Augen sind leicht geweitet, sie bewegt sich nicht. Es würde reichen, wenn ich mich jetzt nach vorne fallen lasse. Es würde einfach reichen, aber bevor ich auch nur weiter darüber nachdenken kann, höre ich die dumpfe Stimme ihres Vaters aus dem Erdgeschoss.

Grace springt auf, verpasst mir dabei fast eine Kopfnuss, ich weiche zurück, sie hechtet zur Tür.

»Ja, nur der Blumentopf!«, schreit sie die Treppe runter. »Ich geh ins Bett.« Sie schlägt die Tür wieder zu und lehnt sich mit dem Rücken dagegen. Da ist etwas in ihrem Blick, das mir zeigt, dass sie auch darüber nachgedacht hat, was passiert wäre, wenn ich mich leicht nach vorne fallen gelassen hätte. Wie damals, draußen hinter dem alten Gewächshaus. Ein heikler Moment, und ich will heute nichts riskieren, also stehe ich auf, nehme ihr Notizbuch und lasse mich auf ihr Bett fallen.

»Hallo«, sage ich leise, und ihre Schultern entspannen sich.

Sie kommt näher. »Sehr grazil, Gid.«

»Ich bin wohl etwas aus der Übung«, stelle ich fest, woraufhin sich ihre Schultern wieder verkrampfen. *Großartig, Attwell. Erinner sie daran, dass du sie den Sommer über hängen gelassen hast.* »Darf ich lesen?«, frage ich schnell und hebe ihr Notizbuch hoch.

Sie zuckt mit den Schultern und kommt zu mir aufs Bett. Dort schiebt sie die Kissen aufeinander und rollt sich neben mir zusammen. Sie betrachtet die Decke ihres Zimmers. Also darf ich.

Ich erinnere mich genau an den Tag, als sie mich zum ersten Mal etwas von sich hat lesen lassen. Achte Klasse, Osterferien. Henry war mit seinen Geschwistern bei der Familie in Cheshire. Wir lagen draußen am See, ich auf dem Rücken, Grace neben mir auf der Seite. Sie hat mich nicht angesehen, während ich ihre Worte laut vorgelesen habe, aber immer wenn ich kurz aufgehört habe, hat sie den Kopf gehoben und erwartungsvoll geblinzelt. Daran hat sich bis heute nichts geändert. Sie schreibt, ich lese vor, sie hört zu, ich kommentiere. Der natürliche Lauf der Dinge, auch nach acht Wochen Funkstille.

16. KAPITEL

GRACE

Manchmal ist es mir immer noch unangenehm, Gideon etwas von mir zu lesen zu geben. Zum Beispiel jetzt, nachdem wir uns einen Sommer lang fremd geworden sind. Beim Lesen ist das oft so. Selbst wenn wir jeden Tag beieinander sind, befürchte ich bei den ersten Zeilen stets, ich würde ihn nicht gut genug kennen, um seine Reaktion auf meine Worte vorhersagen zu können. Diese Angst habe ich eigentlich ständig. Sie wird nie verschwinden, egal wie positiv er immer darauf reagiert.

Das bedeutet nicht, dass er nur Gutes über meine Texte sagt. Das ist mir wichtig, er macht auch kritische Kommentare und hinterfragt alles bis ins letzte Detail, was dafür sorgt, dass meine Texte sehr viel besser werden. *Warum hast du dieses Wort gewählt? Wieso ist das als Frage formuliert und nicht als Behauptung?*

Weiß ich nicht. Das ist meist mein erster Reflex, aber wenn ich eine Weile nachdenke, weiß ich es meistens doch. Das ist das Gute daran, wenn Gideon vorliest, was zuvor nur lautlos in meinem Kopf existiert hat. Es bekommt eine Stimme und damit eine gewisse Wucht. Manchmal liege ich neben ihm, höre zu und denke krass, okay, wie er das betont, ist anders, als ich es in meinem Kopf betont habe, aber es ist meistens nicht schlechter. Es ergibt Sinn, und anschließend verstehe ich mich selbst etwas besser.

Erstaunlicherweise hat vor Gideon niemand je etwas von mir gelesen. Auch nicht Henry. Immer wenn mir das wieder einfällt, breitet sich eine zufriedene Schwere in mir aus. Manchmal überlege ich, Gideon davon zu erzählen, aber ich wüsste nicht, was er mit dieser Information anfangen sollte, außerdem hat sich noch keine Gelegenheit ergeben. Wenn er neben mir liegt und meine Gedanken laut vorliest, innehält, überlegt und weiterspricht, möchte ich ihn ungern unterbrechen. Ein Augenblick Frieden in unserem Chaos, außerdem ist er in diesem Moment meist sehr konzentriert.

Auch jetzt hält er mit einer Hand das Notizbuch, und mit der anderen fährt er abwesend die Streifen meines Shirts nach. Ich wage es nicht, mich zu bewegen. Falls ich mich bewege, würde ich ihn womöglich aus seiner Lesetrance reißen, und dann würde er bemerken, was seine Hand tut, woraufhin er sie vielleicht zurückziehen würde. Das will ich keinesfalls riskieren.

»Sie fressen mich auf. Meine Hungerjahre.« Gideon lässt das Notizbuch auf seinen Bauch sinken und schweigt. Schließlich dreht er mir den Kopf zu.

Ich liege still da und schaue zurück.

»Hungerjahre?«, fragt er.

Ich nicke nur.

»Warum Hunger?«

»Ich weiß nicht«, sage ich, so wie eigentlich immer, woraufhin Gideon die Augenbrauen hebt. Nur ganz leicht, aber mehr braucht es auch nicht. »Na ja, ich meine, kennst du das? Wenn du etwas so sehr willst, obwohl du weißt, du dürftest es nicht wollen? Wie ein körperliches Verlangen.«

»Wieso sollte man es nicht wollen dürfen?«

Ich schlucke und betrachte die schmale Narbe an seinem Kinn, die immer etwas blasser bleibt als der Rest seines Gesichts, wenn es im Sommer bräunt. »Weil es nicht gut für dich ist.«

Unsere Blicken verhaken sich. Seine Augen … die Farbe von dunklem Honig. »Woher weiß ich, dass es nicht gut für mich ist, wenn ich es noch nicht ausprobiert habe?«

»Beim letzten Mal, als du es probiert hast, hat sich das herausgestellt.«

»Das war kein vernünftiges Ausprobieren«, widerspricht er, und verdammt, worüber reden wir hier gerade?

»Doch.« Ich räuspere mich und drehe mich auf den Rücken. »Aber eigentlich egal. Findest du, Hungerjahre klingt schief?«

»Nein.« Er hebt das Notizbuch an, betrachtet die Seite, dann legt er es weg und schaut mich wieder an. »Grace, ich mache mir Sorgen.«

Ich spanne mich an. »Um mich muss man sich keine Sorgen machen.«

»Das entscheidest nicht du.« Er stützt sich neben mir auf dem Ellbogen auf.

»Ich hätte dich das nicht lesen lassen sollen.« Ich greife über ihn, um das Notizbuch zu nehmen, aber bevor ich es erreiche, liegen seine Finger an meinem Handgelenk. Ich erstarre, halb über ihn gebeugt, und kann plötzlich nicht mehr atmen. Seine Kieferlinie ist so scharf geworden, und wenn sich diese steile Falte zwischen seine Brauen gräbt, so wie jetzt, dann ist er der schönste Mann, den ich je gesehen habe. Es ist nicht mal übertrieben, ihr habt ihn nicht gesehen, ihr würdet mir zustimmen. Seine Lippen sind leicht geöffnet, und seine Stirn wird glatt, als er schluckt, ohne den Blick von mir zu nehmen. In meinem Bauch breitet sich dieses Pochen aus, das dafür sorgt, dass mir heiß wird und meine Handflächen schwitzen.

Gideons Finger gleiten über mein Handgelenk, dann verschränkt er sie mit meinen und betrachtet unsere Hände. Das gibt mir die Gelegenheit, seine Wimpern zu begutachten, die beinahe unfair lang sind, und seine Lippen. Dieser Mund. Als er wieder zu mir hochschaut, ist sein Blick weich geworden. Mir wird leicht schwindelig davon, wie er mich ansieht und unsere miteinander verschränkten Finger auf seiner Brust ablegt. Ich will plötzlich nicht weiter angespannt und achtsam sein, also lasse ich den Kopf danebensinken.

»Hast du es im Griff?«, fragt Gideon.

Ich schließe die Augen und will nicken, aber ich weiß nicht, ob ich nicken sollte.

»Ich denke schon«, wispere ich.

Er schweigt eine Weile. »Sagst du mir, wenn du das nicht mehr denkst?« Er verstummt wieder. »Bitte?«

»Ja«, flüstere ich.

»Hast du jetzt Hunger?«

Worauf? Das will ich fragen, aber zugleich will ich, dass er jetzt aufhört mit diesem Thema, also schüttele ich leicht den Kopf.

»Bist du si– …?«

»Gideon«, flüstere ich, und er verstummt, aber sein Griff um meine Finger wird fester.

Er lässt den Atem entweichen, und für einen kurzen Augenblick bekomme ich Angst, dass er es eines Tages leid sein könnte mit mir. Wie Henry. Warum denke ich jetzt an Henry? Es war so gut, nicht an Henry zu denken. Die einzigen Momente, in denen mir das gelingt, sind die Momente mit Gideon.

»Tut mir leid, dass ich so bin«, murmele ich.

Gideon sagt nichts, aber er dreht den Kopf in meine Richtung. So weit, bis ich die Präsenz seines Mundes an meinen Haaren spüre. Seine Lippen, und ich weiß, wenn ich das Kinn heben und nun zu ihm aufblicken würde, müsste er das Kinn nur ein wenig senken und zu mir herabblicken, um mich zu küssen. Ich bin auf offener See, wenn er tief einatmet und sich seine Brust mitsamt meinem Kopf hebt und schließlich wieder senkt. Ich liebe dieses Gefühl. Und ich liebe, wenn er dabei meine Haare berührt, nicht spricht und nur weiteratmet.

Ich zucke zusammen und habe nicht bemerkt, dass ich die Augen geschlossen habe. Oder dass Gideon aufgestanden ist und jetzt zu mir zurückkommt.

»Shh«, flüstert er, als ich blinzele. Er zieht mich wieder zu sich und legt die Decke über uns. Ich überlege kurz, ob ich erneut einschlafen darf oder noch Zähne putzen muss, aber ich habe sie mir vorhin geputzt, als ich nach dem Training hier ankam und immer noch diesen sauren Geschmack im Rachen hatte.

Ich habe überlegt, ob ich Gideon noch mal auf diese Situation vorhin mit Henry ansprechen muss. Es geht mir nicht aus dem Kopf. Die Befürchtung, dass etwas in der Luft liegt, flüssiger Sprengstoff, die Konzentration wird dichter, ein einziger Funken würde genügen, und alles fliegt in die Luft. Aber lieber möchte ich mir einreden, dass das einfach Jungs sind. Und eigentlich ist alles geklärt. Das mit Henry und mir ist vorbei, niemand erhebt mehr einen Anspruch auf den anderen, Gideon ist hier, bei mir. Dort, wo er hingehört.

17. KAPITEL

GIDEON

Ihre Hungerjahre. Ich kann darüber nicht nachdenken, ohne dass sich mein Magen auf die unangenehmste Art und Weise verknotet. Es macht mich wütend und hilflos zugleich. So hilflos, dass ein Teil von mir schreien will, *Hunger – dann iss was!*, obwohl der Rest von mir versteht, dass es so nicht funktioniert. In jeglicher Hinsicht.

Als sie gestern Abend mit dem Kopf auf meiner Brust eingeschlafen ist, lag ich da und habe überlegt, wie man meine Jahre nennen könnte. Hunger habe ich auch, so ist es nicht, aber da ist noch mehr. Wutjahre. Exiljahre. Meine Unsichtbarkeitsjahre.

An diesem Morgen aufzustehen und ihr Bett zu verlassen, ist Folter. Es ist warm, sie hat ruhig geschlafen, ich zwar weniger, aber das war egal, solange ich sie gespürt habe. Ihre warme Haut, ihren weichen Körper. Meistens schlafe ich schnell ein, werde irgendwann in den frühen Morgenstunden wach von der Vorstellung eines wurmzerfressenen Kindersargs, falle später in diesen schweren, traumlosen Schlaf, der besser ist als das Panikträumen am Anfang der Nacht, und wache vor dem Wecker auf. Normalerweise. Heute schrecke ich erst mit dem

Läuten auf und habe meine halbe Stunde Grace betrachten dementsprechend verspielt.

Der Himmel ist bleigrau, die Wolken hängen tief, und es nieselt gerade noch leicht genug, um den Morgenlauf nicht absagen zu müssen.

Es ist erst der zweite Schultag, aber die Routine ist sofort wieder eingekehrt. Zum Glück. Es war erschreckend festzustellen, wie viele Stunden ein Tag hat, wenn man nicht an der Dunbridge Academy ist, mit tausend Möglichkeiten, sie zu füllen. Aufstehen, Morgenlauf, Duschen, Frühstück, Unterricht, Unterricht, Unterricht, Mittagspause, mehr Unterricht, Gemeinschaftsdienst, Studierstunde, Sport oder andere Freizeitaktivitäten, Abendessen, mit den anderen rumhängen, Flügelzeit missachten, zu Grace gehen, schlafen. Alles durchgetaktet, kaum eine Minute, in der ich mich mit mir selbst beschäftigen muss. Oder mit meinen Gedanken.

Nicht so wie in London, wo es unerträglich war. Also habe ich geschlafen bis mittags, um nicht wach sein zu müssen, aufstehen, mit Mum und Dad streiten, rumschreien, an der Themse laufen, gelegentlich auch im Hyde Park, duschen, bei Freddie sein, ihm aus meinem Leben erzählen, in dem er nicht die geringste Rolle spielt, bezweifeln, wenn die Pflegekraft behauptet, er würde das bestimmt noch mitbekommen, verzweifeln, bereuen, Angst, mehr mit Mum und Dad streiten und noch vor dem Abendessen abhauen, rausgehen, mit irgendwelchen Leuten, die mir eigentlich egal sind, aber wenigstens von belanglosem Scheiß erzählen, der mich ablenkt, rauchen, trinken, nicht nach Hause wollen, mehr rauchen, mehr trinken, zu Hause sein und nicht mehr wissen, wie man überhaupt dorthin kam.

Das war genauso erbärmlich, wie es klingt. Und es macht mir Angst, dass ich nicht weiß, wie das werden soll, wenn die

Dunbridge-Zeit vorbei ist und ich anfangen muss, für mich selbst verantwortlich zu sein. Wenn da niemand mehr ist, an dem ich mich festhalten kann.

Man lernt an dieser Schule eine Menge, aber manchmal kommt es mir vor, als gehöre das vielleicht Wichtigste nicht dazu. Wie es danach weitergeht. Wie man das überleben soll. Alles ist durchgeplant und strukturiert. Hier geht es einem gut, hier kennt man seinen Platz und weiß wohin mit sich. Mir ist schon klar, dass wir in den höheren Stufen mehr Eigenverantwortung bekommen und Projekte übernehmen sollen, um genau das zu üben, aber anscheinend bin ich ein hoffnungsloser Fall.

Ich funktioniere hier, ich erledige meine Aufgaben, engagiere mich, aber eigentlich mache ich das alles nur, weil ich bei meinen Leuten sein will. Meine Leute, zu denen ich dann so scheiße bin wie zu Henry oder sie wochenlang hängen lasse, so wie Grace. Ich kann froh sein, dass sie mir vergeben hat und ich wieder bei ihr schlafen darf. Ich weiß nicht, wie ich sonst überhaupt schlafen sollte. Oder wie ich atmen sollte. Ich weiß nur, dass es gut ist, unseren Alltag zurückzuhaben.

Morgens nach dem Aufwachen rüberrennen, zum Morgenlauf zu den anderen stoßen, duschen, Frühstück, Unterricht, Mittagspause. Nach dem AG-Treffen mit Grace rüberlaufen, um ihre Brüder vom Rugby abzuholen. So wie jetzt.

»Gideon, schau!«, schreit Augustus, der über die acht Wochen Sommerferien erstaunlich gewachsen ist, und feuert den Rugbyball in meine Richtung, als wir näher kommen.

»Boah«, stöhne ich, als ich den Pass fange und sage – laut genug, damit Gus es hört – an Grace gewandt: »Der hatte mehr Power als erwartet.«

Sein Gesicht leuchtet daraufhin auf. Ich kicke den Ball zurück zu ihm und beobachte zufrieden, wie er ihn fängt.

»Kommst du?«, ruft Grace ihm zu. »Mum hat geschrieben, dass das Essen fertig ist.«

Er nickt und macht keine Anstalten, zu uns rüberzukommen. »Ich will Gideon noch zeigen, wie weit ich kicken kann.«

Grace öffnet den Mund, aber ich werfe ihr einen bittenden Blick zu.

»Ja, zeig«, rufe ich dann und schaue Grace' kleinem Bruder zu, aber etwas ergreift Besitz von mir und wirft sich über mich, ohne Vorwarnung, ohne eine Chance, es abzuwenden. Alles verschwimmt irgendwie, während Gus sich zwei Mal umschaut, ob wir auch wirklich gucken, den Ball aufhebt, auf dem Rasen positioniert, zurückgeht, Anlauf nimmt, und ich frage mich, warum Freddie nicht Anlauf nehmen, losrennen und den Ball kicken konnte, warum es so scheißunfair sein muss, dieses Leben, das sich überhaupt nicht mehr anfühlt wie ein Leben, sondern wie ein einziger Schlag in die Fresse, weil mein kleiner Bruder tot ist. Und nicht mit mir an dieser Schule. So wie es sein sollte.

Mir ist schlecht, ich fühle meine Finger nicht, aber ich fühle Grace' Finger, auf meinem Arm.

»Gid?« Sie schaut mich an, woraufhin ich so etwas Ähnliches wie erwache aus diesem Tagalbtraum.

»Hm?«

»Alles okay?«

»Ja«, murmele ich, und erneut stelle ich mir vor, wie es wäre, ihr davon zu erzählen. Selbst wenn meine Eltern mir das verboten haben. Selbst wenn es bedeuten würde, dass alles real wird. Es ist längst real. Es ist die realste Hölle auf Erden. »Oder … eigentlich nicht.« Ich höre meine eigene brüchige Stimme, bevor ich beschlossen habe, zu sprechen. »Ich …«

Grace' Augen sind riesengroß und dunkel.

»Du hast gar nicht geschaut!«

»Doch, Gus«, sagt Grace, ohne die Hand von meinem Arm zu nehmen.

»Nein, Gideon hat weggeschaut, er hat nicht gesehen, wie weit …«

Ich will widersprechen und etwas Motivierendes sagen, weil sein Freistoß wirklich beeindruckend war, aber meine Stimme funktioniert nicht, was Grace wohl spürt, denn sie schüttelt den Kopf.

»Doch, das hat er.« Ihre Stimme lässt keinen Widerspruch zu. »Komm jetzt bitte, wir müssen uns auf den Weg machen.«

Gus stößt einen frustrierten Laut aus, dann rennt er dem Ball nach, und ich, weil ich ein Arschloch bin oder was auch immer, reiße mich von Grace los. »Ich muss dann auch.«

Sie zieht die Hand zurück und blickt verletzt zu mir auf. »Was wolltest du sagen? Gerade eben?«

Fuck. »Nichts, ich … Es ist nichts.«

»Bist du dir sicher, Gid?«

»Ja.« Mein Herzschlag schwillt an, Gus kommt mit dem Ball und seiner Trainingstasche auf uns zugelaufen. Ich kann sie nicht mehr ansehen. Es geht einfach nicht.

»Okay.« Sie blinzelt verletzt und irritiert. Ich hasse es.

Ich schlucke. »Soll ich später …?«

»Ja«, sagt sie nur, in ihrer Stimme liegt Enttäuschung, Verwirrung, Sorge, der übliche Mist.

»Ich hab's wirklich gesehen«, beteure ich, als Gus bei uns ist. »Voll krass, Mann.«

»Ja, ich bin jetzt ein Openside Flanker, hat Mr Cormack gesagt«, erklärt er stolz. »So wie du!«

»Wow«, sage ich, und es fuckt mich so ab, wie schwer es mir fällt, stolz und begeistert zu reagieren, nicht weil ich nicht stolz und begeistert bin, das bin ich nämlich, denn ich weiß, was das bedeutet. Den Ritterschlag, aber ich denke auch, was Freddie wohl geworden wäre, vielleicht ein Fly-half, jemand, der entschlossen handelt und schnell kommunizieren muss, ja, vermutlich wäre er das geworden. »Übst du mal mit mir?«, frage ich, ohne etwas zu fühlen, aber Gus strahlt, bevor er sich daran erinnert, lässig zu nicken.

»Klar, wenn du willst.«

»Cool, würde mich freuen«, sage ich und weiche Grace' Blick aus, der noch immer viel zu schwer auf mir liegt und herauszufinden versucht, was plötzlich mit mir los ist, warum ich so bin, so ... traurig, das bin ich sonst nie mit ihren Brüdern, ehrlich. Es ist wohl zu viel passiert, schätze ich. Fühlt sich noch zu real an, ich brauche mehr Abstand zu den Ferien und dem ganzen Mist, der in London passiert ist. Nicht zu ihr, das weiß sie hoffentlich. Falls nicht, muss ich es ihr später zu verstehen geben. Weiß nur noch nicht wie.

18. KAPITEL

GRACE

Wie immer nach den Ferien beginnt die Zeit sofort zu rasen. Die erste Unterrichtswoche fliegt an mir vorbei, so schnell, dass ich gar nicht weiß, wie mir geschieht. Am Wochenende besuche ich Olive im Krankenhaus. Gideon kommt mit, und Olive ist deutlich anzumerken, wie sehr es sie trifft, dass wir alle wieder im Internat sind, weitermachen ohne sie – oder es zumindest versuchen. Sie betont ihr Vorhaben, die Reha schnellstmöglich hinter sich zu bringen, damit sie bald zu uns zurückkehren kann. Ich spreche es nicht laut aus, frage mich aber, ob sie sich nicht zu viel zumutet, denn das Pensum ist brutal, die erste Unterrichtswoche war Beweis genug, und mit jeder weiteren, die Olive verpasst, wird es schwerer für sie, wieder einzusteigen. Was die Alternative bedeutet, darüber will ich besser nicht nachdenken.

Gideon weiß das, er schiebt seinen Fuß wortlos zwischen meine Beine, als er mir im Bus zurück nach Ebrington gegenübersitzt. Ich schaue aus dem Fenster und will die Knie um ihn schließen, aber ich traue mich nicht. Stattdessen denke ich an die Mail von Mr Acevedo mit der Zimmereinteilung, die uns gestern Abend erreicht hat. *Grace Whitmore, Victoria Belhaven-*

Wynford, Emma Wiley, (Olive Henderson), für den Fall, dass ein Wunder geschieht und Olive mit nach Madrid kommen kann, so wie wir das vor den Sommerferien dachten. Bis zu unserer Abreise sind es noch zwei Wochen, die Studienfahrt soll schließlich möglichst zu Beginn der zwölften Klasse stattfinden, um den Zusammenhalt des Abschlussjahrgangs zu stärken. Ein letztes Mal Spiel und Spaß, bevor es ernst wird mit der Abiturvorbereitung.

»Wie heißt sie eigentlich?«, frage ich irgendwo auf der Landstraße zwischen Edinburgh und Ebrington. Ich wollte das schon lange fragen. Eigentlich bereits letztens, als er wieder angefangen hat, bei mir zu übernachten, aber ich hatte Angst, dass wir dann streiten und er wieder damit aufhört.

Gideon hebt fragend den Kopf.

»Maidenhead«, ergänze ich nur.

In seinem Gesicht verändert sich nicht viel. Das ist gut, sage ich mir. Die Frage scheint nicht allzu viel mit ihm zu machen. Kein defensives Zucken seiner Augenbrauen, keine angespannte Kiefermuskulatur.

»Clara«, antwortet er schließlich, einigermaßen gleichgültig.

»Clara weiter?«

»Clara Berry.«

Ich nicke und stelle mir vor, wie eine Clara Berry wohl aussieht. Definitiv kleiner als ich. Definitiv dünner. Ich schlucke und hasse mich. Schmale Schultern, kirschroter Mund, wahrscheinlich blond. Bestimmt Dressurreiterin, vielleicht zusätzlich Tennis oder irgendetwas anderes mit Anmut und Eleganz. Definitiv schlechterer Notenschnitt als ich, aber das ist auch nicht schwer.

Ich bemühe mich, nicht allzu besessen von ihr zu klingen. »Und sie kommt mit nach Madrid?«

»Keine Ahnung«, bemerkt Gideon, aber er befürchtet es.

Ich blinzele kurz in seine Richtung. »Hast du sie nicht gefragt?«

»Wie denn?«, erwidert er und beißt in das Sandwich, das er sich vorhin am Bahnhof mitgenommen hat. »Hab ihre Nummer nicht.«

Hat er nicht? Kühle Erleichterung breitet sich in mir aus. Mein Gesicht entspannt sich, mein Mund möchte lächeln, aber das wäre albern, also überschlage ich nur die Beine. »Bestimmt kann Omar sie dir besorgen.«

»Omar kann sich ficken.«

Meine Mundwinkel heben sich, ohne dass ich es ihnen erlaubt habe. Er hält mir das Brot hin. Ich schaue wieder aus dem Fenster, nachdem ich abgebissen habe. Gideon drückt sein Knie gegen meins. Als ich den Kopf hebe, schaut er ebenfalls raus.

19. KAPITEL

GRACE

Am Abend schreibt Tori in unsere *Midnight-Memories*-Gruppe, dass sie sich spontan im alten Gewächshaus treffen. Es ist etwas nach elf, Gideons Kopf liegt auf meinem Bauch und fühlt sich schwer an, schon seit einer halben Stunde, als wir Desperate Housewives angemacht haben. Er hat nie was dagegen, wenn ich vorschlage, eine Folge anzusehen, aber er schläft immer dabei ein. Manchmal frage ich mich, ob es deshalb meine Comfort-Serie ist oder weil sie schon früher immer lief, während Mum im Wohnzimmer Wäsche gefaltet hat.

»Jetzt noch?«, murmelt Gideon, als ich ihn anstupse und ihm die Nachrichten zeige. »Willst du gehen?« Er hebt den Kopf und schaut mich an. Müde Augen, flüssiger Bernstein und seine Wimpern. Mein Gott.

Ich blinzele und rufe mich zur Ordnung. Will ich? Ich bin mir nicht ganz sicher. Eigentlich will ich hier mit ihm liegen, aber ich will auch meine Freunde sehen. Eine Zeit schwerer Entscheidungen, aber ich nicke und frage mich, ob Gideon daraufhin enttäuscht aussieht. Vielleicht ist meine Wahrnehmung beeinträchtigt, aber seine Mundwinkel zeigen eher nach unten. Er richtet sich auf, weil er meint, dass er in aufrechter

Position sein muss, um wach zu bleiben, doch ich weiß es besser. Es macht keinen Unterschied, dass er an das Kopfteil meines Betts gelehnt sitzt, in den Kissen versinkt und einen Arm um mich legt. Ich liebe es, wenn er das macht. Es hat etwas Besitzergreifendes, und meine Haut prickelt dabei. Ich kann spüren, wie sich seine Brust hebt und senkt, und wie sein Kopf irgendwann gegen meinen sinkt, und als Bree gerade ihr Kochbuch herausgebracht hat, drehe ich das Gesicht, langsam und vorsichtig, bis ich Gideon ansehen kann. Seine Augen sind geschlossen, seine Hand hält meine nicht mehr so fest, also kann ich sie in Ruhe begutachten, seine Finger, die schön sind, seine Handfläche, eine der größten Handflächen, die ich kenne. Ich drehe sie zu mir und platziere meine Hand darauf. Finger für Finger auf seine Finger, die länger sind als meine, quasi eine Veranschaulichung dessen, wie ich mich fühle, wenn er bei mir ist. Klein und behütet, weil sich seine Anwesenheit ganz automatisch über mich legt, wie eine schützende Kapuze, zu groß, gemacht, um in ihr zu versinken. Mein Handy vibriert, woraufhin seine Finger zucken und er sie zwischen meine schiebt. Greifreflex, denn seine Augen sind immer noch zu, als ich erst in sein Gesicht schaue und dann auf mein Handy.

»Gid«, flüstere ich, als ich Toris Nachricht gelesen habe, dass sie aufbrechen, und warte, dass er blinzelt, aber er bewegt sich nicht. Sein Gesicht ist entspannt. Mit dem Daumen streiche ich ihm über die Wange. »Gideon«, wispere ich, lauter sprechen kommt mir zu drastisch vor. Es dauert ewig, bis er endlich wach genug ist, um aufzustehen, sich noch mal anzuziehen und aus dem Fenster zu klettern. Die kühle Luft scheint zu helfen, wir reden nicht viel, aber in der Dunkelheit nimmt er meine Hand. Der Weg rüber in die Schule ist um diese Uhrzeit magisch. Keine Wolken, ein Vollmond, so prall und groß, dass er jeden Moment vom Himmel fallen müsste.

»Schau«, sagt Gideon nur, und ich nicke mit einem Lächeln, weil es immer besser ist, neben ihm zu sein, wenn er mir den Himmel zeigen will, als ein Foto von ihm geschickt zu bekommen. An meinem hüfthohen Busch beim Ortsschild packt mich wie immer das überwältigende Gefühl dieses Geheimnisses, das eigentlich nicht wichtig ist, aber auf meinen Schultern lastet und mich niederdrückt, besonders wenn ich mit Gideon unterwegs bin. Er geht mit mir daran vorbei, beachtet ihn nicht und es wird wieder ein wenig besser. Nur in vereinzelten Häusern in Ebrington war noch Licht, und auch die meisten Fenster des Internats sind dunkel. Sobald wir durch die Lücke in der Mauer schlüpfen und über die Wiese hinter dem Nordflügel laufen, taucht das erleuchtete Gewächshaus in der Ferne auf. Was das bedeutet, weiß ich. Ich bin darauf vorbereitet, aber es trifft mich trotzdem wie ein Zug mit voller Geschwindigkeit, als Gideon kurz vor dem Eingang meine Hand loslässt. Sie fällt gegen mein Bein, nutzlos und schwer. Ich stecke sie in die Tasche meines Hoodies und husche vor Gideon ins Gewächshaus.

Von den Elfern fehlt heute jede Spur, es sind nur wir, so wie in den guten alten Zeiten, die gerade mal ein paar Wochen her sind. Unsere Gruppe minus Olive, was sich auch wieder ändern wird, wenn sie das Krankenhaus verlassen und zurück ans Internat kommen kann. Ich hoffe einfach, dass das bald ist.

Anfangs hat Gideon stets ein paar Minuten draußen gewartet, bevor er nach mir ins alte Gewächshaus gekommen ist. Weil ich das so wollte. Keine Ahnung warum, es ist nicht so, als täten wir etwas Verbotenes. Ich hatte keine Lust auf Blicke oder – besser noch – Fragen, aber Schritt für Schritt ist uns das zu blöd geworden. Außerdem scheint niemand zu hinterfragen, warum Gideon überall mit mir zusammen auftaucht. Es ist einfach so. Wir haben diese Art von Freundschaft, bei der man einen von uns fragt, wo der andere steckt, wenn wir nicht zusammen sind. Sogar die Lehrerinnen und Lehrer wissen das.

Ich lasse mich auf die zerschlissene Couch fallen, Gideon setzt sich neben mich, und das Einzige, was mich stört, ist, dass er den Arm nicht so um mich legt, wie er es garantiert getan hätte, wenn wir allein wären. Stattdessen legt er ihn auf die Rückenlehne hinter meinen Schultern, was zwar nicht genauso gut ist, aber immerhin etwas.

Er nimmt das Bier, das Sinclair ihm hinhält, und reicht es mir. Ich schüttele den Kopf. Nicht, weil ich Bier nicht mag, es ist in Ordnung, nicht mein Lieblingsgetränk, aber es erledigt seinen Job. Doch ich trinke erst aus der Flasche, als Gideon auch daraus getrunken hat. Dumme Angewohnheit, fragt mich nicht warum, aber es schmeckt mir besser, wenn ich weiß, dass seine Lippen an der Öffnung waren, was ihn zu küssen wohl am nächsten kommt.

Sich ein Getränk zu teilen, ist bei uns nichts Besonderes. Ich schätze, ich habe schon mit allen hier Anwesenden irgendwann mal aus derselben Flasche getrunken. Wir teilen gerne, niemand hat etwas dagegen, aber diese Kussassoziation habe ich nur bei Gideon.

Ich beschließe nicht deshalb, mich zu betrinken, sondern weil meine Hand nicht mehr in Gideons Hand ist und ich das Gefühl nicht mag. Er merkt das schnell, skeptischer Seitenblick, aber er sagt nichts, als ich die leere Flasche wegstelle und nach dem Wein greife. Er inhaliert den Rest einer Chipspackung und durchbohrt mich dabei mit seinen Blicken. Ich ignoriere ihn und beuge mich vor, um den Gesprächen der anderen besser zuhören zu können. Natürlich reden sie über die Studienfahrt. Das große Thema.

»Hoffentlich schickt Mr Acevedo bald das Programm«,

meint Tori. »Ich frage mich schon die ganze Zeit, ob gemeinsame Aktivitäten mit Maidenhead geplant sind.«

Mir wird kurz kalt. Darüber habe ich noch gar nicht nachgedacht. »Meinst du?«

Tori zuckt mit den Schultern.

»Kann ich mir kaum vorstellen«, meint Sinclair. »Mr Acevedo hat gesagt, wir teilen uns nur dieses Hostel.«

»*Hostal*«, verbessert Tori, die gar kein Spanisch kann, aber das hat sie sich gemerkt.

»Vielleicht wird es ja ganz nett mit den anderen«, meint Emma, worauf wir sie alle einen Moment lang schweigend ansehen, sogar Henry. »Oder nicht?«

»Beim Duke of Edinburgh waren sie unerträglich«, erinnert Omar. Einstimmiges Nicken.

»Das ist so ein internationales Jugendprogramm, an dem verschiedene Schulen teilnehmen und auf Expedition gehen und so Kram«, erklärt Henry, noch bevor Emma ihm einen fragenden Blick zuwerfen muss. Weil er sie blind versteht. Mein Magen fühlt sich an wie ein Stein. Ich nehme einen weiteren tiefen Schluck und spüre Gideons Finger zwischen meinen Schulterblättern. Mahnend? Beruhigend? Wer weiß das schon so genau.

»Wie cool«, meint sie. »Und da wart ihr mit denen zusammen unterwegs?«

»Ja, sie haben uns die Heringe an den Zelten rausgerissen, und nachts, als der Wind aufgefrischt hat, ist alles weggeflogen«, erzählt Sinclair.

Tori lacht. »Du hast vergessen, die Heringe zu setzen.«

Er wirft ihr einen missbilligenden Blick zu. »Das stimmt nicht, ich bin exakt nach Anleitung vorgegangen.«

»Du hast die Anleitung nicht mal gelesen.«

»Du hast nur rumgesessen und mich rumkommandiert.«

»Mein Knöchel war verstaucht!« Tori schnaubt. »Außerdem war es viel zu heiß, und mein Rücken hat wehgetan von diesem unerträglichen Rucksack.«

»Hat Sinclair nicht deinen Rucksack getragen?«, fragt Salome.

Tori stößt die Luft aus und rollt mit den Augen. »Es war jedenfalls schrecklich, und in meiner Persönlichkeitsentwicklung hat mich das überhaupt nicht vorangebracht.«

»Wann war das?«, fragt Emma leise und schaut Henry an.

»In der Zehnten.« Er würde jetzt gerne ihre Hand nehmen, aber er tut es nicht, weil ich es sehen würde und wir beide uns daran erinnern müssten, wie Henry nachts in mein Zelt gekommen ist, um mich heimlich zu küssen und zu wärmen, weil es so verdammt kalt war. »Man durchläuft unterschiedliche Stufen, die meisten fangen in der achten Klasse an.«

»Das klingt total schön.« Sie lächelt ihn an, und mein Ex-Freund schmilzt. Noch ein Schluck Wein. »Ich wäre gerne dabei gewesen.«

Henry nickt und kann nicht aufhören, Emma anzuschauen. Vermutlich stellt er sich jetzt vor, wie es mit Emma auf unseren Duke-Expeditionen in den Highlands gewesen wäre, mit der er sich dann verbotenerweise ein Zelt geteilt hätte, anstatt mit mir.

Am schlimmsten ist eigentlich, dass ich mich an all diese besonderen Erlebnisse nun mit einer gewissen Bitterkeit erinnere. Weil es damals wunderschön war, diese drei Nächte draußen, Lagerfeuer und Instant-Ramensuppe aus unseren Camping-Tassen, aber jetzt ist ja alles anders. Es hat uns nicht zusammengeschweißt und fürs Leben verbunden, so wie es eigentlich sollte. Alles ist auseinandergebrochen, kurz vor Schluss, auf den letzten Metern unserer gemeinsamen Reise an dieser Schule. Werde ich so in ein paar Jahren auch an unsere gesamte Dunbridge-Zeit denken? Mit diesem Kloß im Hals und dem Bedürfnis, zu weinen, weil nichts so gelaufen ist, wie ich eigentlich wollte? Weil ich jetzt hier sitze, allein zwischen meinen Freunden, die weiter über Madrid und den Duke Award sprechen, und mich so seltsam entfernt von allem fühle? Mein Körper ist hier, aber mein Geist flattert aus dem alten Gewächshaus nach draußen, in die dunkle Nacht, um dort einen jämmerlichen Kältetod zu sterben. Ich kann nichts dagegen tun, und vermutlich ist das besser so, aber dann wird mir die Weinflasche aus der Hand genommen.

Gideon. Natürlich.

»Hey«, protestiere ich und muss feststellen, dass meine Zunge schwer ist und meine Reflexe beeinträchtigt sind, als ich nach der Flasche greifen will und Gideon sie weiter weg hält. »Ich bin noch nicht fertig.«

»Doch, bist du.« Er stellt sie auf seiner anderen Seite neben die Couch, nachdem er daraus getrunken hat. Nur ein kleiner Schluck, weil einer von uns traditionsgemäß eher nüchtern bleibt, wenn sich der andere abschießen will. Habe ich mich abgeschossen? Nicht genug, ich kann noch äußerst klare Gedanken fassen, aber Gideon betrachtet mich mit diesem besorgten Ausdruck. Tiefer Blick, ernster Mund, so als gäbe es für ihn gerade nichts Wichtigeres als das – mich anzusehen und herauszufinden, wie es mir geht. Die Welt um uns herum verschwindet. Endlich.

Er sagt nichts, aber er nickt mir fragend zu, ohne den Blickkontakt zu unterbrechen. Nicht dass das nötig gewesen wäre. Es gab eine Zeit, da musste ich ihm direkt in die Augen sehen, um ihn lesen zu können. Inzwischen brauche ich das nicht mehr. Ich spüre ihn und verstehe auch so, was er mir sagen will.

Willst du gehen? Seine Hand ist an der Rückenlehne der Couch, und seine Fingerknöchel streifen meine Schulter, er muss mich eigentlich ständig berühren, manchmal merke ich das schon gar nicht mehr.

Ich lege den Kopf schräg und sehe ihn an.

Weiß nicht, willst du gehen?

»Ich will mit dir allein sein«, sagt er nach einem Moment, leise, nur für mich, und uff, mein Magen. Ich liebe es, wenn er sich so schwerelos anfühlt. Und wenn Gideon so etwas sagt. Ich wünschte, er würde es häufiger tun. Mehr davon. Sein Blick liegt auf mir.

Und dann, wie in Zeitlupe, springen die anderen um uns herum auf. Ich weiß, was es bedeutet, noch bevor Gideon den Kopf dreht und unsere Blase platzt.

Tori läuft an uns vorbei.

»Sie kontrollieren die Zimmer!«

20. KAPITEL

GRACE

Das Chaos ist auf die beste Art nervenaufreibend. Mein Herz pocht, und mir ist schwindeliger als erwartet, als wir aufstehen. Gideon zieht mich an sich, während die anderen um uns herumrennen, dann geht das Licht aus, und er nimmt meine Hand. Ich muss lächeln, während er mich in der Dunkelheit durch das Gedränge zieht, und versuche, nicht zu stolpern. Es ist gar nicht so leicht.

Gideon lässt meine Hand nicht los, während wir über die nasse Wiese zum Internat rennen.

»Musst du hoch?«, frage ich etwas außer Atem, als wir den Eingang zum Nordflügel erreichen, wo er stehen bleibt und die Hand an meine Wange legt.

»Ja, kurz.« Sein Daumen streicht über meine Haut, er will nicht. »Wartest du?«

Ich nicke sofort.

In einer anderen Wirklichkeit, einer besseren, unkomplizierteren, würde sich Gideon vorbeugen und lächelnd mit seinen Lippen meinen Mund streifen, bevor er loslässt und vor mir in der Nacht verschwindet. Jedoch sind wir Teil dieser Realität.

Sein *Bis gleich* hallt in der Stille, genau wie meine Schritte auf dem Boden, während ich zur Treppe schlendere und mich auf die erste Stufe setze. Der Stein ist kalt an meinem Hintern. Ich atme leise in die Nacht aus und lasse mich nach hinten sinken. Dort liege ich, verschränke die Finger auf meinem Bauch und starre nach oben in die Dunkelheit. Mein Körper fühlt sich warm und leicht an, ich bin definitiv betrunken, aber nicht zu einem unangenehmen Grad. Ich schließe die Augen und sehe Gideons Hand, die mir die Flasche wegnimmt. Gideons Hand, die meine Hand nimmt. Meine Mundwinkel verziehen sich zu einem Lächeln.

Schritte kommen näher und zwingen mich, die Augen wieder zu öffnen.

»Was tust du da?« Er ist auf der Stufe über mir stehen geblieben und blickt auf mich herab.

»Liegen«, erkläre ich.

»Das ist leichtsinnig, Grace.« Seine Füße gehen an meinem Kopf vorbei bis zum Ende der Treppe, wo er stehen bleibt und meine Hand nimmt. »Was, wenn dich jemand gesehen hätte?«

Ich lasse mich von ihm hochziehen. »Aber es hat mich niemand gesehen.«

Er schüttelt belustigt den Kopf, sagt aber nichts.

»Du warst schnell.«

»Ich weiß.« Er lässt meine Hand nicht los, während er davonschlendert, was mich zwingt, ihm zu folgen. Vorbei am Tor, das wir nehmen müssten, um das Schulgelände zu verlassen und zu mir nach Hause zu laufen.

»Wohin gehen wir?«

»Ich dachte, bevor wir zu dir gehen, könnten wir …« Er unterbricht sich selbst und verstummt, als in einiger Entfernung ein Licht angeht.

Wir weichen gleichzeitig zur Seite, mein Herz schlägt plötzlich wieder heftig gegen meine Rippen. Gott, es hat mir gefehlt. Der Nervenkitzel, die verbotenen Nächte, jede Sekunde dieses grausamen Sommers habe ich daran gedacht, es vermisst, während er … Nein, nicht jetzt. Heute Nacht werde ich mich daran nicht erinnern, auch wenn ich mich erinnern sollte, weil ich jedes Recht habe, daran zu denken und verletzt zu sein, weil Gideon das wohl Schlimmste getan und mit einer anderen geschlafen hat, so als wäre er nicht mein wichtigster Mensch. Aber ich will gerade nicht verletzt sein, ich will gedankenlos und zufrieden sein, ein bisschen unvernünftig, albern und … glücklich. Gideon zieht mich in eine Nische und lehnt sich mit dem Rücken an die Wand. Ich falle gegen ihn und bin verdammt glücklich. Seine Brust hebt und senkt sich schwer, ich muss kichern, als er mich näher zieht.

»Leise«, flüstert er und hält den Atem an. Ich betrachte seinen Mund.

Schritte nähern sich, ich beiße mir leicht auf die Unterlippe und höre ebenfalls auf, Luft zu holen. Mein Herz pocht so laut, jeder Schlag müsste an den kühlen Wänden des Bogengangs widerhallen und die ganze Schule wecken. Ich lausche in die Stille, ich kenne diese energischen Schritte. Als Ms Buchanan an uns vorbeiläuft und plötzlich stehen bleibt, wie ein Wachhund, der wittern kann, dass etwas im Busch ist, presse ich die Lider fest zusammen.

Ein hysterisches Paniklachen steigt in mir auf, Gideon presst die Hand auf meinen Mund und stellt sich vor mich, während sich die Schritte endlich entfernen. Als ich blinzele, hat er den Unterarm oberhalb meines Kopfes an die Mauer gelegt. Sein Gesicht schwebt über meinem, sein verdammt wunderschönes Gesicht. Mir ist wieder schwindelig, diesmal auf die beste Art.

Ich will die Kordel seines Hoodies greifen und ihn zu mir herholen. Der Abstand, den er zwischen uns lässt, bringt mich fast um, aber ich kann mich nicht bewegen. Nicht während Gideons Blick jeden Zentimeter meines Gesichts abtastet.

Er blinzelt nicht, aber seine Lider senken sich leicht.

Meine Knie werden weich. Ich hebe das Kinn, nein, das stimmt nicht, mein Kinn *hebt sich*, mein Mund lädt ihn ein, bereit, ihn willkommen zu heißen, seinen Mund, der auf meinem liegen möchte. Meine Augen wollen sich schließen, Gideon senkt den Kopf, ich kann seinen Atem spüren, direkt auf meinen Lippen, ich bin so verdammt bereit für alles mit diesem Kerl, es ist ehrlich besorgniserregend und die Wahrheit. Ich brauche ihn, seine Nähe, seine Berührung, die Nicht-Gespräche, das Reden nur mit den Augen. Ich brauche diesen Kuss. Aber ich bekomme ihn nicht. Das Schicksal gönnt ihn mir nicht. Es sagt müde lächelnd *Sei nicht albern.* Es gönnt mir nie auch nur irgendetwas.

»Stehen bleiben!«, schallt Ms Buchanans Stimme durch den Flur, gefolgt von einem unterdrückten Kreischen und dem Geräusch schneller Schritte auf den Fliesen.

Gideon weicht zurück, nimmt meine Hand, und wir rennen los.

GIDEON

Mein Herz rast, was kein Wunder ist. Ich meine nicht wegen des Rennens, sondern wegen dieser zwei Sekunden gerade eben im dunklen Schulflur, Grace vor mir, und alles in mir wollte ihr Kinn greifen, sie herziehen und küssen. Aber ich habe sie nicht gefragt, ob sie das wollen würde, ich bin nicht mal in die Nähe davon gekommen.

Ihr Lachen ist unterdrückt, relativ hoch und irgendwie erleichtert, während wir durch die dunklen Flure laufen. Das Gegenteil von Erleichterung für mich. Mein Schwanz ist hart in meiner Hose, ihr Gesicht und der flehende Ausdruck in ihren Augen waren fast zu viel für mich.

Statt durch das Tor zum Ausgang ziehe ich sie Richtung Innenhof. Was ich vorhabe, ist riskant, aber noch riskanter wäre es, in diesem Zustand mit ihr nach Ebrington zu laufen und zu wissen, dass der kurze Fußmarsch höchstwahrscheinlich nicht ausreichen würde, um mich wieder zu beruhigen, bevor ich mich zu ihr ins Bett lege. Das ist auch so schon schwer genug, wie ihr euch sicher vorstellen könnt. Wenn sie sich vor mir auszieht und nur in einem meiner Shirts zu mir ins Bett kommt, verliere ich manchmal fast den Verstand. Es ist peinlich.

»Gid«, flüstert sie fragend, als ich sie in den Innenhof ziehe und wir über die Wiese huschen, auf die Flügeltür der ehemaligen Kirche zu.

»Vertrau mir«, sage ich und hoffe, dass die Tür nicht verriegelt ist. Joseph schließt eigentlich nie ab, und ich habe Glück, der Griff lässt sich herunterdrücken, und Grace folgt mir.

»Was machen wir?«, fragt sie, während wir durch den Speisesaal laufen. Ihre Stimme klingt jetzt anders. Etwas weniger unbeschwert, eher wachsam. Noch nicht alarmiert, aber ich muss vorsichtig bleiben, das ist klar.

»Weiß nicht, worauf hast du Lust?«, erkundige ich mich und öffne die Tür zur Küche. Das Deckenlicht flammt auf, knisternd und unerträglich hell. »Wir könnten Pfannkuchen machen, das fällt vermutlich am wenigsten auf. Joseph ist absolut penibel mit seinen Vorräten, also sollte es nichts zu Aufwendiges sein.«

Sie bleibt an der Tür stehen, die Kühlschränke summen, Grace schluckt schwer, meine Hoffnung schwindet. »Pfannkuchen klingt gut«, sagt sie dann.

Ich nicke erleichtert und lächle. »Sehr gerne, vielen Dank für Ihre Bestellung.«

Ich spüre ihren Blick auf mir, während ich an den Arbeitsflächen vorbeigehe und mir die Hände wasche. Grace folgt mir zögerlich und analysiert alles. Die Edelstahlfronten, die Geräte und Backöfen. Sie schaut wieder zu mir, als ich meine Lieblingspfanne nehme, die schwere gusseiserne, und eine Edelstahlschüssel.

Sie tritt näher. »Was soll ich machen?«

»Du musst gar nichts machen.« Ich schlage ein paar Eier in die Schüssel, mit einer Hand, und mir entgeht nicht, wie Grace dabei zusieht. Es ist eine Art Tanz, eine Choreografie, die ich perfekt beherrsche, auch wenn ich eigentlich nur sie ansehe. »Aber wenn du unbedingt willst, kannst du das Mehl sieben.«

Sie lacht leise. »Wer siebt bitte Mehl?«

»Jemand, der auf fluffige Pfannkuchen ohne Klümpchen steht.«

»Verfluchter Snob.« Sie rollt mit den Augen und nimmt die zweite Schüssel und das Sieb, das ich ihr reiche. »Wie viel?«

»So nach Gefühl, warte.«

Grace nickt beherrscht, und ihr Gesicht ist angespannt, während ich das Mehl nehme und in das Sieb kippe. Ich hasse es, das zu sehen. Ich hasse die unterdrückte Panik in ihren Augen, als wir den Teig angerührt haben und ich Butter in die angeheizte Pfanne gebe. Kurzer Seitenblick von ihr, und zum ersten Mal seit langer Zeit tue ich so, als hätte ich ihn nicht bemerkt. Weil ich nicht mit ihr diskutieren werde. *Ja, so viel.* Auch wenn es mir das Herz bricht, zu sehen, was das mit ihr macht.

Sie beobachtet jeden meiner Handgriffe, schlüpft in meinen Hoodie, als ich ihn ausziehe, weil mir am Gasherd warm wird. Ihr Blick liegt auf meinem Oberarm, während ich die Pfanne bewege. Vielleicht habe ich absichtlich die schwerste gewählt.

»Kannst du sie schmeißen?«, fragt sie.

Ich muss schmunzeln. »Ich kann's versuchen?«

»Bitte.« Sie blinzelt liebenswürdig. »Ich bin mir sicher, geschmissene Pfannkuchen schmecken exorbitant besser.«

»Mit Sicherheit.« Ich hebe die Pfanne, bewege den Pfannkuchen, er löst sich schön, und dann versuche ich es mit etwas Schwung aus dem Handgelenk. Es funktioniert, und ich fange ihn sogar wieder auf. Ein Glück.

»Wuhu.« Grace applaudiert.

»Hoch genug geschmissen?«

»Ich denke, da ist noch Luft nach oben, aber für den Anfang war es sehr eindrucksvoll.«

»Super.« Ich überprüfe den Bräunungsgrad und lasse den Pfannkuchen auf einen bereitgestellten Teller gleiten, wo ich ihn zusammenrolle und ihr hinhalte. »Okay, probier.«

Grace zögert, ihr Blick geht von dem goldbraun gebackenen Pfannkuchen zu mir, aber dann beißt sie ab. Ihr Gesicht leuchtet auf, während sie kaut. Mit dem Fingerrücken wischt sie sich über die Lippen, während sie nickt.

»Elf von zehn«, erklärt sie.

Ich gieße neuen Teig in die Pfanne. »Also auch noch Luft nach oben.«

»Es ist perfekt, Gid«, sagt sie.

»Das Geheimnis ist die Buttermilch.«

Sie sitzt vor mir und blinzelt nur. Riesengroße Augen. Flüssige Schokoladentöpfe. Himmlisch und warm, zum Hineinfallen. *Das Geheimnis bist du.* Sie schluckt und lächelt mich an. »Danke.«

Ich nicke nur und kann nicht mehr sprechen, als sie mir den Pfannkuchen hinhält. Ich beiße ab, schmecke die warme Süße und denke an ihren Mund. Mit Sicherheit schmeckt er ähnlich. Warm, süß, weich, einfach rundum perfekt.

Ich öffne die Marmelade, die wir auf die restlichen Pfannkuchen geben. Grace sitzt vor mir auf der Arbeitsfläche, ihr Pony fällt ihr in die Stirn, das warme Licht liegt auf ihrem Gesicht und glänzt in ihren Augen. Sie ist so schön, sie ist so schön, sie ist so schön. Ich kann nichts anderes denken. Und ich bin froh. Froher, als ich vermutlich sein sollte, aber das gerade kommt mir vor wie ein kleiner Sieg. Ein Schritt in die richtige Richtung. Sie isst mit mir Pfannkuchen, und alles, was sie davon normalerweise abhält, scheint plötzlich weit weg zu sein. Wenn ich mich dafür jede Nacht mit ihr in die Schulküche stellen muss, dann soll es so sein.

Ich denke mir nichts dabei, als Grace sich auf die Toilette entschuldigt, während ich die letzten Teigreste aus der Schüssel kratze und in die Pfanne gebe. Das Eisen ist heiß, die Restwärme genügt, und als der letzte mickrige Pfannkuchen fertig ist, ist sie noch immer nicht zurück.

Richtig beunruhigt bin ich erst einige Minuten später, als ich die Schüssel abgewaschen habe und die Pfanne zum Kühlen ins Waschbecken stelle.

Wo bleibt sie? Sie ist schon eine Weile weg. Es geht ihr doch gut, oder nicht? Ich lausche einen Moment in die Stille, dann gehe ich nach draußen.

Der Speisesaal liegt in völliger Dunkelheit, surreal nachts um halb drei. Kein Geräusch, zumindest bis ich mich den Toiletten nähere. Fließendes Wasser und dann … Mir wird eiskalt, als ich das leise Husten höre. Würgen. Scheiße, habe ich ihr den Wein vorhin nicht früh genug weggenommen? Sie kam mir eben in der Küche nicht mehr so betrunken vor.

»Grace?« Ich betrete die Mädchentoilette. »Alles okay?«

Das Würgen hört sofort auf.

»Ja, ja, ich …« Die Spülung geht an, ich gehe zur einzigen geschlossenen Kabinentür.

»Kann ich reinkommen?«

»Nein, schon gut, ich … komme gleich.«

Ich kann mich nicht bewegen. Und ich kann auch nicht weggehen.

»Mach auf«, verlange ich und bleibe an der Tür stehen. »Grace, bitte.«

Der Riegel wird herumgedreht, sie öffnet die Tür, steht vor mir, Blick zum Boden. Ich trete sofort näher, lege die Finger an ihr Kinn, sie will das Gesicht wegdrehen, aber ich lasse sie nicht.

»Schau mich an.«

Sie schluckt, doch dann hebt sie den Kopf. Keine Ahnung, woran es liegt, aber plötzlich begreife ich. Diese wässrigen Augen, ihr geröteter Mund. Durchsichtige Haut. Weil sie so in letzter Zeit häufiger vor mir stand, aber ich habe mir nie etwas dabei gedacht.

»Grace«, wispere ich, als mich die Erkenntnis trifft wie ein heranrollender Zug.

Sie reißt sich los. Drückt erneut die Klospülung, huscht an mir vorbei, kein Blickkontakt. Ich gehe ihr nach zum Waschbecken, wo sie sich zum Wasserhahn beugt und den Mund ausspült. Ihre Schultern beben, ihr ganzer Körper zittert. Ich kann keinen klaren Gedanken fassen. Oder mich bewegen. Es geht nicht.

»Hast du gerade …?«

Hat sie?

Absichtlich?

»Hör auf.« Sie fährt zu mir herum. »Es geht dich nichts an, lass mich einfach in Ruhe.«

»Fuck, hör du auf! Und wie es mich was angeht. Es geht um dich!« Ich komme näher, sie weicht zurück, aber das Waschbecken ist hinter ihr. »Ich meine, bist du bescheuert? Hast du gerade mit Absicht gekotzt?«

»Nein.«

Also ja. Das panische Flackern in ihren Augen ist Antwort genug. Riesig und braun, wie ein Reh, das ich in die Enge getrieben habe. Schnelles Blinzeln, in ihren Wimpern verfangene Tränen. Innerlich raste ich aus.

Meine Stimme vibriert, aber ich kontrolliere mich. »Seit wann? Seit wann machst du das?«

»Ist doch egal.«

»Nein, es ist verdammt noch mal nicht egal! Es ist das Gegenteil von egal.« Fuck, ich will hier nicht rumschreien und sie noch mehr stressen, aber mein Herz rast. Das kann nicht wahr sein. Wie ist das möglich? Das Mädchen, das ich liebe, kotzt heimlich. Warum kotzt sie heimlich? Macht sie das schon länger? Warum wusste ich nichts davon? Ich bekomme ihre Hände zu fassen. »Wie lange, Grace?«

Es arbeitet in ihr, es zerreißt sie, und mich zerreißt es auch, als ich spüre, wie zittrig ihre Finger sind. Die Wut, die sich in mir aufbaut, ist Furcht einflößend, weil ich nicht weiß, gegen wen ich sie richten kann. Grace? Auf keinen Fall. Mich? Schon eher. Henry? Vielleicht auch. Gottverdammte Scheiße. Mir ist schlecht, mein Kopf ist heiß, alles dreht sich, alles ist wieder verschwommen.

»Lass mich einfach in Ruhe.« Sie zieht ihre Hände weg, aber eigentlich schlägt sie mir schonungslos ins Gesicht. So fühlt es sich an.

»Grace«, flehe ich und laufe ihr nach, aber sie schüttelt den Kopf.

»Ich muss gehen«, murmelt sie, und dann verschwindet sie vor mir durch das Tor des Speisesaals in der Nacht.

21. KAPITEL

GRACE

Mein Kopf ist leer, mein Mund sauer, und meine Augen tränen. Nicht weil ich so schnell renne und kalte Nachtluft in mein Gesicht sticht, ich kann nämlich nicht rennen, ich kann kaum aufrecht gehen, während ich das Internatsgelände hinter mir lasse und den Weg nach Ebrington gehe. Ich will stehen bleiben und mich krümmen, weil mein Magen noch rebelliert und mein Herz in Flammen steht.

Weil Gideon es mitbekommen hat.

Weil er es jetzt weiß.

Fuck, *er weiß es*. Er hat es gehört, und er hat es sofort kapiert. Wie konnte er es sofort kapieren? Wieso kann ich nicht langsamer atmen?

Sein Gesicht, sein Blick. Wie wütend er geworden ist.

Ich presse die flache Hand auf meine Brust, aber ich kann mich nicht beruhigen. Gleich kommt mein Busch, ich will nicht noch mal, mein ganzer Brustkorb tut schon weh, jede Rippe, mein Rachen, mein Kopf, alles fühlt sich furchtbar an, und Gideon weiß es.

Ich schaffe es, am Busch vorbeizurennen, aber ich muss hemmungslos dabei schluchzen, weil ich nicht fassen kann, dass das mein Leben ist. Wie konnte es so werden? Wie konnte ich vor ungefähr einem Jahr noch alles im Griff haben und jetzt gar nichts mehr? Alles bricht auseinander. Breche ich auseinander? Wer hält mich fest? Henry nicht mehr, Gideon irgendwie auch nicht, und es trifft mich wie ein Schlag: Da ist niemand. Gideon ist mir nicht gefolgt.

Ich werfe einen Blick über die Schulter. In völliger Dunkelheit erhebt sich das Internat vor mir in die Nacht, die dunklen Türme und spitzen Dächer wie ein Scherenschnitt gegen das Nachtblau des wolkenlosen Himmels, aber von Gideon keine Spur. Ich bin allein, genau wie in dieser Nacht, als ich von Henry kam und es nicht mehr ausgehalten habe. Als alles begonnen hat.

Ich schaffe es, leiser zu schluchzen, als ich unser Haus erreiche. In meinem Bett rolle ich mich zusammen und drücke mein Gesicht in die Kissen, die nach Gideon riechen und mich daran erinnern, dass er nicht hier ist.

Er weiß es nun, und er ist nicht da. Ich dachte manchmal, rein hypothetisch, dass ich es vielleicht erleichternd finden könnte, ihm davon zu erzählen. Mich ihm anzuvertrauen, die Last meines kleinen Geheimnisses auf mehreren Schultern zu verteilen. In meiner Vorstellung hat er ähnlich reagiert. Ungläubig, entsetzt, besorgt, ja, auch wütend, schließlich kenne ich ihn, aber letztendlich hat er mich festgehalten und gesagt, dass alles gut wird.

Nichts ist gut.

Und er ist nicht bei mir.

Mein Herz zieht sich zusammen.

Ich ekle mich an, heute noch mehr als damals, und zum ersten Mal seit einer Weile bin ich mir nicht sicher, ob es besser wird. Ob ich es tatsächlich so im Griff habe, wie ich mir einrede. Seit Wochen. Seit Monaten. Wie im Griff kann man etwas haben, wenn man es heimlich tut und ständig darüber nachdenkt, wann man es das nächste Mal tun kann, wie man es verstecken kann, welche Ausreden man benutzen kann und wie oft man es noch machen kann, bevor es einem ernsthaft schadet? Schadet es mir schon? Ist meine Schleimhaut bereits kaputt, sind meine Zähne schon angegriffen? Fallen mir mehr Haare aus als sonst? War mir schon immer so kalt? Sollte mir das alles dermaßen egal sein?

Was mache ich mir vor? Ich baue meinen ganzen Alltag um diese Sache herum. Ich tue es, obwohl ich weiß, dass es nicht gut für mich ist. Ich lasse zu, dass es mich einschränkt, und es kontrolliert mich, nicht andersrum.

Und ich wünschte, Gideon wäre hier. Ich wünschte, ich könnte mit ihm darüber sprechen, ihn um Rat bitten, vielleicht sogar um Hilfe, aber er ist nicht hier. Weil ich ihn angeschrien habe und gesagt habe, dass es ihn nichts angeht. Dass er mich in Ruhe lassen soll. Ich presse mein Gesicht in mein Kissen, als ein Schluchzen in mir aufsteigt.

Was mache ich? *Was mache ich?*

GIDEON

Tatsächlich bin ich wie betäubt. Ich denke an alles und gar nichts, während ich die Küche fertig aufräume, die restlichen Pfannkuchen entsorge, mich dafür hasse, die Pfannkuchen zu entsorgen, in letzter Sekunde darauf verzichte, die Pfannkuchen zu entsorgen, und sie mit nach oben nehme. In mein Zimmer, das mir überhaupt nicht vorkommt wie mein Zimmer. Weil ich hier nicht schlafe. Aber heute schon.

Es geht dich nichts an, lass mich einfach in Ruhe.

Lass mich in Ruhe.

Lass.

Mich.

In.

Ruhe.

Das kann sie unmöglich ernst gemeint haben.

Oder doch? Hat sie es ernst gemeint? Wollte sie nicht, dass ich es weiß?

Warum habe ich sie angeschrien? Warum habe ich so reagiert, warum habe ich nichts Sinnvolles gesagt? Warum war ich nicht verständnisvoll und ruhig? Henry wäre garantiert verständnisvoll und ruhig gewesen, aber ich bin nur ausgerastet, bis sie weggerannt ist, und als sie fort war, bin ich noch mehr ausgerastet. Anders. Keine Ahnung, es zerreißt mich fast, weil ich bei ihr sein sollte, aber es nicht bin.

Lass mich in Ruhe.

Henry schläft mittlerweile, und Emma ist bei ihm, wie ich bemerke, als ich in unser Zimmer komme. Scheiße, wie unangenehm. Beide fahren erschrocken hoch, als ich die Tür hinter mir schließe.

»Sorry«, murmele ich, als Henry das Licht anmacht. Emma stöhnt leise. Beide sind glücklicherweise angezogen, soweit ich das beurteilen kann. Emma drückt ihr Gesicht an Henrys Brust, und ich kann nur an Grace denken, bei der ich nicht bin. Fuck, ich bin nicht bei ihr.

»Gideon?« Henrys Stimme klingt rau und irritiert. Verständlich, ich habe auch nicht damit gerechnet, dass ich so spät noch hier aufschlage. »Wie spät ist es?«

»Drei oder so«, sage ich. »Tut mir echt leid, schlaft einfach weiter. Ich muss nur noch mal kurz ins Bad. Du kannst hierbleiben«, füge ich hinzu, als Emma sich aufrichtet. »Will dich nicht vertreiben oder so.«

Emma blinzelt müde. »Nein, schon gut. Es ist dein Zimmer,

ich gehe in mein Zimmer. In mein Bett. Wie es richtig ist.« Sie setzt sich auf, Henry sieht aus, als würde er sie festhalten wollen. »Okay, gute Nacht, ihr zwei.«

»Willst du einen Pfannkuchen?«, frage ich in meiner Überforderung.

Emma schaut mich aus ihren müden kleinen Augen an. »Boah ja, gerne«, stöhnt sie dann, und ich falte die Plastikfolie auseinander, und der buttrige Pfannkuchengeruch füllt das Zimmer. »Die sind ja noch warm.«

»Ja«, sage ich nur, und mein Magen dreht sich ein bisschen um.

»Danke, Gideon«, murmelt Emma, während sie kaut und die Augen kaum dabei öffnen kann. »Mega lecker.«

Sie hält Henry ihren Pfannkuchen hin, aber er schüttelt den Kopf. Sein Blick liegt auf mir. Nicht angepisst oder genervt, sondern aufmerksam. Er sieht nicht mehr so müde aus wie gerade eben. Emma verputzt die restlichen drei Pfannkuchen, spült alles mit Wasser aus Henrys Flasche runter, bevor sie aufsteht. Henry zieht sie noch mal zu sich und küsst sie auf den Mund, dann huscht Emma davon.

Ich setze mich auf mein Bett und schiebe die Kissenkonstruktion weg, die einen unter der Decke liegenden Körper simulieren soll.

Dann schaue ich zu Henry. »Tut mir leid, Mann.«

»Nein, du hast doch gehört, was Emma gesagt hat.« Er schüttelt den Kopf. »Ich wusste nicht, dass du heute noch kommst. Sonst wären wir zu ihr gegangen, sorry.«

Ich schüttele nur den Kopf und stehe noch mal auf, gehe ins Bad. Zähne putzen, umziehen. Die Toilette erinnert mich an sie. Alles erinnert mich an sie. Ich rieche es noch. Den leicht säuerlichen Geruch.

Das Licht ist noch an, Henry liegt auf dem Rücken und starrt an die Decke. Er sieht müde aus, aber auch so, als würde er sich absichtlich wachhalten, bis ich zurückkomme. Blick zu mir.

»Alles okay?«, fragt er, als ich unter meine Decke schlüpfe, unter die ich dieses Schuljahr noch kein einziges Mal geschlüpft bin. Ich lag nur obendrauf, manchmal während der Studierstunden, am Morgen oder während irgendwelcher anderen Momente, die ich nicht mit Grace verbracht habe.

»Ja«, sage ich.

»Okay. Gut zu wissen.« Henry wartet kurz, dann macht er das Licht aus. Es dauert eine Weile, bis sich meine Augen an die Dunkelheit gewöhnen und ich Umrisse im Zimmer erkennen kann und das Vollmondlicht, das von draußen durch die Fenster fällt.

»Du hast also Pfannkuchen gemacht«, sagt Henry irgendwann, als ich eigentlich schon davon ausgehe, dass er wieder schläft. »Nachts um drei. Einfach so.«

»Ja«, sage ich. »Einfach so.«

Wir schweigen wieder.

»Schlaf gut«, murmelt Henry schließlich.

Du auch. Gute Nacht. Bis morgen. Das sollte ich sagen, aber ich kann nicht. Ich liege da und schweige, höre Henrys Atemzüge und das rauschende Wasser, Grace' Husten und ihr Würgen. Und dann höre ich mich.

»Angenommen, du würdest jemanden kennen.« Ich zögere und frage mich, ob ich gerade dabei bin, eine Grenze zu übertreten. Ob es mir zusteht, mit ihm darüber zu reden. Über sie. »Einen Freund oder so, dem es nicht gut geht«, ergänze ich schnell. »Du hast schon seit einer Weile den Verdacht, und jetzt hat er sich erhärtet. Aber er hat dir zu verstehen gegeben, dass du s– … ihn in Ruhe lassen sollst.« Ich schlucke. »Was würdest du tun?«

Es bleibt still. Jetzt schläft er wohl wirklich.

»Was heißt nicht gut gehen?«, fragt Henry nach einem Augenblick. Er klingt alarmiert, was kein gutes Zeichen ist.

Ich ringe mit mir, aber es nützt nichts. »Übergeben«, sage ich. »Nach dem Essen.«

»Was?« Henry richtet sich auf. »Du meinst …? Wir reden von Grace, richtig?«

Ich muss ihm die Frage nicht beantworten. Ich muss auch nicht nicken.

»Scheiße«, flüstert er, aber er macht das Licht nicht wieder an. »Hat sie dir davon erzählt?«

Der Klumpen in meiner Kehle dehnt sich aus.

Schön wär's. Schön wär's, wenn sie mir ausreichend vertrauen würde, um mir so etwas anzuvertrauen. Hat sie nicht. Ich musste sie auf frischer Tat dabei ertappen.

Ein Teil von mir will lügen und Ja zu Henry sagen. *Ja, hat sie. Mir sagt sie nämlich alles. Nicht so wie dir. Nimm das.* Aber der Punkt ist, das hat sie nicht, und meine Angst um sie bringt mich fast um. Es ist zu ernst, ich muss vernünftig mit Henry reden.

»Nein, ich hab's gesehen. Vorhin. Wir waren noch in der Küche, ich hab Pfannkuchen gemacht, und danach hat sie …« Ich kann es nicht mal aussprechen. »Ich hab's gesehen«, wiederhole ich.

Henry antwortet nicht sofort. Die Gründe dafür können jetzt in zweierlei Richtung gehen.

Erstens: Er weiß nicht, was er sagen soll, aus Sorge um Grace.

Zweitens: Er weiß nicht, was er sagen soll, weil ich gerade zum ersten Mal vor ihm ausgesprochen habe, dass zwischen Grace und mir … etwas ist. Dass sie diejenige ist, bei der ich meine Zeit verbringe. Meine Nächte. Normalerweise jedenfalls.

Es ist so: Henry ist nicht dumm. Im Gegenteil, er ist sogar außergewöhnlich intelligent, so schlau, dass es manchmal wehtut. Noch dazu kennt er mich in- und auswendig. Die Annahme, dass er es eigentlich längst wusste, kommt mir daher nicht unangemessen vor. Es ist ein offenes Geheimnis. Ich verbringe jede freie Minute mit Grace, Henry weiß es, ich weiß es, aber wir sprechen nicht darüber. Er – aus Taktgefühl, weiß der Geier, und ich … aus schlechtem Gewissen. Aus Überforderung und irgendwie auch aus Scham, obwohl Scham das Allerletzte ist, was ich empfinde, wenn ich an Grace denke, aber wenn ich an mich denke in unserer undurchsichtigen Beziehung, dann schäme ich mich tatsächlich. Weil ich mitschwimme, nachgebe, wenn es kompliziert wird, anstatt Nägel mit Köpfen zu machen. Ich meine das nicht auf so eine unangenehme *Ich nehme mir, was ich will*-Art, weil es mir zusteht, mir männlichem Mann, sondern auf eine *Ich weiß, was ich will, und ich bin selbstbewusst genug, um es zu kommunizieren und schlechtestenfalls mit den übertrieben abgefuckten Konsequenzen zu leben*-Weise. So wie Henry. Aber ich bin eben nicht Henry, ich bin Gideon, und ich liebe die Ex-Freundin meines besten Freundes.

»Wo ist sie jetzt?«, fragt Henry.

Stich ins Herz. Ich bin nicht bei ihr.

»Weiß nicht. Abgehauen. Vermutlich zu Hause. Ich hab sie drauf angesprochen, aber sie wollte nicht reden. Haben uns nur angeschrien.« Stiche, Stiche, Stiche. »War scheiße von mir, warum konnte ich nicht ruhig bleiben?«

»Du darfst dir keine Vorwürfe machen«, sagt Henry. »Ich meine …« Er stockt und sagt eine Weile nichts. »Du hast es wenigstens bemerkt.«

Kurze Stille. Ich schlucke.

»Meinst du, sie hat das damals schon gemacht? Als ihr …?«

Noch zusammen wart?

Henry schweigt. »Hoffentlich nicht«, sagt er dann, aber er hat große Angst, dass es so war. Hätte ich auch. *Habe* ich auch. »Sie hat erst nach der Trennung so viel Gewicht verloren, oder?«

»Kann sein.«

»Denkst du, es ist … deshalb?«

»Weiß nicht«, murmele ich. *Kann sein*, möchte ich wiederholen. *Weshalb denn sonst*, möchte ich sagen. *Checkst du jetzt, was du ihr eigentlich angetan hast*, möchte ich schreien, aber ich sage es nicht. Nichts davon. »Ich hab sie gefragt, aber sie wollte nicht sagen, wie lange sie das schon macht.«

Henry schweigt.

»Fuck«, flüstert er irgendwann. »Was sollen wir tun?«

»Keine Ahnung, ich muss nachdenken. Vielleicht war es nur eine einmalige Sache.« Das Ding ist, ich wünsche mir wirklich, es wäre das. Alles andere tut zu verdammt weh. Grace, die sich so quält. Die sich so was antut. »Hab mich den Sommer über echt scheiße verhalten, mich nicht bei ihr gemeldet.« Ich schlucke. »Dann das mit Maidenhead.«

»Bei dir war 'ne Menge los, Mann. Das versteht sie doch.«

Er denkt also, dass sie es weiß, das mit Freddie und den Geschehnissen dieses grausamen Sommers, und mal wieder korrigiere ich ihn nicht. Ich zucke nur mit den Schultern.

»Meinst du, wir sollen mit den Lehrern sprechen?«, fragt Henry. »Oder mit Ms Vail? Oder ist das übergriffig?«

»Wir sollten mit *ihr* sprechen«, entscheide ich. »Und nicht mit anderen über sie.«

»Ja, stimmt. Du hast recht.« Henry schweigt kurz. »Soll ich mit ihr reden? Als Vertrauensschüler und ihr …?«

»Nein.« Meine Stimme klingt hart. »Ich rede mit ihr.«

»Ja, mach das.« Henry nickt, ich kann das schemenhaft erkennen. »Es ist besser, wenn du das machst.«

Ist es auch.

»Ich weiß«, sage ich in die Dunkelheit.

Und dann schweigen wir, bis ich irgendwann einschlafe.

22. KAPITEL

GRACE

Er ist nicht gekommen. Ich lag die ganze Nacht wach und habe darauf gewartet, dass mein Fenster, das ich nicht geschlossen habe, hochgeschoben wird und Gideon reinklettert und sich neben mich legt, schweigt, nichts sagt, obwohl er merkt, dass ich wach bin, und mich festhält, bis ich nicht mehr wach bin.

Ich bleibe wach. Den ganzen mickrigen Rest dieser Nacht. Als die Sonne aufgeht, liegt Gideon nach wie vor nicht neben mir. Auf einmal ist es wieder wie im Sommer, die acht schlimmsten Wochen meines Lebens, aber jetzt ist es fast noch schlimmer, weil ich weiß, dass er zum Greifen nah ist, aber nicht hier sein will. Bei mir.

Sonntag würde ich mich am liebsten weiter in meinem Bett verstecken. Vielleicht tue ich so, als wäre ich krank. Es wäre nicht mal gelogen. Seit ich in der Nacht Gideons Pfannkuchen rausgekotzt habe, fühle ich mich elend. Direkt danach geht's mir immer schlecht, aber normalerweise verfliegen die Übelkeit und dieses ekelerregende Gefühl und der brennende Geschmack nach einer Weile. Diesmal nicht. Sie bleiben, es wird nicht besser. Nichts hilft, ich kann nicht schreiben, ich kann mich auf nichts konzentrieren, Gus und Greg nerven beim

Frühstück mit ihren ständigen Fragen, wo Gideon ist und ob Gideon mal wieder zum Essen kommt und ob Gideon mit ihnen Rugby übt.

»Ich weiß es nicht«, fauche ich, woraufhin kurz Stille herrscht an diesem unerträglich üppigen Frühstückstisch. Das Geschirr klirrt, als ich mein Messer auf den Tisch fallen lasse und aufstehe.

»Grace«, sagt Mum, aber ich muss sie leider enttäuschen, ich bin nicht mehr die besonnene, geduldige, freundliche große Schwester, ich bin ein einziges Nervenbündel, und ich will nur weinen. Das tue ich dann auch, oben in meinem Zimmer, bis es an der Tür klopft und Mum zu mir reinkommt, sich zu mir setzt und ich weiterweinen muss, als sie mir über die Schulter streichelt.

»Schatz, was ist los?«

»Nichts«, schniefe ich.

»Hattet ihr Streit? Gideon und du?«, fügt sie hinzu, und ich versteinere.

Dann wische ich mir mit dem Handrücken über die Augen und zucke mit den Schultern. »Vielleicht. Aber das ist mir egal.«

»Bist du dir sicher?«, fragt Mum.

»Ja«, lüge ich. Es ist mir nicht egal, aber der Einzige, vor dem ich das zugeben könnte, ist Gideon, doch er ist auch der Grund, warum es mir nicht egal ist. »Ich vermisse Olive«, füge ich schnell hinzu, was ja auch stimmt und daher nicht direkt gelogen ist. Ich vermisse es, sie hierzuhaben, in meiner Nähe, und sie sagen zu hören, dass Gideon genauso unnötig ist wie Henry und ich was Besseres verdiene. Aber es gibt nichts Besseres als Gideon.

Ich überzeuge Mum, dass alles in Ordnung ist, ignoriere Gideons Nachrichten, in denen er fragt, ob wir reden können, und schließe mich Tori an, als sie mich fragt, ob ich mit in die

Buchhandlung kommen will. Ablenkung kann ich gut gebrauchen und die Inspiration inmitten der Buchregale ebenfalls, aber auch später, zurück zu Hause, sitze ich vor meinem Laptop, starre auf die leere Seite meines Manuskripts und denke nur an Gideon und den schockierten Ausdruck auf seinem Gesicht.

Ich träume die ganze Nacht davon und antworte ihm nicht, auch nicht, als ich Montag meine Uniform anziehe und zum Internat laufe.

In der Aula setze ich mich in die Reihe zu Emma und Tori, höre vor dem Assembly zu, wie Emma und Tori über die Pizza und das Eis sprechen, die sie sich gestern genehmigt haben, meine dünnen Freundinnen, die sagen *Nicht gut für die Figur, aber man muss sich auch mal was gönnen*, meine dünne Mutter, die sagt *In deinem Alter habe ich nur knapp fünfzig Kilo gewogen*, und plötzlich bin ich doch wieder froh, dass ich Samstagnacht die Pfannkuchen ausgekotzt habe.

Dann sehe ich Gideons Gesicht und bin nicht mehr froh. Ich bin das genaue Gegenteil von froh. Ich bin verdammt verzweifelt, und ich schäme mich. So sehr, dass ich wegschauen muss, als er meinen Blick sucht. Das ist fast so schlimm wie Verrat. Er schaut mich an, er will mit mir reden, Antworten in meinen Blicken, aber ich habe ihm nichts zu sagen.

Von Rektorin Sinclairs Worten behalte ich kaum etwas. Alles, woran ich mich erinnere, ist Gideons Hand an meinem Arm, als alle rausströmen und er extra stehen bleibt, bis ich an ihm vorbeikomme. Ich muss hart schlucken wie die Protagonistinnen in den Büchern, die Tori mir empfiehlt, und verstehe es plötzlich. Manchmal hat man eben Grund, hart zu schlucken. Manchmal wäre die einzige Alternative, hemmungslos zu weinen, also schluckt man hart und blinzelt schnell und zieht die Hand weg, obwohl man sie nicht wegziehen will, und beeilt sich wegzukommen. Schlimmstes Gefühl.

23. KAPITEL

GRACE

Der Unterricht zieht an mir vorbei. Mittagessen, mir ist klar, dass ich was essen muss, Gideons Blick, und fuck, er muss mit Henry gesprochen haben, denn Henry wirkt fast genauso besorgt.

Da ich nicht will, dass sie Emma oder Tori davon erzählen, damit diese mich begleiten, um auf der Toilette zu überwachen, ob ich etwas tue oder nicht tue, bleibe ich den Rest der Pause mit gefülltem Magen bei ihnen sitzen.

Meine Fingerspitzen kribbeln, mein Kopf fühlt sich voll und heiß an, aber ich halte es aus, weil mir nichts anderes übrig bleibt.

Mr Acevedo schickt die Mails mit dem vorläufigen Madrid-Programm rum, alle freuen sich, weil nirgends Maidenhead erwähnt wird. Emma und Tori sagen hundertmal, wie sehr sie sich freuen, dass wir in einem Zimmer sind. Ich freue mich auch, aber ich denke auch daran, wie wir da sitzen werden, abends auf unseren Betten, und Emma und Tori schauen sich die Fotos und Videos an, die wir den Tag über aufgenommen haben, und sagen *Oh Gott, nein, nicht das hier, da sehen meine Arme dick aus*, woraufhin mir wieder schlecht sein wird.

Und dann der Tanzkurs. Scheiße, den Tanzkurs habe ich fast vergessen. Die Anmeldung dafür mussten wir vor den Sommerferien abgeben. Es lief wie folgt:

Mr Ringling: Und dann, ihr Lieben, habe ich noch eine Ankündigung. Nächstes Schuljahr bieten wir wieder einen Tanzkurs an, in Vorbereitung auf euren Abiball.

Ich – blicke zu Gideon.

Gideon – blickt zu mir.

Ich hebe fragend die Augenbrauen.

Gideon: Ich tanze nicht.

Ich: Und wie du tanzt.

Daher sind wir beide angemeldet, genau wie achtzig Prozent unseres Freundeskreises. Jetzt weiß ich nicht, ob ich bereuen soll, dass ich ihn gezwungen habe, am Tanzkurs teilzunehmen. Irgendwie schon, weil es bedeutet, dass ich ihm nicht mehr aus dem Weg gehen kann. Aber irgendwie auch nicht. Weil es bedeutet, dass ich ihm nicht mehr aus dem Weg gehen kann.

Natürlich könnte ich auch damit rechnen, dass wir uns andere Tanzpartner suchen, aber mal ehrlich, als ob wir das tun. In der Aula, wo der Kurs abgehalten wird, geht Gideons Blick sofort zu mir.

Ich schaue weg, aber er kommt zu mir rüber, als Mr Ringling uns bittet, einen Partner oder eine Partnerin zu finden. Ich beobachte lieber, wie Henry zu Emma geht, Tori zu Sinclair, Inès nach einigen Diskussionen zu Omar, Salome daraufhin zu Oliver. Es ist gar nicht so leicht, alle zu verteilen, aber in den Diskussionen, wer mit wem tanzen könnte, spielen Gideon und ich keine Rolle.

Ich muss blinzeln, als er hinter mich tritt und die Hand für eine Sekunde an meinen unteren Rücken legt. Er schaut über mich hinweg, sieht mich nicht an, aber seine Hand ist warm, und ich will in Tränen ausbrechen.

Natürlich tue ich das nicht. Ich schaue ihm auch nicht vernünftig ins Gesicht, während Mr Ringling die Positionen erklärt, nachdem er uns alle dazu genötigt hat, einander zu kommunizieren, dass wir die Erlaubnis haben, *in körperlichen Kontakt miteinander zu treten.* »Diese Erlaubnis kann jederzeit ohne Angabe von Gründen widerrufen werden«, erinnert er uns.

Gideon und ich kommunizieren unsere Erlaubnis mit Blicken, dann stehe ich bewegungslos vor ihm und lasse ihn meine linke Hand an seinen Oberarm legen, fühle den Umfang und die Größe seines Bizeps, während ich nach vorne blicke, auf die Stelle zwischen seinen Schlüsselbeinen, die ich liebe, und die Kuhle an seinem Hals. Sein Kehlkopf bewegt sich, als er schluckt und die Hand an meine Taille legt. Dann nimmt seine linke Hand meine rechte Hand, und alles, woran ich denken kann, ist, wie winzig meine rechte Hand in seiner linken Hand aussieht. Zwischen uns bleibt ein Sicherheitsabstand.

»Ja, sehr schön, aufrecht, Emma«, murmelt Mr Ringling, der um uns herumläuft. Er stutzt und bleibt tadelnd vor Henry stehen. »Die Hand eines Gentleman hat dort unten nichts verloren, mein Freund.«

Henry rollt mit den Augen und nimmt seine Hand von Emmas Arsch, woraufhin sie ihn kurz ansieht. Ein unschuldiger Augenaufschlag von unten, und Henrys Blick verdunkelt sich. Als Mr Ringling weitergegangen ist, zieht er sie näher zu sich. Mir ist wieder übel.

»Kinn hoch, Grace«, verlangt Mr Ringling und platziert meine Hand an Gideons Oberarm etwas höher. »Nur keine Berührungsängste. Schön, Gideon.«

Ich hebe den Kopf und sehe Gideons Gesicht. Ernst, aber nicht wütend. Leicht zusammengezogene Brauen, trauriger Mund. Sein Daumen streicht über meine Taille, er sagt nichts.

Ich blinzele und möchte den Kopf an seine Schulter lehnen, aber das geht hier nicht. Hier muss ich Gideon wieder loslassen, als Mr Ringling das Kommando erteilt, neben ihm die Tanzschritte üben und mich seltsam verloren fühlen ohne seine Hände an meinem Körper. Erst gegen Ende der Stunde, als wir den Foxtrott ausreichend verinnerlicht haben, lässt Mr Ringling sie uns im Paartanz zu Musik probieren.

Ich beobachte die anderen, während Gideon meine Hand nimmt. Sinclair und Tori, die etwas unbeholfen sind, Henry, der weiß, wie es funktioniert, aufrecht steht und Emma führt.

Mein Magen ist voll, meine Kehle eng und verkrampft.

Ich weiß, wie er tanzt. Ich weiß, wie man sich fühlt mit ihm. Ich weiß es seit dem Neujahrsball in der siebten Klasse, als er mich vor den Weihnachtsferien gefragt hatte, ob ich mit ihm hingehe. Ich erinnere mich, wie er zu mir nach Hause kam, am Fuß der Treppe gewartet hat, sich meinen Eltern vorgestellt hat, mit meinen Brüdern gelacht hat, und dann hat er nicht mehr gelacht, er ist still geworden und ernst, als ich runtergekommen bin. Wir hatten einen dieser Momente, die es nur in Filmen gibt, aber Henry stand unten, hat zu mir hochgeschaut, geschluckt und gesagt *Wow* und *Du siehst schön aus.* Dann hat er meine Hand genommen, und wir sind rübergelaufen.

»Wie ihr seht, funktioniert dieser Schritt zu jeglichen Stücken«, sagt Mr Ringling wie von weit weg und wechselt das Lied. »Auch zu etwas Langsamerem. Lasst uns das versuchen.«

Ich will es nicht versuchen. Ich will mich auch nicht so deutlich an alles erinnern. Henrys Hand in meinem Kreuz, unsere Schritte, sein Geruch, warme Vanille und Tee, seine Augen, Eichenmoos, und sein Mund, Erfüllung. Mein erster Kuss, Henry Bennington auf dem Neujahrsball, ein Märchen im wahren Leben, und heute verstehe ich, warum nach dem Happy End nicht weitererzählt wird. Es würde sich dann herausstellen, dass Happy Ends nicht existieren. Nur Happy Zwischenzustände, die irgendwann vorbei sind, und dann stehe ich da, viereinhalb Jahre später, und meine erste große Liebe tanzt nicht mit mir, sondern mit einer anderen.

Ich drehe den Kopf weg, als Gideon die Hand an meinem Rücken höherschiebt, bis unter mein Schulterblatt. Die Musik ist langsamer geworden, seine Bewegungen ebenfalls. Sein Mund ist neben meinem Ohr, sein Becken ist an meinem. Er drückt mich gegen sich, sein Bizeps ist hart, und plötzlich ist mir egal, dass Henry mit Emma tanzt. Es verliert jegliche Bedeutung.

Gideon riecht nicht wie Henry. Nicht nach Vanille, eher Tonka, dunkler und intensiver, leicht holzig, sauber und frisch. Wie eine Umarmung, die sagt, dass alles gut wird, wie Geborgenheit, wie ein frisch angespitzter Bleistift und sehr trockener Sommerrasen, auf dem wir liegen und nebeneinander in einen Himmel schauen, der blau ist, aber nicht stahlblau, sondern durchzogen von milchigen Schlieren. Wie zitronenummanteltes Milcheis am Stil. Wie Gedankenstillstand. Wie Augen schließen, nur kurz, und sich vorstellen, ich würde zu ihm gehören. Wie den Mund an seine Schulter sinken lassen und seine Schläfe an meinem Kopf fühlen. Tief einatmen und …

»Wundervoll!« Mr Ringling klatscht in die Hände, und Gideon hebt ruckartig den Kopf.

Mein Herzschlag nimmt an Fahrt auf, und mit einem Mal stürzt alles wieder auf mich ein. Die Welt kehrt zurück, Gideon lässt mich los. Ich wünschte, er täte es nicht.

»Beim nächsten Mal probieren wir uns im Walzer«, erklärt Mr Ringling. »Ihr könnt das Gelernte gerne in der Zwischenzeit verfestigen und miteinander üben.«

Henry nickt und schaut zu Emma. Gideon schaut zu mir, ich weiß das, weil mein Gesicht auf der ihm zugewandten Seite zu glühen beginnt, aber ich schaue nicht zu ihm zurück. Ich laufe zum Rand, als Mr Ringling uns entlässt, nehme meine Schultasche und gehe schnell nach draußen. Die Studierstunde fängt gleich an, aber bevor ich auch nur den Flur erreiche, packt mich jemand am Handgelenk.

Tonka, dunkler und intensiver in Geschmack und Aroma. Gideon Attwell, der mir den Weg versperrt und mit einem Nicken zur Seite deutet. Ich öffne den Mund, aber er verfestigt seinen Griff und bittet: »Nur kurz.«

Ich folge ihm in die Nische, während die anderen an uns vorbeilaufen.

Ich ziehe meine Hand weg. »Gleich ist Studierstunde.«

»Könnte mir nicht egaler sein.« Gideon stellt sich vor mich, und obwohl ich ihm gerade eben viel näher war, muss ich jetzt schlucken, weil mir sein Körper so groß und massiv vorkommt. Wie eine Wand, die mich von allem abschirmt. Seine Schultern sind so breit geworden. »Grace, wegen Samstagnacht.« Ich drehe den Kopf weg, aber er lässt es nicht zu. Seine Finger liegen an meinem Gesicht. »Schau mich an.«

Ich will ihn nicht anschauen. Ich weiß nämlich, was dann passiert. Ich sehe sein Gesicht, mein Blick saugt sich an ihm fest, und ich kann nicht länger so sein, wie ich gerade bin. Kalt und abweisend. Ich werde weich und verletzlich, emotional und will weinen. Aber ich darf jetzt nicht weinen. Nicht vor ihm.

»Was?«, frage ich rau und bemühe mich, wütend zu bleiben.

Sein Kiefer zuckt verärgert. »Hast du es seitdem noch mal gemacht?«

Was geht es ihn an?

Ein Witz von einer Frage, daher antworte ich mit der Wahrheit.

»Nein.«

Er fragt nicht, ob ich lüge, ihm reicht ein Blick. Er nickt. »Wirst du mir sagen, wenn du es wieder tust?«

Er hat keine Ahnung. Diese Frage beweist es. Er versteht nicht, dass ich nicht weiß, wann ich es wieder tun muss. Es kommt und überwältigt mich, ich habe dann gewissermaßen keine andere Wahl. Sein Blick geht zu meiner Hand, und ich bin sicher, dass er gegoogelt hat und nun weiß, warum meine Knöchel immer leicht gerötet und aufgeschürft sind. Nicht, weil ich hingefallen bin oder mich gestoßen habe, sondern weil Zähne scharfkantiger sind, als man denkt.

»Kann ich nicht versprechen«, murmele ich.

Er nimmt meine Hand. »Wirst du es versuchen?«

Ich schlucke. Dann nicke ich.

GIDEON

»Schreib mir«, bitte ich sie. »Ruf mich an, wenn ich nicht in der Nähe bin. Bitte.«

»So wie im Sommer?«, fragt Grace, und tja, was soll man darauf erwidern?

Ich atme tief ein und lasse die Luft wieder entweichen. »Jetzt bin ich hier. Und ich flehe dich an, damit aufzuhören. Bitte, Grace.«

»Es ist nicht so einfach«, flüstert sie.

»Das kann ich mir vorstellen«, sage ich leise und warte, bis die Letzten an uns vorbeigegangen sind. »Wissen deine Eltern …?«

»Nein.«

»Und die Lehrkräfte? Mr Ringling, er ist dein Vertrauenslehrer und …«

»Gid, nein …«, fleht sie.

Ich will die Augen schließen und etwas kaputtschlagen, aber das bringt uns nicht weiter.

»Könntest du dir vorstellen, mit Ms Vail zu sprechen? Wenn ich dich begleite und …«

»Ich will mit niemandem sprechen«, flüstert sie, was mich in den Wahnsinn treibt, aber wenigstens spricht sie mit mir. Das ist besser als nichts und vielleicht ein Anfang. Wenn Grace nicht bereit ist, sich Hilfe zu suchen, bleibt mir wohl nichts anderes übrig, als an ihrer Seite zu sein und sie aufzufangen, wenn der Fall kommt.

Ich kann nur beten, dass ich da sein werde.

Grace zieht ihre Hand nicht weg. Ihre Finger sind kühl, ihre Haut ist blass, fast transparent. Unter ihren Augen schimmern bläuliche Venen, und ich frage mich, wie ich es nicht sehen konnte. Wie keiner von uns es sehen konnte. Wie wir jeden Tag zusammen verbringen und nicht merken, wenn jemand von uns still leidet. Eine tolle Freundesgruppe sind wir. Ein toller Freund bin ich. Ich schüttele leicht den Kopf, Grace kaut auf ihrer Unterlippe herum.

»Tut mir leid«, flüstert sie, und dann sieht sie mir zum vielleicht ersten Mal seitdem vernünftig ins Gesicht. Ihre braunen Augen schimmern. »Es waren deine Pfannkuchen, du hast dir solche Mühe gegeben, aber ich konnte nicht …«

»Scheiß auf die verdammten Pfannkuchen, Grace, es geht mir nur um dich. Es bringt mich um, zu wissen, dass du das machst. Dass du … deinem Körper so was antust. Und deinem Kopf.«

Sie blinzelt bemüht. Ich wünschte, sie würde einfach weinen. Es zulassen, alles rauslassen, vielleicht würde es helfen. Und so etwas von mir, es grenzt fast an Ironie.

»Ich weiß. Es tut mir leid.«

»Nein«, mahne ich sofort. »Lass das, du sollst dich nicht entschuldigen. Du sollst …«

Ja, was soll sie? Damit aufhören. Wieder – und ich hasse

mich dafür, dieses Wort überhaupt zu denken – *normal* werden. Die Grace, die ich kenne. Die leuchtet und strahlt. Die nicht nur ein Schatten ihrer selbst ist. Nicht, dass ich sie weniger atemberaubend fände, aber es bricht mir auf jede erdenkliche Art das Herz, zu wissen, dass es ihr schlecht geht. Ihr könnt euch das nicht vorstellen, es ist tatsächlich Folter. So was wünsche ich niemandem, nicht einmal meinem ärgsten Feind.

Mit dem Daumen streiche ich über ihre Finger und sehe ihr ins Gesicht. »Lass mich einfach für dich da sein.«

Grace schluckt bemüht, aber bevor sie nicken kann, taucht Mr Ringling neben uns auf.

»Huch, was macht ihr denn noch hier?« Er hält seine vollgestopfte Ledertasche unter einem Arm und macht eine auffordernde Wegscheuchbewegung, nachdem er seine Brille zurechtgerückt hat. »Jetzt aber hopp, die Studierstunde hat bereits begonnen!«

24. KAPITEL

GRACE

Nach der Studierstunde gehe ich zum Training, trete beim Laufen gegen Emma an und beobachte Gideon auf dem Rugbyfeld. Heute kommt es zu keiner seltsamen Situation mit Henry. Generell kommt es mir vor, als wäre es zwischen den beiden wieder besser, was daran liegen könnte, dass Gideon in ihrem gemeinsamen Zimmer im Internat schläft und nicht mehr bei mir. Ich weiß nicht, ob er vorhat, das wieder zu ändern, wir haben nicht darüber gesprochen.

Nach dem Training renne ich nach Hause, dusche und esse mit meiner Familie, ignoriere die erleichterten Blicke, die meine Eltern wechseln, weil ich mitesse. Danach sitze ich in meinem Zimmer und wäge ab, was ich tun soll. Nichts, oder … etwas Dummes. Ich tendiere zu Letzterem, aber was, wenn Gideon kommt, genau dann, wenn ich im Bad bin, und er es ein weiteres Mal mitbekommt? Ich würde nicht ertragen, danach wieder so von ihm angesehen zu werden. Voller Entsetzen und Enttäuschung. Die Enttäuschung, als er es verstanden hat, war das Schlimmste. Und ich habe ihm versprochen, mich zu melden, wenn ich es wieder machen will. Praktisch würde das bedeuten, jetzt zu meinem Handy zu greifen und ihm zu schreiben, aber aus irgendeinem Grund bin ich physisch dazu nicht in der Lage. Ich will nicht verzweifelt wirken. Und ich will auch nicht, dass er nur deswegen vorbeikommt. Ich weiß nicht, ob ich überhaupt will, dass er vorbeikommt. In jedem Fall soll er es nur, wenn er es selbst will. Ich habe keine Lust, mit ihm hier zu sein und mich die ganze Zeit zu fragen, warum er bei mir ist. Ob er sich verpflichtet fühlt, irgendwie verantwortlich für mich und mein offensichtliches Problem. Aber ich habe auch keine Lust, nicht bei ihm zu sein. Man sollte meinen, nach dem Sommer hätte ich mich daran gewöhnt, aber die Wahrheit ist, dass ich mich nicht vollständig fühle, wenn er nicht in meiner Nähe ist. Das hat nichts damit zu tun, dass ich nicht dazu in der Lage bin, allein zurechtzukommen. Ich war die acht schlimmsten Wochen meines Lebens auf mich allein gestellt und habe es überlebt. Gerade so. Es war nicht schön, aber ich bin nicht abhängig von der Anwesenheit anderer Menschen. Mir erschließt sich nur nicht, welchen Sinn es hat, auf mich allein gestellt zu sein, wenn ich bei Gideon sein kann.

Nach dem Essen beschäftige ich mich mit den Matheaufgaben, um nicht darüber nachzudenken, ob Gideon noch kommt. Es wird dunkel, draußen beginnt es zu regnen, ich schließe das Fenster und ziehe sein Shirt an, dann nehme ich mein iPad, um das Abschlussball-Treffen für den nächsten Tag vorzubereiten, bei dem wir dringend über die Programmreihenfolge sprechen müssen. Und darüber, wer die Veranstaltung nun moderiert. Henry und ich, und wie ich es drehe und wende, mir fällt keine Alternative ein, die ich besser fände.

Ein Geräusch lässt mich aufhorchen. Was war das? Hagelt es? Ich lausche in die Stille, höre das Regenprasseln auf dem Dach und dann das Pochen an meinem Fenster. Ich springe auf. Gideon ist komplett durchnässt, als er durch das Fenster in mein Zimmer steigt.

»Hi«, flüstert er, und für einen Augenblick bin ich davon überzeugt, dass er mich zur Begrüßung küssen wird. Ich erwarte es tatsächlich, aber wir sind nicht zusammen. Also sage ich ebenfalls *Hi* und schließe das Fenster hinter ihm. Seine Haare sind dunkel vor Nässe und hängen ihm im Gesicht, sein Sweatshirt klebt an seinem Körper. Das Wasser tropft von seiner Kleidung auf den Teppichboden, während Gideon zu seiner Schublade geht.

»Es regnet«, erklärt er unnötigerweise.

Ich nicke und setze mich auf mein Bett, ziehe die Beine an und umarme meine Knie. Ich lege das Kinn auf ihnen ab, während Gideon seinen nassen Pullover auszieht und sein T-Shirt. Er hat mir den Rücken zugewandt. Ich betrachte ihn, seinen Rücken, seine Schulterblätter und seine Arme, und wie immer frage ich mich, wann er so geworden ist. In meinem Kopf ist Gideon immer noch gleich groß wie ich, dabei überragt er mich schon seit der neunten Klasse. Bei Henry ist mir das stärker aufgefallen, meistens nachdem er aus den Ferien zurück war. *Oh, er ist gewachsen. Oh, seine Stimme ist tiefer. Oh, seine Schultern. Breiter. Er ist ein Mann geworden, wie aufregend.*

Gideon ist ebenfalls ein Mann geworden, direkt vor meinen Augen, sodass ich es irgendwie kaum bemerkt habe, was fatal ist, aber dafür trifft es mich jetzt mit voller Wucht.

Seine Taille ist beinahe unverschämt schmal, seine Jeans sitzt tief auf seinen Hüften. Er streift sie ebenfalls ab und dreht sich zu mir. Wie absolut okay er damit ist, sich vor mir auszuziehen, macht mehr mit mir, als es sollte. Gideon Attwell, ohne Hose, ohne T-Shirt und Pullover, nur in seiner engen schwarzen Boxershorts von Lacoste, die mich immer daran erinnert, dass seine Eltern so stinkend reich sind wie die meisten Dunbridge-Eltern. Er dreht sich ins Profil, und ich weiß nicht, was unangemessener ist: auf seine Brust zu starren oder auf seinen

Schritt. Denn das ist das Ding: Ich habe Gideon Attwell noch nie ganz nackt gesehen, und es macht mich fast verrückt, weil ich nur erahnen kann, was unter dem schwarzen Stoff seiner Boxershorts ist und wie es sich anfühlen würde ohne den Stoff.

Manchmal wenn er schläft, die meisten Regionen seines Körpers entspannt sind, bis auf eine gewisse Region, bekomme ich eine Idee davon. Ich denke, das ist beinahe unumgänglich, wenn man so oft im selben Bett übernachtet. Gideon hält mich nachts gerne fest, das bedeutet, ich spüre die ganze Zeit seinen Körper, seine Wärme, seine Muskeln, die weich und warm sind, und gelegentlich eben auch … den Rest von ihm. Jetzt gerade würde ich ungefähr alles dafür geben, das wieder zu tun. Gideons Erektion, aber ohne unsere Unterwäsche, und er soll wach dabei sein, das ganz bewusst tun, sich an mich drängen und, wenn er das wollen würde, auch in mich. Ich brauche Hilfe.

Sein Blick streift mein Gesicht, und meine Wangen glühen. Mit Gideon ist das so eine Sache. Ich befürchte ständig, dass er errät, was mir gerade durch den Kopf geht. Als würden meine Gedanken wie ein ausschließlich für ihn sichtbares Banner in meinen Augen ablaufen. Langsam, Großbuchstaben. Er schaut mich an, liest mich, so spielend leicht, dass ich es liebe und zugleich immer etwas Angst bekomme. Jetzt jedenfalls dreht er sich nicht weg, als er das frische T-Shirt nimmt, hellgrau, nicht grau meliert, Gideon trägt nie grau meliert, er hasst das, und es sich über den Kopf zieht. Sein Oberkörper streckt sich, während er die Hände hebt, seine Bauchmuskeln arbeiten, er hat tatsächlich schöne Bauchmuskeln, fein und definiert vom vielen Rugbytraining, aber das Beste an ihm sind eigentlich seine Oberschenkel, die ich nicht anschauen kann, ohne absolut wahnsinnig zu werden. Ab und zu, wenn er schläft und neben mir auf der Seite liegt, ein Bein anwinkelt und über mich legt, könnte ich sterben, weil es sich so gut anfühlt. Die absolute Schwere seines Körpers auf meinem, die mich nach unten drückt, was unangenehm klingt, aber es ist nicht unangenehm oder beengend, es ist das komplette Gegenteil. Wie eine atmende Gewichtsdecke, die stets zu spüren scheint, in welchen Momenten mein Körper die Berührung braucht, um sich nicht mehr unruhig und surreal anzufühlen. Zum Glück ist er nun hier.

Seine feuchten Haare hinterlassen dunkle Abdrücke am Kragen des T-Shirts, er fährt sich mit der Hand hindurch, schüttelt sie sich aus dem Gesicht, dann kommt er zu mir. Mein Herz fühlt sich klein und schwerelos an, als Gideon vor dem Bett stehen bleibt. Ich blicke zu ihm auf.

»Alles okay?«, fragt er leise.

»Alles okay«, bestätige ich.

Er schaut mich ein paar Sekunden lang an, dann nickt er und steigt zu mir aufs Bett. Sein Knie drückt die Matratze runter, sein Arm zieht mich nach hinten. Er nimmt ihn nicht weg, als wir nebeneinanderliegen, er lässt ihn auf mir, während er die Zimmerdecke betrachtet. Seine feuchten Haare sehen aus, als müsste ich meine Finger durch sie gleiten lassen. Als ich das tue, schließt Gideon die Augen.

Was ich so an ihm liebe, ist die Art und Weise, auf die ihm anzusehen ist, dass er eine Berührung oder einen Moment genießt. Er versucht nicht, das zu verbergen, er zeigt es einfach. Und er kriegt mich immer wieder damit. Ich hingegen denke immer, ich müsste beherrscht und unberührt bleiben, wenn er so was macht, weil es so viele Fragen aufwirft. Ist es üblich, sich so nah zu sein, wenn man befreundet ist? Spürt er auch etwas? Sollten wir das hier tun? Es dauert ewig, bis ich mich entspannen kann. Es hat auch ewig gedauert, bis ich vernünftig neben ihm schlafen konnte. War bei Henry ähnlich, ich denke, mein Kopf ist sich eines Körpers neben mir eben stets übertrieben bewusst. Ein Körper, der atmet und schläft, den ich keinesfalls stören will, auch wenn Gideon immer sagt, ich soll ihn wecken, wenn ich nicht schlafen kann oder friere oder zu viel denken muss oder Angst bekomme. Ich wecke ihn nie. Ich bringe es nicht über mich. Erst konnte ich auch nicht damit umgehen, dass Gideon mein Gesicht betrachtet, während ich schlafe. Inzwischen finde ich es nicht mehr so schlimm.

Trotzdem bin ich lieber diejenige, die wach ist, während er schläft, oder fast schläft, so wie jetzt. Ich bin immer wieder erstaunt, wie schnell er einschlafen kann, manchmal braucht er nur Sekunden, aber heute kämpft er. Ich spüre es anhand dessen, wie er tiefer einatmet, beim Ausatmen leise seufzt, Gänsehaut auf meinen Armen. Er blinzelt, und seine Lider sind schwer, aber er muss mich wohl ansehen. Sein Blick muss mein Gesicht abtasten, ich bin okay damit. Erst als er gefunden hat, wonach er sucht, schließen sich seine Lider. Das Beste ist eigentlich, die Hand an Gideons Kopf zu legen und erst wieder wegzunehmen, sobald ich ganz sicher bin, dass er schläft. Mich dann über ihn zu beugen, das Licht zu löschen, die Decke herzuziehen. In der Dunkelheit sind seine Atemzüge ein Metronom, nach dessen Takt mein ganzer Kopf funktioniert. Einatmen mit Gideon, ausatmen mit Gideon, so lange, bis meine Gedanken stillstehen. Meistens, wenn ich kurz davor bin, ebenfalls einzuschlafen, zieht er mich noch mal näher. Das ist der Moment, in dem ich mich wieder erinnere, dass er neben mir liegt, und dabei denke, dass es gut ist, dass er neben mir liegt. In der Regel der letzte Gedanke, bevor ich einschlafe.

25. KAPITEL

GIDEON

»Aber welchen Vorteil hätte es, den Tanz vor die Zeugnisvergabe zu legen?«, fragt Grace zum wiederholten Mal. »Das ist doch seltsam, man ist erst entspannt und ausgelassen genug, um zu feiern, nachdem der offizielle Teil über die Bühne ist.«

»Ja, aber letztes Jahr haben sie es auch so gemacht«, sagt Salome.

Ein Scheißargument, wenn man mich fragt. Grace sieht das ähnlich, aber sie ist zu nett, um das zu sagen.

»Ein Scheißargument«, erkläre ich also.

»Chill«, murmelt Salome.

Henry zuckt mit den Schultern. »Mr Ringling fand es anscheinend ja nicht optimal gelöst letztes Jahr.«

»Aber wenn wir jetzt alles auf gut Glück verändern, ist auch nicht gesagt, dass es besser wird.«

»Deshalb ist es ja so wichtig, darüber zu diskutieren.« Grace schaut zum Whiteboard, auf dem wir die Programmpunkte gesammelt haben.

Begrüßende Worte, Zeugnisvergabe, Sektempfang, Tanz, Essen, Gruppenfoto, Rektorin Sinclairs Rede, Rede Schulsprecher, Rede Jahrgangsbeste, Sketche.

Ja, Sketche. Erschießt mich einfach.

Wenn ich eine Sache weiß, dann, dass ich keinen Sketch aufführen werde. Es reicht, dass ich tanzen muss. Ehrlich gesagt bin ich diesem Programmpunkt seit dem letzten Tanzunterricht aber nicht mehr so abgeneigt wie zuvor.

Mit Grace zu tanzen macht erstaunlicherweise deutlich mehr Spaß, als am Rand zu sitzen und zuzusehen, wie Grace mit Henry tanzt, wer hätte es gedacht. Es war sogar absolut magisch, wenn ich das sagen darf. Magisch und fast etwas beängstigend, denn obwohl all die anderen mit uns in diesem Saal waren, das Licht hell war und Mr Ringling absolut genervt hat, habe ich außer ihrem Körper an meinem überhaupt nichts mehr wahrgenommen.

Ihre Finger an meinem Oberarm waren gelinde gesagt die bittersüßeste Qual der Welt. Wie sie sich festgehalten hat, und ja, es war anstrengend, den Muskel die ganze verdammte Zeit anzuspannen, aber irgendwann lag ihre andere Hand auf meiner Brust und ihre Wange an meinem Schlüsselbein, und Gott, es hat sich angefühlt, als würde mein Körper einzig und allein auf dieser Welt existieren, um sie zu beschützen.

Es war fast so gut, wie gestern Nacht wieder bei ihr zu schlafen. Nach zwei Nächten in meinem eigenen Bett bitter nötig. Wir sind zurückgekehrt zum Normalzustand, es herrscht wieder das vorgesehene Gleichgewicht zwischen uns, die Magnetfelder sind neu ausgerichtet, und alles war so, wie es sein muss, als ich am Morgen neben ihr aufgewacht bin.

»Ich weiß langsam gar nichts mehr«, sagt Grace, als wir das Treffen beendet haben, natürlich ohne nennenswerte Einigung und mit dem Fazit, dass wir uns alle noch mal intensiv Gedanken zum bestmöglichen Ablauf einer Abendveranstaltung dieses Kalibers machen.

Ich nicke und muss an die Nachricht meines Vaters denken,

die mich nach dem Morgenlauf erreicht hat und in der er mich freundlicherweise in sachlichem Ton daran erinnert hat, wann er kommenden Samstag den Jet schickt, um mich abholen zu lassen.

»Nächstes Wochenende findet im Hotel meiner Eltern eine Veranstaltung statt.« Und ich hatte nicht vor, Grace davon zu erzählen. »Es wird einen Empfang geben, ein Dinner, einen offiziellen Teil mit Reden und später Gelegenheit zum Tanz. Meine Eltern wollen, dass ich nach London komme und teilnehme.«

Grace hebt den Kopf. »Wirklich? Du könntest den Ablauf analysieren und überlegen, was wir davon auf unserem Ball umsetzen wollen und was vielleicht weniger gut funktioniert.«

Ich nicke nur. Sie versteht nicht. Also sage ich es einfach. »Oder du könntest mitkommen und den Ablauf selbst analysieren und überlegen, was wir umsetzen wollen und was nicht.«

»Oh, du meinst …« Sie bleibt stehen. »Als eine Freundin von dir?«

Eine Freundin. Wenn ich könnte, würde ich eher ein gewisses Possessivpronomen für sie wählen, aber es ist nun mal, wie es ist.

»Denkst du, deine Eltern hätten nichts dagegen?«, fragt sie, nachdem ich genickt habe.

»Nein«, sage ich, obwohl ich es nicht weiß, aber da es keine Rolle spielt, ist es egal, ob sie etwas dagegen hätten oder nicht. Wenn sie etwas dagegen hätten, wäre das ihr Problem, nicht meins, und noch viel weniger das von Grace. »Ich möchte dich dabeihaben.«

Ihre Augen bekommen diesen glänzenden Ausdruck. Sie nickt aufgeregt.

»Hast du ein Kleid?«

Sie denkt nach. »Ich habe ein paar von den Neujahrsbällen.«

Das weiß ich, aber passen diese Kleider noch? Ich stelle die Frage nicht, aber ich kenne die Antwort. Und ich bezweifle es. Vielleicht das fliederfarbene mit dem Rückenausschnitt, der so tief war, dass ich den Saal verlassen musste, als ich sie zum ersten Mal darin gesehen habe, oder das pastellgelbe mit dem ausgestellten Rock, in dem sie aussah wie eine verfluchte Disney-Prinzessin. Das hellblaue trägerlose Kleid von vor zwei Jahren, das war das Beste, aber ich denke, es müsste enger genäht werden, um nicht zu rutschen, und vielleicht würde sie sich darin auch nicht mehr wohlfühlen. Vielleicht würde sie sich in keinem der Kleider wohlfühlen, weil alle eine Erinnerung an Henry sind, mit dem sie auf jedem Neujahrsball war, außer auf dem letzten.

»Wann wolltest du aufbrechen?«, fragt sie.

»Freitag nach der letzten Stunde, der Ball findet am Abend statt, wir könnten den Samstag in London verbringen und Sonntag zurück.«

Sie nickt, und dann lächelt sie leicht. »Klingt gut. Ich rede mit meinen Eltern.«

26. KAPITEL

GRACE

»Nach London?«, fragt Tori aufgeregt und hält mir die Chipstüte hin. Ich denke, sie ahnt nicht, dass es mich jedes Mal ein bisschen wahnsinnig macht, wenn sie mir die Chipstüte hinhält. Ich wünschte, ich könnte einfach reingreifen, ohne darüber nachzudenken, wie viel Gramm Fett und Kohlenhydrate eine Handvoll sind, zu dem Schluss zu kommen, dass es zu viel Gramm sind, mich zu fragen, wo ich nur falsch abgebogen bin, und voller schwieriger Selbstbeherrschung den Kopf zu schütteln, in der Hoffnung, dass sie es akzeptiert und keine Diskussion anfängt.

»Ja, seine Eltern veranstalten eine Gala, und wir schauen uns das mal an als Inspiration für den Abiball.«

»Oh«, murmelt Tori beeindruckt. Ablenkung geglückt. »Wie cool. In ihrem Londoner Hotel also?«

»Ja, genau.« Ich lehne mich mit dem Rücken an die Wand neben ihrem Bett, auf dem wir es uns bequem gemacht haben.

»Warst du schon mal da?«

Ich schüttele nur den Kopf. »Bin noch nie mit Gideon in London gewesen.«

»Was ziehst du an?«, fragt sie aufgeregt.

Die große Frage. Ich seufze. »Keine Ahnung, Gideon meinte, es wird eine Black-Tie-Veranstaltung, also ein langes Kleid.« Ich zögere. »Vielleicht das von letztem Neujahrsball.«

»Oh ja, in dem hat er dich vergöttert.«

Das Lachen, das in mir aufsteigt, klingt etwas schrill.

»Ist doch wahr.« Tori zuckt nur mit den Schultern. »Er konnte den ganzen Abend niemand anderen ansehen als dich.«

»Quatsch«, murmele ich rau, aber wenn wir ehrlich sind, habe ich darauf nicht geachtet. Januar, elfte Klasse, nur wenige Wochen nachdem Henry und Emma offiziell zusammenkamen. Der Neujahrsball hat traditionsbedingt diese nahezu religiöse Bedeutung für mich. Henry und mein erstes Date. Unser erster Kuss. Jedes Jahr aufs Neue der vielleicht schönste Abend meines Lebens, und plötzlich war alles weg. Ich war nicht in der Lage, an etwas anderes zu denken als an den Schmerz, der sich in mir ausgebreitet hat, als sie den Saal betreten haben. Emma an Henrys Arm, wunderschön und so verliebt. Ich wusste genau, wie sie sich fühlt. Anmutig und überglücklich. Wie eine Märchenprinzessin im echten Leben. Vielleicht war das der Moment, in dem mir endgültig klar geworden ist, dass ich ihn verloren habe.

»Doch, du hast das nur nicht gemerkt.« Tori schweigt kurz. »Was ja auch kein Wunder ist. Da war alles noch so frisch mit Henry.«

Ich seufze leise und schlinge die Arme um meine Knie. »Das war es wohl.«

»Wie ist es inzwischen mit euch beiden?«, fragt Tori.

Ich zucke mit den Schultern. »Gut, keine Ahnung. Wir hatten ja nie Stress oder so.«

»Das meinte ich nicht. Wie fühlt es sich an? Für dich?«

Meine Kehle zieht sich etwas zu. »Ich dachte, nach einem Jahr würde es nicht mehr so wehtun.«

Toris Blick wird mitfühlend. »Wenn du sie zusammen siehst?«

»Wenn ich ihn sehe.« Ich schlucke hart. »Ich hasse, dass ich ihn immer noch so vermisse.«

»Redet ihr noch viel über das alles?«

»Nicht wirklich. Eigentlich reden wir nur, wenn wir uns zufällig irgendwo sehen.« Wie traurig. Ich beiße kurz auf meine Unterlippe und zwinge mich zu lächeln. »Es ist nicht mehr so wie früher.«

»Aber würdest du gerne wieder mehr mit ihm reden? Ich wette, Henry würde …«

»Tori«, murmele ich nur, und sie verstummt.

»Sorry. Wenn du nicht über ihn sprechen willst, ist das okay. Ich wollte mich nur erkundigen.«

»Weiß ich doch.« Es ist nicht ihre Schuld, dass ich anscheinend nicht in der Lage bin, über irgendetwas in meinem Leben hinwegzukommen. »Erzähl lieber, wie es bei euch so läuft.«

»Ach, Charles macht mich wahnsinnig«, seufzt Tori, aber ihre Augen bekommen sofort diesen liebevollen Glanz. »Er fragt mich jeden Tag, ob ich schon angefangen habe, für Madrid zu packen.«

»Es geht doch erst übernächste Woche los?«

»Das sage ich ihm auch ständig«, meint sie. »Er hat eine detaillierte Packliste erstellt, ich kann sie dir auch schicken.«

Ich lache. »Klar.«

»Du freust dich aber schon auch ein bisschen darauf.« Tori legt den Kopf leicht schief. »Oder?«

»Auf Madrid? Natürlich.«

»Gut, wir machen uns einfach die beste Zeit zu dritt«, Tori legt feierlich die Hände ineinander. »Emma, du, ich und Unmengen an Churros.«

Ich lache, aber das Gefühl, das mich dabei überkommt, ist

eigentlich traurig. Panik, Angst, Stress, wie werde ich diese Situation abwenden können?

Es klopft an der Tür, und nach einem Moment steckt Ms Barnett den Kopf herein.

»Die Flügelzeit beginnt gleich, ihr zwei.«

Ich rutsche von Toris Bett. »Bin schon weg.«

Ms Barnett nickt. »Und wo ist Emma?«

»Schon auf dem Weg, sie hat mir gerade geschrieben.« Tori blinzelt liebenswürdig.

Ms Barnett mustert Tori streng. »Sag ihr, dass sie sich beeilen soll.«

Sie nickt. »Willst du noch bleiben?«, wispert Tori, während Ms Barnett die Tür wieder schließt, aber ich schüttele den Kopf, weil Flügelzeit auch bedeutet, dass Gideon in absehbarer Zeit zu mir kommt. Ich wünsche Tori eine gute Nacht und laufe dann nach Hause.

In meinem Zimmer schlüpfe ich in Gideons T-Shirt, putze mir die Zähne und beobachte über den ovalen Spiegel über dem Waschbecken, wie Gideon durch mein Fenster kommt.

»Was machst du?«, fragt er, obwohl er sieht, was ich mache.

»Nichts«, murmele ich mit dem Mund voller Zahnpasta, woraufhin er nickt. Über den Spiegel beobachte ich, wie er sich aufs Bett legt, und denke, wie seltsam es ist, dass ich nicht weiß, wie sein Zimmer in London aussieht. Wie oft er schon hier bei mir geschlafen hat, aber ich noch nie bei ihm. Hat Clara Berry bei ihm geschlafen? In dem Bett, in dem ich auch schlafen werde? Mit ihm? Mein Magen zieht sich leicht zu.

»Was ist los?«, fragt Gideon, als ich meine Zahnbürste zur Seite gestellt, mir die Haare gekämmt, zu einem Zopf geflochten und schließlich nichts anderes mehr zu tun habe, als mich zu ihm zu legen. »Haben deine Eltern was wegen London gesagt?«

Ich schüttele den Kopf. »Sie sind einverstanden.«

»Was ist dann los?«

»Nichts.«

»Grace.«

Er sagt nichts weiter, ich auch nicht. Er dreht mir den Kopf zu, ich will mich von ihm wegrollen und schlafend stellen, aber das würde zu nichts führen. Wir vermeiden es schon zu lange, über diesen Elefanten im Raum zu reden. Ich starre nach oben an die Decke. »Hast du im Sommer bei Clara Berry übernachtet?«

»Nein«, sagt er, aber es klingt wie eine Frage.

»Das klingt wie eine Frage«, sage ich.

»Nein«, wiederholt er, diesmal entschlossener, aber er klingt auch etwas verärgert.

»Du klingst etwas verärgert.«

»Wie kommst du jetzt darauf?«

»Dein Tonfall hat sich verändert, deine Stimmfarbe ist kühler geworden und …«

»Nicht das«, sagt er, verärgert. »Auf sie.«

Auf Clara. Innerlich seufze ich, äußerlich lege ich meine ineinander verschränkten Finger auf meinem Bauch ab und sehe ihn nicht an. »Ich weiß nicht, du hast gefragt, was los ist.«

»Ich hab dir doch gesagt, dass das mit Clara nichts war.«

»War es das?« Jetzt drehe ich den Kopf zu ihm. »Ich dachte, es war *etwas*.«

»Grace«, sagt er nur.

»Nein«, widerspreche ich. »Sag mir, was es war. Hat sie in deinem Bett geschlafen? In dem Bett, in dem ich am Wochenende mit dir schlafe?«

Er schweigt. Also ja.

Er nickt langsam. Er hält Blickkontakt, und der Knoten in meiner Brust schnürt mir fast den Atem ab.

»Wie oft?«

»Dreimal oder so.«

»Oder so?«

»Oder vier. Ich war eine Nacht richtig betrunken und weiß nicht mehr, ob …« Er verstummt und geht nicht weiter ins Detail, und ich bitte ihn nicht, weiter ins Detail zu gehen. Ich habe genug gehört.

Ich nicke und wende den Blick wieder ab.

»Es tut mir leid«, sagt Gideon, was mich erstaunlich wütend macht, aber ich blinzele nur angestrengt.

»Egal …«

»Nein, es ist nicht egal. Es ist …«

»Ich hab doch gesagt, es ist egal«, fauche ich. Normalerweise fauche ich nicht. Bei Henry habe ich nie gefaucht, aber Henry ist auch nicht Gideon.

Ich drehe mich auf die Seite, weg von ihm.

Er bleibt still.

»Soll ich gehen?«

Ich blinzele angestrengter.

»Grace?«

»Nein«, fauche ich etwas leiser.

Er schweigt.

Wisst ihr, ich frage mich, ob da nicht so viele Dinge sind, die er sagen könnte.

Grace, es tut mir leid, das wäre ein guter Anfang. Aber es reicht nicht. *Grace, es tut mir leid. Es war dumm, ich bereue es, ich will eigentlich dich*, aber er will mich wohl nicht. Nicht so wie Clara Berry. Er will jemanden, mit dem er das Bett teilt und der ihm Gesellschaft leistet. Eine gute Freundin.

»Können wir reden?«

Ich schlucke bemüht. Er fragt nie, ob wir reden können.

»Das mit ihr war einfach unnötig.«

»Vier Mal unnötig?«, frage ich in die von ihm abgewandte Richtung.

»Ich wollte nicht denken.«

»Da ist Sex mit Clara Berry ja die einzige Option gewesen.«

»Ich wollte dich nicht verletzen.«

»Hast du aber.«

»Ich weiß.« Seine Stimme klingt seltsam tonlos und schwer. »Ich war … diesen Sommer irgendwie nicht ich selbst.«

»Das hab ich gemerkt.« Ich betrachte das Wasserglas auf meinem Nachttisch. »Du warst ein richtiges Arschloch.«

Er antwortet nicht sofort. Aber dann nach einer Weile sagt er: »Das war ich wohl.«

»Warum hast du nicht angerufen?«

Er lässt sich Zeit. Vielleicht ringt er mit sich, vielleicht überlegt er auch, wie ehrlich er sein kann.

»Ich wollte nicht.«

Drei Worte. Das unmittelbare Ende meiner Welt.

Er wollte nicht.

Er wollte mich nicht anrufen. Er wollte sich nicht melden. Er wollte mich ignorieren, er wollte Clara Berry ficken. Er wollte alles wegwerfen, und das ist ihm gelungen.

Mein Herz tut weh, aber ich schaffe es, in normaler Frequenz weiterzuatmen und die Tränen, die in meinen Augen brennen, wegzublinzeln.

»Ich hab dich hier gebraucht.«

Schweigen.

»Ich weiß.« Schweres Atmen. »Und ich hasse, dass ich nicht da war. Ich verachte mich dafür. Aber ich bin jetzt da, und Clara Berry ist mir scheißegal, okay?«

Das freut mich zu hören, aber eigentlich möchte ich lieber hören, dass ich ihm nicht scheißegal bin. Dass er mich auch gebraucht hat. Hat er aber nicht.

Ich nicke nur.

»Willst du noch mitkommen?«, fragt er nach einer Weile. »Nach London?«

»Ja«, flüstere ich, auch wenn ich nun weiß, dass Clara Berry in seinem Bett geschlafen hat. Aber das ändert nichts daran, dass ich immer dort sein möchte, wo er ist.

27. KAPITEL

GRACE

Ich wusste, dass Gideons Eltern Geld haben, ich wusste auch, dass sie eine traditionsreiche Hotelkette führen, aber dass sie einen Privatjet besitzen, war mir neu. Wenn Gideon in den Ferien doch mal zu Hause war und ich ihn am Flughafen abgeholt habe, ist mir gar nicht in den Sinn gekommen, dass er etwas anderes als einen Linienflug genommen haben könnte. Der Wagen mit Chauffeur, der ihn – und im Falle einer Begrüßung durch mich – auch mich vom Flughafen in Edinburgh zum Internat gefahren hat, hat mich auch nicht dazu gebracht, das zu hinterfragen. Ich bin lediglich davon ausgegangen, dass Gideons Eltern Wert darauf legen, dass ihr Sohn wohlbehalten von A nach B kommt.

Das tut er auch. Das tut er definitiv. Ich für meinen Teil fühle mich äußerst fehl am Platz mit meinem verschlissenen Rucksack und dem Kleidersack, in dem ich mein Ballkleid transportiere, auf der Rückbank dieser Limousine, die uns in Luton abgeholt hat und vom Rollfeld direkt in die Londoner Innenstadt bringt.

Oh mein Gott, das ist der Flughafen, wo Hayes auch immer landet, schreibt Tori mit sieben Ausrufezeichen, als ich ihr ein

Foto schicke, und beweist ihre Antwort mit einem Screenshot, der den Sänger beim Verlassen eines Privatfliegers zeigt. *Er ist gestern dort gelandet. Kannst du Ausschau halten, ob du ihn irgendwo siehst? Und kannst du Hayes sagen, dass ich ihn liebe?*

Ich nehme mir das fest vor, doch selbst wenn irgendwelche Berühmtheiten hier unterwegs gewesen wären, bezweifle ich, dass ich sie erkannt hätte. Promis und Popkultur sind Toris Metier. Ich bin außerdem zu überwältigt von den Eindrücken. Von Gideon, der mit eiserner Miene neben mir sitzt. Er ist ungewöhnlich schweigsam, sogar für seine Verhältnisse, und das gefällt mir nicht. Ich war noch nie mit ihm bei seiner Familie. Er spricht ungern über Details, aber sie haben kein gutes Verhältnis – offensichtlich, wenn er den Großteil seiner Ferien lieber im Internat bleibt, obwohl seine Heimreise zu den kürzeren zählt, verglichen mit dem Rest der Dunbridge-Schülerschaft, die aus Ländern von überall auf der Welt kommt. Die meiste Zeit dieser Reise nimmt wohl der stockende Verkehr in Londons Zentrum in Anspruch, aber es macht mir nichts aus, ich schaue gerne aus dem Fenster, beobachte die Menschen, stelle mir vor, wie es sein muss, in London zu leben, durch London zu eilen, relativ unbeeindruckt von der Schönheit Londons im leichten Nieselregen. Ich war ewig nicht hier, ich habe fast vergessen, wie gut es mir gefällt.

Irgendwie war mir nicht klar, von welchem Kaliber das Hotel von Gideons Familie wirklich ist. Ich wusste, dass es groß ist, eine Legende unter den Fünf-Sterne-Häusern Londons, aber ich habe mich nicht ausreichend informiert, um zu wissen, dass es über eine eigene kleine hufeisenförmige Zufahrtsstraße verfügt, mitten in Mayfair, auf der die Fahrzeuge direkt vor den Eingang rollen und unter dem dunkelgrünen Dach halten, wo diskret lächelnde Portiers die Türen öffnen und goldene Gepäckwagen heranschieben.

»Ich nehme das«, erklärt Gideon und greift zu meinem Kleidersack, bevor wir aussteigen. Er begrüßt allerhand Leute, die ihn Mr Attwell nennen, und in meinem Magen regt sich eine ganze Menge, weil mir ja klar ist, dass das sein Name ist, aber ich hatte keine Vorstellung davon, was dieser Name in London bedeutet.

»Hatten Sie eine angenehme Reise, Ms Whitmore?«, erkundigt sich ein dunkelhaariger Portier, woraufhin ich mich frage, ob ich wissen müsste, wer er ist und wie es sein kann, dass er meinen Namen kennt, aber Gideon wirkt nicht sonderlich überrascht darüber, also nicke ich schüchtern.

»Ja, vielen Dank, Sir.«

»Komm.« Gideon nimmt ganz selbstverständlich meine Hand. Er führt mich durch die Hotellobby, in der es erstaunlich leise ist für die Menge an anwesenden Menschen und außergewöhnlich gut riecht, vorbei an der Rezeption und den Fahrstühlen, grüßt weitere Leute, sagt ein Dutzend Mal *das ist Grace, meine Freundin*, er sagt wirklich *meine*, woraufhin ich sage: *Freut mich, schön, Sie kennenzulernen*, und mir vorstelle, es wäre wahr. Er drückt einen Knopf an einem anderen Aufzug, der etwas separat und versteckt liegt. Es fällt mir schwer zu begreifen, dass dieser Ort sein Zuhause ist.

»Ist es eigentlich nicht«, sagt Gideon, als sich die Fahrstuhltüren geschlossen haben und er eine Karte an das Lesegerät hält und anschließend den *P*-Knopf drückt, der, wie ich kurz darauf herausfinde, für Penthouse steht. »Nicht mehr jedenfalls. Aber ich weiß, was du meinst. Hier aufzuwachsen ist rückblickend schon ziemlich surreal.«

Surreal erscheint mir zu gleichen Teilen eine passende und nicht ganz ausreichende Beschreibung für das hier. Als sich die Lifttüren öffnen, folge ich Gideon in einen Flur, der etwas weniger nach Hotel und etwas mehr nach dem Wohnort einer

Familie aussieht. An den Wänden hängen Bilder in schweren Rahmen, Portraits von Personen, die Gideon ähnlich sehen. Ich würde gerne stehen bleiben und sie alle in Ruhe betrachten, aber es gibt so viel anderes zu entdecken, während er mich weiterzieht. Ich denke an die ausgetretenen Dunbridge-Steintreppen ohne Aufzug, an die einfachen Holzmöbel und zweckmäßigen Bäder, während Gideon mich durch einen mit Teppich ausgelegten Flur in ein Schlafzimmer führt, in dem es duftet wie in der Lobby, und plötzlich verstehe ich, warum Gideon Attwell so riecht, wie er riecht. Er riecht nach diesem Ort, an dem mit Sicherheit in jedem Raum, jedem Treppenhaus und Flur Duftaufsteller mit dem Hausparfüm installiert sind, um die Gäste willkommen zu heißen. Es ist dieser *Alles wird gut, willkommen zu Hause*-Geruch, den ich so sehr liebe, aber besonders an Gideon, auf seiner Haut, wo er sich verändert, mit seiner Körperwärme vermischt, mehr Tiefe bekommt, mehr Süße und Intensität.

Er macht eine einladende Handbewegung und schließt die Tür hinter uns, nachdem er den Kleidersack an einen Haken gehängt hat. »Das ist mein Zimmer.«

Und jemand scheint bereits hier gewesen zu sein, denn mein Rucksack und seine Reisetasche stehen auf der gepolsterten Bank am Fußende des Bettes, das aussieht wie das größte und bequemste Bett, das je hergestellt wurde. Es ist tatsächlich verrückt. Die Fluffigkeit der Bettdecke und der Kissen, neun Stück akkurat angeordnet und in Farbe, Größe und Stoffstruktur aufeinander abgestimmt. Dunkelgrüne Vorhänge, Möbel aus fast schwarzem Holz, ein goldumfasster Spiegel, aber wisst ihr, kein billiges gelbliches Gold, sondern so eins, das auch Messing sein könnte, alt und benutzt aussieht, aber nicht abgeranzt.

»Wow«, murmele ich und bleibe mitten im Raum stehen.

Gideon zuckt mit den Schultern. Würde er sich nicht vor

mir aufs Bett fallen lassen, hätte ich bezweifelt, ob man irgendwas hier anfassen dürfte, oder ob dann ein Alarm anspringt und eine Museumsaufsicht herbeieilt, um einen zur Vernunft zu rufen. »Wie ein Hotelzimmer halt.«

Da hat er nicht unrecht, denn nach persönlichen Gegenständen sucht man hier vergebens. Alles ist sauber und aufgeräumt, die Bilder an den Wänden geschmackvoll, aber austauschbar, die Bücher auf dem Schreibtisch charakterlos, zumindest die meisten. Im Regal entdecke ich einige Kochbücher, aber das war's.

»Sind deine Eltern hier?«, erkundige ich mich, als mir einfällt, dass ich mich bei ihnen vorstellen und für die Einladung bedanken sollte, aber Gideon schüttelt den Kopf.

»Noch bei Terminen. Wir treffen sie erst zur Veranstaltung.«

Ich nicke und frage mich, was das mit mir machen würde, wenn ich aus dem Internat komme, nach Hause, wo mich niemand in Empfang nimmt. »Wissen sie denn, dass ich dich begleite?«

Gideon zuckt mit den Schultern. Also nein. Was mich erstaunt, ist, dass die Leute in der Lobby vorhin dennoch meinen Namen kannten, aber vermutlich liegt das daran, dass Gideon uns beide für den Flug und Transfer angemeldet hat.

»Musst du auch eine Rede halten, heute Abend?«

»Nee, ich muss nur anwesend sein und mein Gesicht zeigen.« Er steht wieder auf. »Hast du Hunger? Wir können noch was bestellen, oder ich zeige dir die Küche. Also die unten. Wir haben noch etwas Zeit.«

Ich nicke sofort. Das hier ist schließlich eine einmalige Gelegenheit zu erfahren, wo Gideon herkommt und wie er aufgewachsen ist. Auf dem Weg nach unten kommt er mir entspannter vor, und in der Hotelküche lächelt er sogar, als ihn Dutzende Leute begrüßen. Sie mögen ihn, das merke ich daran, wie viel Zeit sich alle nehmen, um kurz mit ihm zu plaudern und zu fragen, wie es in der Schule läuft, obwohl es hier unten am frühen Nachmittag hektisch zugeht.

»Hier hast du kochen gelernt?«, erkundige ich mich, während Gideon mir eine Führung gibt und die vorbereiteten Häppchen zeigt, die später beim Empfang serviert werden.

»Du meinst, hier habe ich den Leuten im Weg rumgestanden und habe sie von der Arbeit abgehalten?« Er lacht, aber ich werfe ihm einen tadelnden Blick zu.

»Allzu schlecht scheinst du dich nicht angestellt zu haben.«

»Ich war stets bemüht.« Er schiebt die Hände in die Hosentaschen. »Es hat mir Spaß gemacht. Ich mag es einfach, noch am gleichen Abend das Ergebnis meiner Arbeit sehen zu können.«

»Damit es dann von Leuten einfach aufgegessen wird«, ergänze ich.

Oder ausgekotzt.

Wir denken dasselbe, zur gleichen Zeit. Ich sehe es in Gideons Augen, aber er nickt nur und schaut zu einer Platte, auf der die offensichtlich nicht makellos genug aussehenden Häppchen stehen.

»Dürfen wir denen ein zweites Leben schenken?«, fragt er eine vorbeieilende Köchin.

»Ich bitte darum, sonst müssen wir sie entsorgen. Ich lasse euch eine Auswahl hinaufbringen. Darf es noch etwas anderes sein?«

Gideon schaut mich an, ich schlucke nervös. »Äh, ich brauche nichts.«

»Sonst sind wir nur einen Anruf entfernt«, erinnert die Köchin.

Es hätte mich nicht wundern sollen, dass in Gideons Zimmer ein weiß eingedeckter Servicewagen mit silbernen Glocken auf uns wartet, als wir wieder dort ankommen, nachdem er mich kurz durch den Rest des Hotels geführt hat. Wir verkosten alles auf seinem Bett, und ich beiße hauptsächlich von allem ab, weil Gideons Mund zuvor von allem abgebissen hat. Es schmeckt vorzüglich, und ich schaffe es, das Gefühl meines gefüllten Magens zu ignorieren, als ich später im dunklen Marmorbad stehe und mich für den Abend fertig mache. Dass die Toilette in einem abgetrennten Raum ist und ich sie nicht ständig sehen kann, hilft auch. Als ich sie zum vorgesehenen Zweck benutze, mache ich kein Licht und pinkle mit geschlossenen Augen. Außerdem beeile ich mich, damit Gideon nicht befürchten muss, dass ich etwas anderes tue als pinkeln. Anschließend schlüpfe ich zurück im Badezimmer in mein Kleid – das einzige, das noch vernünftig gepasst hat und nicht wie ein Kartoffelsack an mir aussah, aber darüber will ich nun nicht nachdenken. Ich gehe zu ihm nach draußen. Gideon liegt auf einem Unterarm aufgestützt auf seinem Bett, in schwarzer Anzughose und einem weißen Hemd, das ihm wie angegossen passt. Er ist am Handy, die Haare fallen ihm in die Stirn, und als er aufschaut, erstarrt er ein bisschen. Das wiederum verunsichert mich.

»Meinst du, das ist angemessen?« Ich positioniere mich vor dem Spiegel an der Wand, über den ich beobachte, wie Gideon sein Handy auf die Tagesdecke fallen lässt und aufsteht. Er sagt nichts, während er zu mir kommt.

Ich muss an Henry vor den Neujahrsbällen denken. An sein Gesicht, das ähnlich aussah wie jetzt Gideons Gesicht. An sein *Wow* und sein *Du siehst schön aus*, und daran, wie erstaunlich es ist, dass Gideon all das ohne Worte sagen kann. Und noch viel mehr, nur mit seinen Blicken. Er tritt hinter mich und legt die Hände an meine Taille und sein Kinn auf meinen Scheitel, und mal wieder denke ich, dass es in Ordnung wäre, wenn er mich jetzt einfach zu sich dreht und küsst, aber auch mal wieder tut er das nicht. Er schluckt nur, und seine Finger streichen über meine Seiten.

»Es ist perfekt«, sagt er. »Du bist …« Er räuspert sich kurz. »Fühlst du dich wohl?«

Ich nicke, es stimmt sogar. Wie sollte ich mich auch sonst fühlen, wenn er so hinter mir steht, nah genug, dass ich seinen Duft riechen und seine Wärme spüren kann?

»Sollen wir runtergehen?«

»Gerne.« Ich schiebe den Wunsch, einfach mit ihm hier oben zu bleiben, weit von mir. Dazu sind wir nicht hergekommen. Unsere Mission lautet, diese Veranstaltung zu analysieren und möglichst viel davon für unsere Ballplanung mitzunehmen. Je früher wir dort auftauchen, desto besser.

28. KAPITEL

GRACE

Wir gehen nach unten und betreten einen Saal voller runder Tafeln, die üppig geschmückt sind. Weiße Tischdecken, silbernes Besteck, Blumen und zahllose Gläser, alles auf Hochglanz poliert. Noch ist nicht viel los, aber die ersten Gäste in atemberaubenden Roben und perfekt sitzenden Anzügen werden vom Personal an ihre Plätze gebracht.

Ich fühle mich seltsam deplatziert zwischen all den Leuten. Erst recht, als ich das kleine Notizbuch aus meiner Handtasche hole, in dem ich alles zum Ablauf dieser Veranstaltung festhalte.

Einlass neunzehn Uhr dreißig, die Leute zu ihren Plätzen weisen, genug Zeit einplanen, damit alle in Ruhe ankommen und sich unterhalten können, dabei klassische Hintergrundmusik, nicht zu laut, und Aperitifs.

»Gideon«, sagt jemand, und ich hebe den Kopf, nur um Gideons Mutter zu sehen, die auf uns zukommt. Sie trägt ein ausgestelltes dunkelbraunes Kleid mit U-Boot-Kragen und Handschuhe in passender Spitze, die kurz unterhalb ihrer Ellbogen enden. Celine Attwell ist die eleganteste Frau, die ich je gesehen habe. Und ihr Sohn ist ihr wie aus dem Gesicht geschnitten. Die gleiche gerade Nase, der gleiche geschwungene Mund. »Schön, dass du es geschafft hast.«

Ich habe Gideons Eltern selten an der Dunbridge Academy gesehen. An- und abgereist ist er meist ohne sie, zu den Elternsprechtagen sind sie aber in der Regel gekommen. Ihr Verhältnis zu Gideon hat auf mich nie besonders herzlich gewirkt, aber jetzt kommt es mir vor, als wäre es um weitere fünfzehn Grad abgekühlt. Mindestens.

Gideon umarmt seine Mutter nicht, sondern begrüßt sie mit angedeuteten Küssen auf die Wange, bevor er zurücktritt. »Das ist Grace Whitmore, ihr seid euch bereits begegnet.«

Ich komme näher und unterdrücke das seltsame Bedürfnis zu knicksen. »Vielen Dank für die Einladung, Mrs Attwell.« Die Einladung, die eigentlich keine war, aber Gideons Mutter zeigt darauf keine Reaktion.

»Die Freude ist ganz meinerseits, Liebes«, zwitschert sie nur und nimmt meine Hand. Dass sie mich dabei gar nicht richtig ansieht, sondern über meine Schulter hinwegblickt, kann ich verkraften. »Ich hoffe, ihr amüsiert euch gut.«

»Hervorragend«, antwortet Gideon mit seiner Sarkasmusstimme, die er benutzt, wenn er provozieren möchte.

Seine Mutter scheint dagegen immun zu sein. Sie nickt nur, wendet sich leicht ab. »Nun, dein Vater scheint dich zu suchen.«

»Schön für ihn.«

Ich blicke unangenehm berührt zur Seite. Sollte ich die beiden allein lassen? Ich fühle mich, als wäre ich in ein Gespräch geraten, das mich nichts angeht.

»Er war zuletzt bei den Pendrells«, fährt Gideons Mutter fort. »Du weißt, wie sehr er es hasst, wenn man ihn warten lässt.« Sie geht davon, und ich frage mich, ob es normal ist, seinen Sohn so geschäftsmäßig zu begrüßen, nachdem man ihn zwei Wochen lang nicht gesehen hat, und was das mit Gideon macht.

Ich versuche ihn anzusehen, doch er lässt keinen Blickkontakt zu, was wehtut, aber ich nehme es nicht persönlich.

»Ich sollte mal …«, murmelt er widerwillig.

Ich nicke schnell. »Ich schaue mich so lange etwas um.«

»Ist das okay?«, fragt Gideon.

»Klar. Oder denkst du, ich sollte lieber woanders …«

»Nein«, unterbricht er mich sofort. »Ich bin sofort zurück.«

GIDEON

Es gibt hundert Dinge, die ich lieber tun würde, als Grace stehen zu lassen und bei meinem Vater anzutanzen. Tiefkühllasagne essen (ich verachte Tiefkühllasagne), meinen ganzen Körper am Strand mit dickflüssiger Sonnenmilch eincremen, von einem Hochhaus springen, wieder eine Zahnspange eingesetzt bekommen, den ganzen Tag lang Henrys 0815-Playlisten anhören (ihr versteht nicht, sie sind unerträglicher als Radio). Da ich um dieses Gespräch aber nicht herumkommen werde, bringe ich es besser schnell hinter mich.

Ich finde meinen Vater tatsächlich bei Mrs und Mr Pendrell, einem befreundeten Ehepaar, die das *Attwell* mit regelmäßig wechselnden Stücken aus ihrer Kunstsammlung bedenken.

Ich begrüße sie höflich, schüttele Hände und warte brav, bis mein Vater seinen Business-Talk beendet hat und mich zur Seite nimmt.

»Gideon«, sagt er im gleichen Tonfall wie vorhin meine Mutter. Man nehme zu gleichen Teilen Desinteresse, Herablassung und Enttäuschung sowie eine Prise Geringschätzung, et voilà, schon hat man ihren Ton getroffen. »Wer ist dieses Mädchen?«

»Gideon, schön, dass du da bist«, spotte ich. Eine genervte Zornesfalte gräbt sich zwischen die Brauen meines Vaters, also mache ich weiter. »Gideon, wie war die Reise? Oh, warte, der ist besonders gut: Gideon, wie geht es dir?«

Ein Muskel an seinem Kiefer spannt sich an. »Lass uns zum Punkt kommen.«

»Ihr Name ist Grace«, erkläre ich kühl.

Mein Vater blickt prüfend zur Seite. »Weiß sie Bescheid?«, fragt er, ohne mich anzusehen. Es kann unmöglich gesund sein, wie sehr ich ihn verachte.

Ich schlucke beherrscht. »Nein.«

»Dann sorg dafür, dass es so bleibt.« Nun sieht er mich doch an. »Du hättest sie nicht herbringen sollen. Eine Fremde hat in unseren Privaträumen nichts verloren.«

Ich möchte ihm eine reinhauen. »Sie ist keine Fremde.«

»Aha. Was ist sie dann?«

Ich zögere.

Sie ist … das Mädchen, das ich liebe.

Mehr Familie, als ihr es je sein werdet.

Verflucht noch mal alles.

»Eine Schulfreundin.« Ich hasse mich in der Sekunde, in der die Worte meine Lippen verlassen. Das blasierte Nicken meines Vaters gibt mir den Rest.

»Dort hättest du sie lassen sollen«, sagt er und fährt gleich fort. »Die Berrys sind heute Abend unsere Gäste. Ihre Tochter ist hocherfreut über deine Anwesenheit.«

Mir wird kalt, aber ich frage nicht, woher er und Mum von mir und Clara Berry wissen. Vermutlich von Clara Berrys Freundinnen oder vom Personal, das mitbekommen haben muss, dass ich dumm genug war, Clara mit ins Hotel zu bringen. Mehrfach. Eine Berry in ihren Privaträumen scheint also zumutbar zu sein.

»Deine Mutter wünscht sich, dass du einen guten Eindruck bei ihrer Familie hinterlässt«, fährt mein Vater fort. »Es würde sie freuen, wenn du ihr Clara im Laufe des Abends vorstellst.«

»Ich bin mit Grace hier«, zische ich und drehe mich um, bevor ich mehr sagen kann. Dinge, die zu nichts führen, außer zu diesem Wutklumpen in meinem Bauch. Das Einzige, was gegen ihn hilft, ist Grace. Mein Blick sucht die Menge fast verzweifelt nach ihr ab, und sobald ich sie sehe, beruhigt sich mein Herz etwas.

Sie ist wunderschön, und sie ist hier. Aber sie ist hier, und Clara Berry ist auch hier, was mich unruhiger macht, als es sollte. Prinzipiell könnte es mir zwar nicht egaler sein, aber ich muss an Grace' Fragen denken, vor ein paar Tagen in ihrem Bett. Diese verdammte Sache beschäftigt sie. Nicht, dass ich es nicht verstehen könnte. Der Gedanke, sie mit einem anderen, macht mich krank. Wie konnte ich ihr das antun? Was habe ich mir gedacht?

Nichts, das war schließlich Ziel des Ganzen. Nicht mehr denken, nur vergessen. Nichts mehr fühlen, nicht an den Sarg denken oder das Zimmer im Hospiz oder das Gewicht von zweieinhalb Kubikmetern Erde, etwa drei Tonnen, um genau zu sein, die durchgehend auf meine Brust gedrückt haben, bis ich nicht mehr atmen konnte. Bis ich in Clara Berry reingestoßen habe, wie ein wütendes und verzweifeltes Arschloch, aber auch ohne einen einzigen Gedanken hinter meiner Stirn, denn wenn einer da gewesen wäre, hätte ich es niemals so weit kommen lassen.

Grace' Gesicht leuchtet auf, als sie mich sieht. Ich will sterben. Aber sie ist hier, also werde ich nicht sterben, sondern zu ihr gehen, bei ihr bleiben und den Rest der Welt vergessen, so wie immer.

»Hast du deinen Vater gefunden?«

»Ja.« Ich kann sie kaum ansehen. »Sollen wir zu unseren Plätzen, oder willst du dich noch umschauen?«

»Nein, lass uns den Tisch suchen. Ich habe mir schon richtig viel aufgeschrieben.«

»Ja?« Ich fahre mit zwei Fingern in meinen Hemdkragen, was mir erst auffällt, als Grace' Blick meiner Bewegung folgt. Als sie mir daraufhin ins Gesicht sieht, fühle ich mich unangenehm durchschaut.

»Was ist los?«

»Nichts.«

»Bist du sicher, Gid?«

»Ja, lass uns … einfach Platz nehmen. Dann kannst du mir erzählen, was du beim Abiball umsetzen würdest und was wir anders machen sollen.«

Sie mustert mich einen weiteren Moment lang, bevor sie nickt.

29. KAPITEL

GRACE

Ich war noch nie auf einer Veranstaltung wie dieser. Die Neujahrsbälle und Spendengalas an der Dunbridge Academy kamen mir schon elegant und unwirklich vor, aber das hier ist damit nicht zu vergleichen. Die atemberaubende Parallelwelt der Londoner High Society, mit der ich weniger nicht zu tun haben könnte, fühlt sich an wie ein Film, in dem ich eine Statistinnenrolle übernehme.

Ja, ich gehe auf eine der besten Schulen des Landes, aber nicht, weil meine Eltern in Geld schwimmen. Wir sind nicht arm, wir sind obere Mittelschicht, nicht mehr und nicht weniger, in den Augen dieser Leute hier also quasi Sozialhilfeempfänger Ich bemerke es daran, wie ich angesehen werde, vor allem von den Mädchen in meinem Alter, weil meine Schuhe keine rote Sohle haben und meine Handtasche von keiner namhaften Marke ist, sondern aus dem Kleiderschrank meiner Mutter. Prinzipiell ist mir das allerdings egal.

Ich bin mit Gideon hier, nicht zum Vergnügen, sondern auf einer Mission. Er allerdings wirkt, als wäre er plötzlich weit entfernt, während er neben mir sitzt und kaum etwas sagt. Sein Blick wandert andauernd über die Anwesenden, so als würde er nach jemandem Ausschau halten. Er wirkt völlig durch den Wind, seit er vorhin mit seinem Vater gesprochen hat. Seine Eltern sind nicht mehr zu uns gekommen, mit seinem Vater habe ich bislang kein Wort gewechselt.

Während der Vorspeise rührt Gideon kaum etwas an, dabei sieht das Essen ziemlich abgefahren und aufwendig aus, aber nicht mal das scheint ihn gerade zu interessieren. Als er auch im zweiten Gang nur rumstochert, reicht es mir.

»Gid«, flüstere ich. Er hebt den Kopf, und ich frage mich, ob mir der Bernsteinton seiner Augen je nicht den Atem nehmen wird. Es geht ihm nicht gut. Er will hier nicht sein.

Ich frage ihn mit einem Blick, was los ist, mit einem Kopfnicken, ob er kurz rausgehen will – was er will, also stehen wir auf. Draußen ist die Luft besser. Der Himmel über London ist dunkel geworden, und vor der Lobby stehen einige rauchende Leute, was mich wundert, weil ich angenommen hatte, dass High-Society-Leute nicht rauchen, ich dachte, sie tun eher etwas anderes. Aber das eine schließt das andere wohl nicht aus.

Gideon atmet die kühle Luft ein, wir bleiben etwas abseits stehen. Er betrachtet mich, das goldene Licht fällt auf sein Gesicht, und er ist wirklich wunderschön, aber dann geht sein Blick über meine Schulter, und sein Körper spannt sich an.

»Was dagegen, wenn wir einfach verschwinden?«

Das kommt für mich völlig aus dem Nichts.

»Jetzt?« Ich zögere. »Meinst du nicht, deine Eltern wären verärgert, wenn du nicht wieder reingehst?«

Er nimmt meine Hand. »Es ist mir erstaunlich egal.«

»Aber der weitere Ablauf des Abends.« Ich taste nach meinem Notizbuch. »Der Tanz und …«

Er nickt und zieht mich mit sich. »Ich lasse uns den Programmplan geben.«

»Okay«, murmele ich und folge ihm zurück zum Hoteleingang.

»Bist du müde? Wir können nach oben, aber wir könnten auch noch weggehen, in der Nähe ist ein Club.«

Das ist die Version von Gideon, die mir fremd ist. London-Gideon, dessen Namen alle kennen und der nachts weggeht, um in Clubs zu feiern anstatt im alten Gewächshaus. Ich nicke, was mich selbst überrascht, aber ganz ehrlich, das hier ist die beste Möglichkeit, so etwas Ähnliches wie ein Date mit ihm zu haben, die sich mir bieten wird.

»Klar.«

Er hebt den Arm, und einer der Portiers nickt ihm sofort zu. Zwei Minuten später sitzen wir auf der Rückbank eines Wagens, und Gideons Hand liegt auf meinem Knie. Es ist fast wie im Film.

London fliegt an uns vorbei, und als der Wagen hält, müssten wir in Soho sein. Gideon steigt aus und hilft mir aus dem Wagen. Dabei drehen sich uns einige Köpfe zu von Leuten, die vor einem Club anstehen. Wir gehen an der Schlange vorbei, Gideon wechselt ein paar Worte mit dem Türsteher, dann werden wir durchgelassen. Keine Ausweis- oder Taschenkontrolle.

Ich spüre die Blicke der Leute, die sich vermutlich fragen, wer diese Vordrängler sind und warum sie so overdressed daherkommen. Jetzt gerade bin ich jedenfalls froh, mich gegen das bodenlange ausgestellte Kleid von letztem Neujahrsball und für eine schmaler geschnittene Variante entschieden zu haben. Wie eine Prinzessin fühle ich mich trotzdem, als Gideon meine Hand nimmt und mich eine Treppe hinab und durch die tanzende Menge führt. Es ist voll, es ist laut, grelle Lichter fallen auf die Körper um uns herum. Ab und zu wirft Gideon einen Blick über die Schulter, um sich zu versichern, dass ich noch da bin. Meine Knie werden jedes Mal etwas weich. Als er in der Mitte des Raumes stehen bleibt und mich zu sich zieht, geben sie fast kurz nach.

Es ist eine Sache, mit Gideon in der Aula im Internat zu tanzen, bei Tageslicht, in Schulkleidung neben dem Kichern und Getuschel der anderen. Das hier ist damit nicht zu vergleichen. Es ist Magie auf einem anderen Level, während er sich vor mir bewegt, unbeschwert und voller Anmut. Das Jackett hat er im Auto gelassen und dort auch seine Krawatte abgelegt. Jetzt sind die obersten Knöpfe seines weißen Hemdes geöffnet und die Ärmel an seinen Unterarmen hochgekrempelt. Die Musik dröhnt, ich muss erst ständig zur Seite schauen, um unsere Umgebung im Blick zu behalten, aber dann schaue ich nur noch nach vorne. Zu Gideon, der meine Hände genommen hat. Ich schließe die Augen und tanze einfach. Ich lasse alles los, was mich zurückhält, und falle in diesen Moment mit ihm. Und ich bete, dass er nicht aufhört.

Gideon zieht mich näher, wir drehen uns um uns selbst, weil alles andere an Bedeutung verliert, wenn er vor mir ist. Er ist zum Sterben schön, sein Mund, seine Lippen, die voll aussehen und so weich.

Ich kann seinen Körper spüren, und seinen Atem, heiß an meiner Oberlippe. Unsere Münder sind näher beieinander, als sie es je waren, und alles, woran ich denken kann, ist, was passieren würde, wenn sie sich ganz berühren. Ob die Welt dann implodieren würde, ob sich die Magnetfelder verschieben und neu ausrichten würden, nach uns. Nach ihm.

Das tun sie. Mit einer Leichtigkeit und Bildgewalt zugleich, während das Lied wechselt, Gideon vor mir stehen bleibt und nicht zurückweicht. Er blickt auf meinen Mund.

Küss mich, denke ich.

Er schaut mir in die Augen.

Jetzt?, blinzelt er.

»Bitte«, wispere ich, und dann verliert er keine Zeit mehr. Er ist bei mir, schiebt die Finger in mein Haar, mein Kopf passt so perfekt in seine Hand, und alles steht still. Implosion meines Herzens. Es kollabiert nach innen, jede Muskelschicht, jede Kammer, es schlägt nur noch für ihn, während er mich küsst.

Er küsst mich. Gideon Attwell küsst mich.

Seine Finger gleiten durch mein Haar, seine Zunge drängt gegen meine Lippen, sanft und geschickt, sodass sich mein Mund für ihn öffnet. Alles geschieht, als müsste es ganz genau so sein. Meine Zunge begrüßt ihn, heißt ihn willkommen, wie einen alten Freund, auf den ich seit Jahren warte.

Eigentlich, denke ich, während er mich bei sich hält, fühlt sich das hier nicht an wie ein erster Kuss. Es ist nicht unbeholfen und ein wenig komisch, zögerlich oder unsicher. Es ist entschlossen, voller Leidenschaft und diesem gierigen Verlangen. Wir setzen nicht ab. Meine Finger rutschen über seinen Nacken, greifen in sein Haar, sein Daumen streicht über meine Wange, seine Zunge tanzt mit meiner im Takt der Musik.

Ich habe mir diesen Moment bereits ausgemalt, aber nie waren wir dabei in einem Nachtclub irgendwo in London. Nie war sein Mund so heiß, der Bass so dröhnend und alles fast zu viel. Näher dran an perfekt als in jeder Vorstellung. Und Gott weiß, ich habe es mir oft vorgestellt. So verdammt oft, dass ich hierauf vorbereitet sein müsste, aber ich bin es nicht. Könnte es nie sein. Nicht im Geringsten.

30. KAPITEL

GRACE

Ich wache auf, und die Nacht kommt mir vor wie ein Traum. Keine Ahnung, wie lange wir da standen, uns geküsst und getanzt haben. Die Straßen waren dunkel und ausgestorben, als wir irgendwann im Wagen zurück ins Hotel saßen, wo Gideon Zimmerservice für uns bestellt hat, bevor wir völlig erschöpft eingeschlafen sind. Alles kommt mir etwas verschwommen vor, aber an ihn erinnere ich mich deutlich. An seine Hände, seinen Körper, seine Lippen und mein flatterndes Herz, als wir auch im Wagen nicht aufhören konnten, uns zu küssen. Zwischendurch, als ich auf seinem Schoß gehockt habe, er unter mir in seinem Bett, habe ich mich gefragt, ob wir es jetzt tun werden, aber wir waren beide etwas zu betrunken, etwas zu erledigt und am Arsch.

Jetzt liegt er hinter mir, auf der Seite, er hat einen Arm um mich geschlungen, es ist so verdammt schön mit ihm in diesem weichen Bett, es ist überhaupt das weichste und bequemste Bett, in dem ich je gelegen habe. Ich verändere leicht meine Position, mein Rücken liegt an seiner Brust, seine Schulter wie eine schützende Mauer oberhalb meines Kopfes. Er seufzt leise im Schlaf, und dann … um Gottes willen.

Ich habe noch nie zuvor eine solche Hitze gespürt, als mir klar wird, dass das, was sich an meinen Hintern presst, seine Erektion ist. Und anders als sonst tue ich nicht das Richtige, rücke von ihm ab und bringe dringend erforderlichen Abstand zwischen uns, sondern dränge mich an ihn, worauf er instinktiv reagiert und die Hüften bewegt. Gegen mich.

Mehrere Schichten Stoff können nichts daran ändern, dass etwas in mir anfängt zu glühen. Ich schnappe nach Luft, doch als ich einen Blick über die Schulter werfe, sind seine Augen geschlossen und sein Mund entspannt. Oh Gott, oh Gott, oh Gott. Ich meine, ich bin achtzehn Jahre alt. Wir hatten Biologieunterricht, ich war jahrelang in einer festen Beziehung, ich weiß, was Sexträume sind, ich weiß, wie Männer manchmal morgens aufwachen, aber Gideon auf diese Art zu fühlen, wird immer verdammt noch mal alles sein.

Wovon träumt er? Von letzter Nacht? Von unseren Körpern in diesem bunten Licht, unserem Schweiß, unseren Mündern, unseren Händen und der Vollkommenheit dieses Kusses? Ich will mich nicht bewegen, und zugleich will ich mich fester gegen ihn pressen. Aber er ist nicht wach, ich muss ihn in Ruhe schlafen lassen, doch als ich die Hand auf seinen Arm lege, um ihn von mir zu lösen, wird seine Umarmung automatisch fester. Seine Lider flattern leicht, und ein kehliges Seufzen entweicht seinem Mund, als sein Becken eine Bewegung vollführt, die man Stoßen nennen könnte, wenn man wahnsinnig wäre.

Ich muss den Kopf in den Nacken nehmen und nach Luft ringen. In mir beginnt es heiß zu pochen, doch bevor ich einen klaren Gedanken fassen und von ihm wegrutschen kann, wacht Gideon auf. Ich spüre es allein daran, wie er mich erst dichter an sich zieht, nur um eine Sekunde später erschrocken loszulassen.

Er weicht sofort zurück. Alles in mir wünscht sich, er würde das nicht tun. Ich höre ihn scharf einatmen und stelle mich schlafend, presse die Lider zusammen, erinnere mich daran, dass man im Schlaf ruhig und entspannt aussieht, und bete, dass Gideon sich nicht über mich beugt, um mein Gesicht anzusehen. Tut er nicht. Seine Hand streicht flüchtig über meine Schulter, sein Atem geht etwas angestrengt und schwer, während er sich wegrollt. Ich höre, wie er etwas murmelt, ein leises Fuck, und in Gedanken stimme ich ihm zu. Dann steht er auf. Meine Selbstbeherrschung ist beachtlich, denn ich blinzele erst, als ich höre, dass er die Tür zum Bad geschlossen hat. Ich lasse den Atem entweichen.

Hilfe.

Was war das gerade? Warum hat allein das Gefühl seiner Härte an mir genügt, um mich fast kommen zu lassen? Warum verlangt alles in mir danach, die Hand zwischen meine Beine zu schieben und zu Ende zu bringen, was er gerade eben unwissentlich initiiert hat? Weil er eine Tür weiter in diesem Moment höchstwahrscheinlich das Gleiche tut. Ich bin mir absolut sicher, als ich höre, wie die Dusche angeht.

Verdammte Scheiße. Ich schließe die Augen und schiebe die Finger unter mein Shirt. Unter *sein* Shirt. In seinem Bett. Sein Geruch, sein Gesicht, sein Mund, seine Hände überall. Ich bin noch nie so schnell gekommen, es ist ehrlicherweise wenig erstaunlich, und es ist intensiv. Ich ringe nach Atem, bemühe mich, keine Geräusche zu machen, die Augen schnell wieder zu öffnen, die Tür zum Bad im Blick zu behalten, weil ich mir kaum vorstellen kann, dass er viel länger braucht als ich. Ich weiß nicht, ob ich das absurd oder aufregend finde. Meine Brust hebt und senkt sich schwer, als ich fertig bin und in die Stille lausche.

Das Wasser läuft noch eine Weile, dann geht es aus. Ich setze mich auf und rutsche an die Kante des Bettes. Meine Füße versinken in dem weichen Teppich. Gestern hatte ich bereits

Gelegenheit, mich umzuschauen, aber jetzt kommt es mir vor, als würde ich Gideons Zimmer mit anderen Augen sehen.

Es ist so absurd, dass ich mit ihm hier bin und nicht bei mir zu Hause. Als ich mein Handy auf dem Nachttisch sehe, will ich Olive und Tori schreiben. Dass es passiert ist. Dass ich hier bei ihm in London bin und dass wir uns geküsst haben, aber zugleich will ich es nicht. Weil dieser Kuss nur uns gehört. Weil ich mich nicht fragen müssen will, was er bedeutet.

Ich lasse mich zurück aufs Bett fallen und hebe den Kopf, als sich die Tür zum Badezimmer öffnet. Gideon erscheint in seinen dunklen Boxershorts. Seine Haare sind feucht, und diesmal schaue ich nicht weg. Und er auch nicht. Sein Blick gleitet über mich in seinem Bett. Ein Lächeln zupft an seinen Mundwinkeln, es raubt mir fast den Verstand.

»Morgen.« Er geht langsam am Bett vorbei.

»Hi.« Meine Stimme klingt etwas piepsig.

»Gut geschlafen?«

»Hervorragend.« Ich räuspere mich leise. »Und du?«

»Besser denn je.«

Er bleibt vor dem Bett stehen.

»Was ist?«, frage ich nach ein paar Sekunden.

»Nichts. Ich will dich nur betrachten.«

Ich erröte leicht und schlage den Blick nieder. Ich werde es nie verstehen. Er steht vor mir, fast komplett ausgezogen und ohne jede Spur von Verlegenheit.

Als er zu mir aufs Bett kommt, verspüre ich das Bedürfnis, die Decke weiter über mich zu ziehen, aber ich tue es nicht. Ich schließe nur die Augen, als Gideon über mir ist, kurz innehält und sich dann zu mir herabsenkt, um mich zu küssen.

Ihr hört richtig. Es ist also wirklich passiert, das alles letzte Nacht. Der Ball seiner Familie, unsere Flucht in diesen Club, die bunten Lichter und die Musik. Dieser Kuss.

Jetzt ist es Morgen, die Sonne ist aufgegangen, aber Gideon küsst mich trotzdem. Er küsst mich anders als letzte Nacht. Langsamer und bedeutungsvoller. Er drückt mich in die Matratze, und es ist alles echt. Sein warmer Mund, die Rosmarinnote seines Duschgels, die sich mit seinem natürlichen Willkommen-zu-Hause-Duft vermischt, seine großen Hände und das Gewicht seines Körpers, auf das mein Körper reagiert. Beinahe erschreckend intensiv, was eigentlich kein Wunder ist nach gerade eben, aber plötzlich überlege ich, was nun passiert. Wird er fragen, ob wir es tun? Werde ich antworten, dass ich es will? Will ich es? Ich will es nicht nicht, aber ich weiß auch nicht, ob ich es jetzt wollen würde, hier in London, bei seinen Eltern, die ich seltsam finde, in seinem Bett. Ich verkrampfe leicht. In einem Bett, in dem er mit einer anderen geschlafen hat. Darf ich darüber schockiert sein, nachdem er so oft in meinem Bett lag, in dem auch Henry lag und in dem Henry und ich definitiv nicht nur unser erstes Mal hatten?

Mein Magen knurrt, und Gideon hält inne. Er weicht leicht zurück. Ich kann nur seinen roten Mund anschauen.

»Lust auf Frühstück?«, fragt er und streicht mir die Haare aus dem Gesicht.

Ich nicke langsam.

»Kannst du Pfannkuchen machen?«, bitte ich leise. Er sieht mich an, tief und skeptisch, aber als ich seinem Blick nicht ausweiche, wirkt er auch etwas erleichtert. Ich weiß, dass er Dinge fragen will wie *Dein Ernst? Kotzt du die dann auch wieder aus?* Aber er fragt nicht, sondern nickt.

Er verschwindet in die Küche, während ich ins Bad gehe. Als ich mich im Spiegel betrachte, kann ich es kaum glauben. Ich bin in London, mit Gideon, ich wurde in London geküsst, von Gideon, der uns Frühstück zubereitet, auf das ich mich freue, weil ich es gerne einnehmen möchte. Mit ihm.

Ich schlüpfe in Leggings und seinen Pullover und gehe in die Küche. Von seinen Eltern fehlt jede Spur, vermutlich sind sie schon wieder auf irgendwelchen geschäftlichen Missionen unterwegs. Es ist mir nicht unrecht. Das Radio läuft leise, Gideon steht vor dem Herd, hält die schwere gusseiserne Pfanne in einer Hand, was etwas mit mir macht, weil sich sein Oberarm anspannt, wenn er sie hochhebt, um den Pfannkuchen zu schmeißen, genau wie nachts in der Schulküche.

Er hat mich noch nicht bemerkt, ich bleibe in der Nähe der Tür stehen und sauge den Moment auf. Gideon in dieser schwarz-weißen Marmorküche mit den goldenen Details, der fettige Pfannkuchenduft und das weiche Licht, das von draußen durch die Fenster fällt.

Mein Blick wandert von der Kücheninsel zum Wohnzimmer, über die gigantische Sitzlandschaft zu den Schränken aus dunklem Holz und den gerahmten Bildern, die auf einem Sideboard stehen. Ich trete näher, doch dann halte ich inne.

Ein Familienfoto, Gideon, als er noch kleiner war, seine Eltern und ein jüngeres Kind. Ein kleiner Junge, er sieht Gideon erstaunlich ähnlich, und er wirkt fröhlich.

»Wer ist das denn?«

Gideon dreht sich in der Küche um. »Was?«

»Auf diesem Foto.« Ich trete einen Schritt näher. »Ist das einer deiner Cousins?«

Gideon antwortet nicht, und als ich zu ihm sehe, ist seine Miene blank geworden.

»Gid«, murmele ich beunruhigt, weil er plötzlich wie erstarrt ist. Ein flaues Gefühl breitet sich in meinem Magen aus.

»Freddie«, sagt Gideon mit einer Stimme, so tonlos, dass mir kalt wird.

»Und wer ist Freddie?«, frage ich langsam.

»Er ist mein Bruder.«

Ich stutze. »Du hast einen Bruder?«

»Ja, ich … Ich hatte einen Bruder.«

»W-wie meinst du?«

Ich verstehe nicht, aber Gideon wendet sich ab. Er widmet sich der Pfanne, aber seine Schultern sind angespannt und verkrampft.

»Was meinst du mit …«

»Er ist tot«, fällt er mir ins Wort, ohne mich anzusehen.

Tausend Fragen schießen mir durch den Kopf, aber ich bin nicht in der Lage, eine einzige davon zu stellen.

Gideon hat einen Bruder.

Gideon *hatte* einen Bruder?

Gideon hat einen toten Bruder.

Warum weiß ich nichts von diesem Bruder?

Warum ist er tot?

Warum weiß ich nicht, dass er tot ist?

Was weiß ich überhaupt?

»Wie meinst du?«, bringe ich hervor. Ich hasse es, dass meine Stimme dabei zittert. »Ist er … schon vor einer Weile gestorben oder …«

»Nein, diesen Sommer.« Eine Stimme lässt uns herumfahren.

Gideons Vater steht in der Tür. Er trägt einen anderen Anzug als gestern Abend, aber die gleiche undurchdringliche Miene.

Ich verstehe alles und überhaupt nichts.

Diesen Sommer.

Was soll das heißen, diesen Sommer?

Ein verbrannter Geruch steigt mir in die Nase, aber bevor ich etwas sagen kann, dreht sich Gideon um. Mit einem lauten Fluchen hebt er die Pfanne vom Herd und stellt sie zur Seite.

Ich höre meinen pochenden Herzschlag in den Ohren und das rauschende Blut.

»Vielleicht sollte ich besser gehen.«

»Vielleicht solltest du das«, sagt Gideons Vater.

Gideons Kiefer spannt sich an, aber er widerspricht nicht. Mein Herz zieht sich zusammen, ich nicke, und dann drehe ich mich um. Ohne etwas zu verstehen. Oder zu fühlen.

In seinem Zimmer treten mir Tränen in die Augen. Ich weiß nicht einmal, warum. Es sind zu viele neue Informationen, und Gideon geht mir nicht nach. Warum folgt er mir nicht? Werde ich nun wirklich packen und abreisen? Ohne ihn?

Ich höre die Stimmen aus der Küche, gedämpft und beherrscht, ich verstehe nicht, was sie sagen, aber ich verstehe, dass es nichts Positives ist. Wie ferngesteuert trete ich zur Kommode und nehme meine Tasche. Ich habe gerade meine Klamotten von letzter Nacht hineingestopft und das Kleid in den Kleidersack gehängt, als Gideon in der Tür erscheint.

»Grace«, sagt er nur und bleibt dort stehen.

Ich schlucke angestrengt und nehme meinen Rucksack. »Bin so gut wie weg.«

»Du sollst nicht gehen.« Er stellt sich mir in den Weg.

»Dein Vater ist anderer Meinung.«

»Mein Vater kann mich mal.«

Ich bleibe stehen, sehe ihn an und frage mich, was wir uns eigentlich vormachen. Wie viele Lügen er mir erzählt hat. Wie viel da noch sein muss, von dem ich nicht weiß. Wie ich ernsthaft denken konnte, ich würde diesen Kerl kennen.

»Warst du deshalb weg?«, höre ich mich fragen. »Diesen Sommer?«

Gideons Kiefermuskeln spannen sich an, aber nach einem Augenblick nickt er.

»Warum hast du nichts gesagt?«

Er schweigt, und schließlich zuckt er mit den Schultern. Ohne mich anzusehen, was nahezu unfassbar ist. Es ist … Ich weiß nicht, was es ist. Gideon Attwell schläft in meinem Bett, liest meine Tagebücher und Texte, er ist ein Teil von mir, er weiß alles über mich, meine größten Wünsche, schlimmsten Ängste, und ich … Ich weiß nichts über ihn. Ich kenne ihn nicht. Ich kannte ihn noch nie, ich habe es mir nur eingebildet.

»Grace, ich …«, beginnt er, aber ich schüttele den Kopf.

»Wer zum Teufel bist du?«, bringe ich hervor, und dann gehe ich an ihm vorbei.

Er hält mich nicht auf. Er lässt zu, dass ich gehe, in diesen Fahrstuhl steige und nach unten fahre. Es ist mir egal, dass die Leute in der Lobby irritierte Blicke in meine Richtung werfen, weil ich aussehe wie eine Wohnungslose in meinen Leggins und dem viel zu großen Pullover von Gideon, der nach ihm riecht und den ich mir vom Körper reißen will, aber ich trage nicht mehr als einen BH darunter, also muss ich ihn anlassen, während ich nach draußen stürme. Ein Fuß vor den anderen. Bis ich mitten in London bin, ohne einen Plan oder eine Idee, wer dieser Junge ist, in den ich mich verliebt habe. Ich weiß es nicht mehr. Ich wusste es noch nie.

Und es ist nun nicht von Bedeutung. Jetzt brauche ich eine Lösung. Einen Plan, wie ich von hier nach Edinburgh komme. Ich muss mein Handy nehmen, um herauszufinden, wann der nächste Zug fährt und wie ich von hier nach King's Cross komme, aber um mich herum sind so viele Menschen, drängelnde Touris, hupende Autos, die Luft schwirrt und mein Kopf ebenfalls.

Nachrichten von ihm erscheinen auf dem Display.

G: Wo bist du?
G: Ich schicke dir einen Wagen.

Was für einen Wagen? Einen Wagen, der mich zu ihm bringt oder weg von ihm?

Vermutlich Letzteres. Weg von ihm und London, wo er für acht Wochen hin verschwindet, aus offensichtlich triftigen Gründen, von denen er mir nicht erzählt und stattdessen mit einer anderen schläft, was ich vielleicht nie erfahren hätte, weil das ist das Ding mit Gideon Attwell: Freiwillig erzählt er mir nie auch nur irgendetwas von sich. Ich erzähle ihm nur alles von mir. Weil ich ihm vertraue, aber er mir nicht. Nicht genug jedenfalls, auch wenn ich das naiverweise angenommen habe. Weil er der Einzige ist, auf den ich noch zählen konnte. Oder auch nicht. Ich kann auf niemanden zählen. Nicht einmal auf mich selbst.

In mir baut sich etwas auf, diese Enttäuschung, der Ekel, es verschlingt mich von innen, es will raus, aber es kann nicht raus, nicht mitten in London. Mir ist übel. Die Übelkeit der Erkenntnis, dass alles überhaupt nicht so ist, wie ich dachte. Es ergreift Besitz von mir, ich öffne die Tür und betrete das nächstbeste Café.

»Kann ich dir helfen, Liebes?«, fragt die Dame hinter der Theke.

Ich schlucke. »Haben Sie eine Toilette, die ich benutzen dürfte?«

»Aber natürlich. Die letzte Tür auf der rechten Seite.«

31. KAPITEL

GRACE

Ich weine erst im Zug zurück nach Edinburgh. Viereinhalb Stunden lang starre ich durchs Fenster nach draußen, um irgendwie zu verstehen, was ich heute Morgen erfahren habe. Gideon hatte einen Bruder, der gestorben ist. Diesen Sommer. Er hatte einen Bruder. Er hatte ihn all die Jahre über, und er hat es nie für nötig gehalten, mir von ihm zu erzählen? Habe ich ihn je gefragt? Hat er aktiv gelogen, oder haben wir einfach nie darüber gesprochen? Bin ich schlichtweg davon ausgegangen, dass er Einzelkind ist, weil er nie etwas erwähnt hat? Wieso hat er nie etwas erwähnt? Wieso dachte ich, er ist einfach natürlicherweise gut darin, mit Augustus und Gregory umzugehen? Wieso hat er nie etwas gesagt, wenn ich mich über meine kleinen Brüder beschwert habe? Mein Hirn verknotet sich, aber es findet keine Antwort, die nicht darin endet, dass ich ihm offenbar nicht so wichtig bin wie er mir.

Das muss man sich mal auf der Zunge zergehen lassen. Ich bin ihm nicht so wichtig wie er mir.

Er schläft jede Nacht in meinem Bett, aber ich habe keine Ahnung, wer er ist, wenn er die Dunbridge Academy verlässt. Ich weiß nicht mehr über ihn als das, was ich in der Schule von ihm sehe, aber das ist nicht sein ganzes Leben. Es ist nur ein Bruchteil, es ist die unmittelbare Konsequenz von Jeden-Tag-beieinander-Sein, aber darüber hinaus weiß ich gar nichts. Weil er es nicht will. Hat er mich gestern nur geküsst, weil in London andere Regeln gelten? Weil nichts von Bedeutung ist, was dort geschieht? Genauso scheißegal, wie ihm Clara Berry scheißegal ist?

Mein Kopf fühlt sich heiß und zu voll an, während der Zug an der Küste oberhalb von Newcastle entlangrollt. Ich kann den Blick aufs Meer nicht genießen. Ich will nur meine Stirn an die kühle Scheibe lehnen und vergessen, wie gut sich Gideons Mund auf meinem angefühlt hat. Warum küsst er mich, wenn er mich zugleich emotional auf Abstand hält? Ich dachte einfach, Gideon wäre so. Kein Mann großer Worte, jemand, der nicht mehr sagt als das Nötigste, aber anscheinend habe ich nicht mal das verdient.

Ich antworte daher auch nicht mit mehr als dem Nötigsten, als Gideon mir mehrere Nachrichten schickt, in denen er wissen will, wo ich bin, und mich wissen lässt, dass er sich Sorgen macht. *Hab den Zug genommen*, schreibe ich ihm knapp. Ich spiele mehrfach mit dem Gedanken, meine Eltern anzurufen und sie zu fragen, ob sie mich in Edinburgh am Bahnhof abholen können, aber ich will ihnen nicht erklären, was passiert ist. Das kann ich auch gar nicht. Ich verstehe es schließlich selbst nicht. Ich kann es niemandem erklären, und ich will auch mit niemandem reden, aber dann steige ich in Edinburgh aus, die Leute eilen an mir vorbei, und plötzlich erscheint zwischen ihnen Henry, wie eine Halluzination, die mich nicht wundern würde bei meinem dehydrierten Zustand, nachdem ich auch die Zugtoilette auf wenig glamouröse Art benutzen musste.

Er trägt helle Jeans und den Dunbridge-Hoodie und stößt

sich von der Säule ab, an der er lehnt, als er mich entdeckt. Was tut er hier? Kommt sein Bruder zu Besuch? Oder wartet er auf jemand anderen?

Meine Augen beginnen wieder zu brennen, als Henry entschlossen auf mich zukommt.

»Hey.« Er nimmt mir den Kleidersack ab. »Gideon hat mich gebeten, dich abzuholen.«

Er hat was?

Meine Knie fühlen sich weich an, meine Kehle schnürt sich etwas zu, aber ich werde nicht weinen. Nicht vor Henry.

»Warum?«, presse ich stattdessen hervor.

Henry zuckt mit den Schultern, aber sein Blick liegt aufmerksam auf mir. »Ich denke, er wollte sichergehen, dass du gut ankommst.«

»Ich hab ihm nicht gesagt, welchen Zug ich nehme.«

»Ja, aber es gab nur zwei Möglichkeiten, wann du Edinburgh erreichst, also habe ich gewartet.«

»Wie lange?«

»Spielt keine Rolle.« Henry schaut zur Seite. »Wollen wir? In zwölf Minuten fährt ein Bus.«

Ich weiß nicht, wie lange es her ist, dass ich mit Henry allein in einem Bus von Edinburgh nach Ebrington saß. Vermutlich nur etwas über ein Jahr, aber es fühlt sich an wie eine halbe Ewigkeit. Der Bus ist fast leer, wir haben einen Viererplatz für uns, er sitzt mir schräg gegenüber, und er schaut mich an, was mich wütend macht, aber es ist auch verdammt lang her, dass er das zuletzt getan hat.

»Willst du drüber reden, was passiert ist?«, fragt er, irgendwo auf der Landstraße.

Ich schlucke nur und frage mich, worüber ich mit ihm reden sollte.

»Worüber sollte ich mit dir reden?«

»Ich weiß nicht. Über den Grund, warum du allein zurückgefahren bist.«

»Hat sich kurzfristig so ergeben.«

Henry nickt nur.

»Wie war der Ball?«

»Gut.«

Schweigen.

Er schaut mich noch mal an, dann geht sein Blick aus dem Fenster, was mir wiederum die Möglichkeit gibt, Henry anzuschauen.

Es ist mir schon aufgefallen, als er aus den Ferien zurück war. Er sieht besser aus. Und damit meine ich nicht, dass er auf konventionelle Art nahezu unverschämt attraktiv ist. Er hat wieder Farbe im Gesicht und ein bisschen mehr Leuchten in den Augen. Nachdem seine Schwester gestorben ist, letzten Herbst, war das nicht der Fall. Es hat mich beinahe zerrissen, zu sehen, was das mit Henry gemacht hat. Er war ganz klar am Ende, eine Zeitlang hatten wir alle ziemliche Angst um ihn. Es waren schlimme Monate, und ich weiß nicht, ob man so etwas jemals verarbeiten kann, aber es geht ihm besser, und darüber bin ich froh.

Mein Magen stülpt sich um, wenn ich mir vorstelle, wie ich mich fühlen würde, wenn Gus oder Greg … Ich kann nicht mal daran denken. Mein Leben würde stillstehen, und ich bin außerstande, zu verstehen, dass Gideons Leben auf dieser Art und Weise stillgestanden hat, ohne dass ich davon wusste. Ohne dass irgendjemand von uns davon wusste. Es wusste doch niemand. Oder?

Henry wirft mir einen Seitenblick zu.

»Wusstest du das?«, frage ich, bevor ich mir überlegen kann, ob diese Frage übergriffig oder auch nur im Geringsten angebracht ist. »Dass Gideon einen Bruder hatte?«

Henry antwortet nicht sofort. Diese halbe Sekunde, in der er vor mir sitzt und mich ansieht, reicht, und mir wird wieder schlecht.

Weil er es wusste.

»Ja, ich …« Er stockt. »Du nicht?«

Schlag in die Magengrube.

»Nein.« Ich muss wieder wegschauen. Nicht weinen, nicht weinen, nicht weinen.

Henry wusste es. Warum wusste er es? Warum wusste ich es nicht?

»Er hat mir von ihm erzählt, eine Weile, nachdem Maeve gestorben ist«, sagt er zögerlich. »Freddie ging es damals schon schlechter.«

Ich nicke und kann nur Freddie denken. Freddie. Gideon und Freddie. Gideon Attwell und Frederic Attwell, oder ist Freddie kurz für etwas anderes, und was war mit Freddie, warum ging es Freddie schlechter? Ich will, dass Henry es mir erzählt, aber ich will es auch nicht, denn es führt mir vor Augen, dass Gideon es mir nicht erzählt hat. Warum hat er es mir nicht erzählt?

»Hattet ihr … im Sommer Kontakt?«

Warum stelle ich Fragen, deren Antworten ich nicht ertragen kann?

Henry nickt. »Ich habe ihm geschrieben.«

Ich habe ihm auch geschrieben!

Ich nicke.

»Es kam nicht viel zurück, ich denke, er hat Zeit für sich gebraucht.«

Und Zeit für Clara Berry.

Warum ergibt das alles keinen Sinn?

Und warum nicke ich nur?

»Grace«, sagt Henry. Ich hebe den Kopf. »Rede mit mir.«

»Ich kann nicht.« Meine Stimme klingt fremd. »Ich fühle mich zu verraten, ich … Ich dachte nur, er würde mir vertrauen.«

»Das tut er, Grace.«

Was weißt du schon?

Ich hasse es, so wütend auf Henry zu sein, er ist nach Edinburgh gefahren, auf gut Glück, um seinen Samstag am Bahnhof zu vergeuden und mich abzuholen, obwohl er es nicht müsste, aber ich kann es nicht ändern.

»Ja, garantiert.«

Henry mustert mich, ich kann das spüren, aber entgegen meiner Erwartung fragt er nicht weiter. Nicht *Was ist das eigentlich mit euch beiden?*, nicht *Seid ihr zusammen?*. Und ich sage nichts. Nicht *Ich weiß nicht*, nicht *Nein*, und auch nicht *Henry, es gibt da etwas, das ich dir sagen sollte.*

»Wie geht's Emma?«, frage ich.

»Gut«, antwortet Henry. »Wie geht's dir?«

Mist. Eigentor.

»Gut.«

»Ja?«

»Ja.« Ich drehe das Gesicht weg, weil ich mich wieder daran erinnere, dass Gideon Henry erzählt haben muss, dass ich heimlich kotze. »Freust du dich auf Madrid?«, frage ich, weil ich alles ertrage, außer mit Henry zu schweigen. Das haben wir in den letzten Wochen, bevor es zu Ende ging, schließlich genug.

Ich kann nicht zuhören, als er antwortet. Ich kann nur vor ihm sitzen und mich fragen, ob womöglich ich das Problem bin.

Ich finde keine Antwort. Auch nicht, als wir Ebrington erreichen und Henry fragt, ob er mich nach Hause bringen kann. Ich schüttele den Kopf, weil ich Henry in der Nähe von zu Hause nicht ertrage. Es erinnert mich zu sehr daran, wie er vor meiner Tür stand und mich angesehen hat, so wie ich es bereits befürchtet hatte. Eine Art Déjà-vu, doch anstatt herumzuschreien, dass es aufhören und nicht wahr werden soll, habe ich geschwiegen und genickt, als er gefragt hat, ob er reinkommen kann.

Es war das letzte Mal. Henry war seitdem nie wieder in unserem Haus. Und ich war nie wieder in seinem Zimmer. Ich spüre seinen Blick auf mir, die ganzen vierhundert Meter von der Bushaltestelle vom Ortsschild bis zum Haus der Fultons, hinter dem ich abbiege und die Tränen wieder laufen lasse.

32. KAPITEL

GIDEON

Eine zerbrochene Tasse, leere Drohungen und die mitleidigen Blicke der Haushälterin, das ist das Ergebnis des Streits mit meinem Vater, der in der Küche stand und so getan hat, als wäre nichts geschehen, nachdem Grace abgehauen ist.

Weil er sie weggeschickt hat. Weil ich sie nicht gebeten habe, zu bleiben. Weil ich nicht in der Lage war, irgendetwas Sinnvolles zu sagen, geschweige denn mir Sätze zurechtzulegen für diesen Moment, in dem sie von Freddie erfährt. In meiner Vorstellung gab es ihn nicht. Oder doch? Habe ich bewusst in Kauf genommen, dass sie es herausfindet? Hier bei uns zu Hause, weil ich es anders vielleicht niemals geschafft hätte, ihr von ihm zu erzählen? Wollte ich, dass die Geheimniskrämerei endlich aufhört? Wollte ich, dass es *so* aufhört? Mit einem Knall, ihrer gepackten Tasche und Tränen in den Augen, bevor sie gegangen ist, weil ich eine Million Gelegenheiten hatte, ihr von Freddie zu erzählen, aber einfach nicht konnte?

»Du wirst dafür sorgen, dass dieses Mädchen niemandem etwas erzählt«, sagt mein Vater, eine kleine Espressotasse in der Hand, stoischer Blick, und in dem Moment platzt mir der Kragen.

Ich schreie rum, dass sie nicht nur irgendein Mädchen ist, dass er verdammt noch mal aufpassen soll, was er sagt, wie er von Grace spricht, wie er von Freddie spricht, aber da alles zu nichts führt, reise ich früher ab, was wiederum ihn wütend macht, weil ich jetzt, wo es nichts mehr zu verbergen gibt, immer noch zurückkommen sollte nach London und außerdem die Familie Berry verärgert habe, denn Clara habe mich gesehen, aber ich sei *mit diesem Mädchen* abgezwitschert und habe ihr die kalte Schulter gezeigt.

Ich habe keine Nerven mehr. Das alles, es macht mich noch wahnsinnig. Ich verabschiede mich nicht, ich sehe Mum nicht mehr, und in der Limousine nach Luton will ich heulen, aber stattdessen schreibe ich Henry, Grace schickt endlich ein Lebenszeichen, durch das ich erfahre, dass sie den Zug nach Edinburgh genommen hat. Ich komme etwas nach ihr an, es dämmert, als wir landen, und zurück im Internat ist es fast dunkel geworden.

Henry sagt, Grace sei direkt nach Hause gegangen, also werfe ich meine Reisetasche aufs Bett und gehe auch direkt zu ihr nach Hause. Zumindest habe ich das vor. Es regnet, ich bin klatschnass, weil ich nicht daran gedacht habe, eine Regenjacke mitzunehmen, und als ich im Dunkeln auf den Dachvorsprung geklettert bin, so wie immer, ist ihr Fenster verschlossen. Ich rüttle daran, aber es lässt sich nicht öffnen. Ich klopfe, aber nichts.

Verdammt, sie soll aufmachen.

Ich hämmere gegen das Fenster, aber alles, was passiert, ist, dass im Haus gegenüber das Licht auf der Veranda angeht und der griesgrämige Mr Brundle die Haustür öffnet. Ich versteinere und versuche mit der Dunkelheit zu verschmelzen, bevor er mich auf dem Vordach der Whitmores entdeckt und mit seiner alten, schätzungsweise illegalen Bockdoppelflinte abknallt. Es funktioniert gerade so. Da ich nichts riskieren will und Grace keine Anstalten macht, mich reinzulassen, steige ich wieder runter, sobald er die Tür schließt, nachdem er ein paar Minuten lang angestrengt ins Dunkle gestarrt hat.

Will dich nicht sehen, schreibt Grace, als ich zurücklaufe.

Warum nicht, tippe ich sofort.

Weil ich dich nicht sehen will.

Und das muss ich akzeptieren, auch wenn ich sie sehen will. Aber dieses Privileg habe ich wohl verspielt. Weil ich nicht ehrlich zu ihr war. Aber das war nicht mal absichtlich. Ich … musste es sein, aber musste ich das wirklich? Musste ich mir von meinem empathiebefreiten Vater sagen lassen, was ich zu tun und zu lassen habe, oder verfüge ich über einen freien Willen? Wollte ich unehrlich sein? Wollte ich einfach das verfluchte Stückchen heile Welt bewahren, hier an diesem Internat, wo niemand weiß, was eigentlich los ist hinter den verschlossenen Türen der wichtigen Familie Attwell?

Wollte ich verdrängen, dass Freddie jedes Mal schwächer war, wenn ich nach Hause kam, konnte ich es anders nicht ertragen? Wäre es wahr geworden, wenn ich Grace davon erzählt hätte? Hätte ich dann keine andere Wahl gehabt, als mich damit zu beschäftigen, dass diese Katastrophe unumgänglich ist, hätte ich mich fragen müssen, ob ich häufiger nach Hause fahren sollte, hätte ich begonnen zu bemerken, dass ich es eigentlich bereue, Freddie ehrlicherweise gar nicht zu kennen, ihn auf Abstand zu halten, meinen kleinen Bruder, der bald stirbt, was mir überbewusst ist und zugleich egal?

Ich schnappe nach Luft. Meine Kehle schnürt sich zu, ich weiß nicht, was passiert. Ich setze einen Schritt vor den anderen und verstehe nichts mehr. Keinen meiner Gedanken und auch nichts von allem, was in den letzten vierundzwanzig Stunden passiert ist. Ich habe Grace geküsst. Ich habe

Grace weggeschickt. Ich habe rumgeschrien, ich habe nicht geweint.

Doch ein Blick von Henry reicht, als ich zurück in unser Zimmer komme. Er liegt auf seinem Bett und scrollt, aber er legt das Handy sofort weg, als er mich sieht.

Ich habe keine Lust, vor ihm zu heulen, aber aus irgendeinem Grund kann ich nicht anders.

Ich muss es nicht mal erklären, was irgendwie tröstlich ist, denn wenn es jemanden gibt, der das gerade vielleicht ansatzweise versteht, ist er es. Henry, der aufsteht, mich in den Arm nimmt und nichts sagt, sondern mich nur weinen lässt, was ich auch tue. Währenddessen frage ich mich viel. Ob es leichter war für ihn, weil seine Schwester unerwartet und plötzlich gestorben ist, oder schlimmer, weil es unerwartet war und plötzlich. Ob seine Zeit mit ihr unbeschwerter war, weil er keinen Gedanken daran verschwenden musste, dass sie irgendwann (bald) tot ist, und wann dieses Irgendwann ist und wie bald bald ist. Ob das ein Vorteil ist, weil ihre Beziehung zueinander nicht von dieser lähmenden Angst belastet war, oder ob es deshalb hundertmal mehr wehtut, ob er wenigstens nichts bereut, aber ich kann mir keine Variante eines solchen Verlusts vorstellen, bei der man das nicht tut.

»Ich weiß, dass nichts hilft, was ich jetzt sage«, sagt Henry, und ehrlich gesagt hilft das schon etwas – rein, weil er weiß, dass nichts hilft. »Aber es wird sich nicht für immer so anfühlen. Es wird leichter. Irgendwann, jedenfalls etwas.«

Ich schlucke hart und wische mir über die Nase, ohne Henry anzusehen. »Wann?«

»Ich weiß nicht, denke, das ist individuell.«

Ich schlucke erneut und nicke. Es ist so schwer, nicht weiterzuheulen, also schließe ich die Augen, aber das hilft nicht.

»Du redest mit niemandem drüber, oder?«, fragt er vorsichtig. Ich schüttele den Kopf, ohne die Augen zu öffnen. »Denkst du, es würde dir helfen, mit jemandem zu reden?«

»Ich weiß nicht, was mir helfen würde.«

Genau genommen stimmt das nicht. Vielleicht würde es helfen, wenn Grace' Fenster einen einladenden Spaltbreit offen gestanden hätte. Wenn ich in ihrem Bett liegen würde, wenn es mich so zerreißt wie jetzt, wenn sie mit mir schweigen und mich bitten würde, sie festzuhalten, weil ich sie nie bitte, mich festzuhalten, aber vielleicht hätte ich dazu nicht so verdammt verschlossen sein sollen, sondern ehrlicher. Warum fällt mir das so scheißschwer?

Henrys Handy summt.

»Sinclair fragt, was wir machen«, murmelt Henry. »Er will rüberkommen. Warte, ich wimmle ihn ab.« Er beginnt zu tippen, aber ich schüttle den Kopf.

»Nein, er kann kommen.«

Henry hält inne. »Bist du sicher?«

»Ja, Ablenkung ist besser. Ich geh nur kurz duschen.«

In der Hoffnung, dass mir Sinclair anschließend nicht direkt ansieht, dass ich geheult habe, verbringe ich so viel Zeit unter dem Strahl, bis das Wasser langsam kalt wird.

Er bemerkt es nicht. Er reicht mir ein Bier, mit dem wir leise anstoßen, als kurz darauf auch Omar zu uns stößt. Ich höre ihnen zu und verstehe nichts, während sie vom Wochenende erzählen und über Madrid reden, und ich weiche auch Henrys Blicken aus, wenn er mich zwischendurch prüfend ansieht, weil ich keine Lust habe, wieder zu heulen. Ich bin nicht ansatzweise betrunken, als die anderen irgendwann gehen. Leider. Ich bin nüchtern, ich kann klar denken und noch klarer fühlen. Viel zu viel, alles auf einmal. Ich wünschte, ich müsste es nicht.

33. KAPITEL

GRACE

Ich bin eine schlechte Freundin, und das ist ein Fakt. Andernfalls hätte ich die Nachricht von Olive früher beantwortet, die sie mir übers Wochenende geschickt hat.

Samstag: *Ich komme heute raus!!*

Samstagabend: *Meine Eltern wollen, dass ich die Elfte wiederhole …*

Samstagnacht: *Ich kann das nicht ohne euch.*

Sonntagmorgen: *Sie bringen mich heute zurück ins Internat. Bei dir alles okay?*

Erst Sonntagvormittag schaffe ich es, ihr mit einem *Omg, was?* zu antworten und zugleich die Nachrichten in der *Olive kommt zurück*-Gruppe zu lesen, die Tori erstellt hat. Ich kann mich nicht beteiligen, während sie, Emma und die anderen eine Welcome-back-Party für Olive planen. Gideon beteiligt sich auch nicht. Stattdessen schreibt er mir privat, *Können wir reden?*, woraufhin ich ihn weiter ignorieren muss. Für den Bruchteil einer Sekunde überlege ich sogar, eine Ausrede zu erfinden, um ihn später nicht sehen zu müssen, wenn wir uns in Olives Zimmer treffen, um sie zu überraschen. Ich will ihn nicht sehen, und ich will auch nicht mit ihm reden. Ich will nicht mal an ihn denken. Gideon, der mir jetzt vorkommt wie ein Fremder. Es ist fast so demütigend wie damals, als ich verstanden habe, dass Henry nur noch anstandshalber mit mir in einer Beziehung ist und den richtigen Moment abwartet, um es zu beenden. Vielleicht ist es auch demütigender.

Unter normalen Umständen hätte ich meinen Freundinnen womöglich davon erzählt, aber nicht heute. Heute zwinge ich mich zu lächeln, als Tori später fragt, wie es in London war. Sage *Schön*, schaue Gideon nicht an, bete, dass Henry den Mund hält und niemandem davon erzählt hat, dass er mich gestern in Edinburgh am Bahnhof eingesammelt hat.

Hinter meinen Schläfen pocht ein dumpfer Schmerz, der damit zu tun hat, was ich vorhin noch machen musste, um es überhaupt zu schaffen, wirklich herzukommen. Gideon reicht ein Blick, um das zu verstehen. Er kommt in das letzte freie Einzelzimmer, das Olive gleich beziehen wird, schaut mich an, und sein Gesicht wird hart und verzweifelt.

Meine Augenbrauen fühlen sich schwer an, Tori verteilt Papiertröten, Sinclair packt den Kuchen aus, den er aus der Bäckerei seines Vaters entführt und mit einem *Welcome home, Livy*-Schriftzug aus Zuckerguss verziert hat. Ich weiß, dass Gideon meine Reaktion analysiert, als ich den Kuchen sehe. Ich weiß, dass er mein rasendes Herz spürt, ich weiß, dass er zu mir kommen, mein Kinn anheben und mich zwingen will, ihm ins Gesicht zu sehen, wenn ich jetzt Panik bekomme, wegen einem dämlichen Gebäck, von dem ich gleich werde essen müssen. Ich konzentriere mich auf das Brennen in meinem Rachen und das Rumoren in meinem Magen, meine Rippen, die leicht schmerzen, und mein Herz, das blutet, nachdem er es mir aus der Brust gerissen hat. Weil ich kurz dachte, ihn zu lieben. Ihm vertrauen zu können. Mich noch mal so zu öffnen, wie ich mich schon einmal bei jemandem geöffnet habe. Es endet immer wieder gleich, und es hat keinen Zweck, wenigstens kann ich mir diesbezüglich nun sicher sein.

Es fühlt sich an, als wäre ich durch eine unsichtbare Wand von den anderen getrennt, als Sinclair zurück vom Flur kommt, wo er Wache gehalten hat, und wir uns in Position begeben. Gideons Finger streifen meinen Arm, und die Welt wird schwarz, weil ich ihn so sehr vermisse und es einfach nicht lerne. Meine Lippen pochen, ich schaffe es nicht, wegzuschauen, als sich unsere Blicke treffen. Sie begegnen sich, verhaken und verknoten sich, genau wie unsere Herzen.

Die Tür öffnet sich, wir schauen nach vorn, Gideons Hand berührt meine, dann zieht er sie weg. Olive ist mitten im Türrahmen stehen geblieben.

»Willkommen zurück!«, ruft Tori, Sinclair bläst in eine Papiertröte, Emma und Henry werfen Konfetti, und Olive sieht aus, als würde sie jeden Augenblick vor Schreck umfallen.

»Was tut ihr hier?«, bringt sie hervor, ohne sich zu bewegen.

»Auf dich warten natürlich«, sagt Tori und läuft auf Olive zu, die sichtlich mit den Tränen kämpft.

Meine Kehle schnürt sich zu, weil Olive zurück im Internat ein Anblick ist, von dem ich mir im Sommer nicht sicher war, ihn noch einmal zu erleben.

»Hör auf zu weinen«, sage ich zu ihr und mir selbst, als ich sie auch umarme. Gideon schaut mich immer noch an. Ich will Olive alles erzählen, London, dieser Kuss, wie ich kurz dachte, wir hätten eine Chance, aber sie sieht müde aus und angestrengt. Ich hasse dieses Gefühl, mir solche Sorgen um sie zu machen.

Später sitzen wir überall in Olives neuem Zimmer verteilt, und Henry und sie erzählen davon, dass morgen mit ihr ein weiterer neuer Schüler in der elften Klasse starten wird. Wohl aus Amerika, und aus Platzmangel wird er sich das Zimmer mit Sinclair teilen. Während Olive uns einigermaßen entschlossen von ihren Plänen berichtet, nach ihrem achtzehnten Geburtstag in ein paar Wochen zurück zu uns in den Abschlussjahrgang zu wechseln, dann, wenn ihre Eltern ihr das nicht mehr verbieten können, sehe ich in den Gesichtern der anderen, dass wir alle an das Gleiche denken. An Madrid, die Studienfahrt, bei der Olive nicht dabei sein wird, und an den Unterrichtsstoff, den sie bereits verpasst hat und bis November noch verpassen wird.

Keiner von uns spricht es aus, aber alle wissen es: Unsere Gruppe, so, wie wir sie kannten, existiert nicht mehr. Es hat uns zerschlagen, und es wird nie wieder so, wie es war. Nicht wegen Olive, die eine Lücke hinterlassen hat, sondern wegen … allem. Weil alles viel zu kompliziert geworden ist. Weil Henry und ich uns getrennt haben. Weil ich Gideon kaum in die Augen schauen kann. Weil alles den Bach runtergeht.

Henrys Gesicht ist glatt und irgendwie blass, und als er mich zwischendurch ansieht und damit das Universum wiederherstellt, in dem wir beide mal existiert haben, weiß ich, dass er das Gleiche denkt. Wie konnte es so werden? Wie kann das unser letztes Schuljahr sein? Hört es so also auf?

Wir drücken Olive zum Abschied und wünschen ihr eine gute Nacht, als Ms Barnett uns zur Flügelzeit aus ihrem Zimmer vertreibt. Emma und Tori huschen nach nebenan, ich folge den Jungs zum Treppenhaus, wo sie nach oben auf ihre Etage gehen und ich nach unten, nach draußen, nach Hause. Allein.

Gideon hält den schweren Flügel der Holztür auf, ich schlüpfe unter seinem Arm hindurch, murmele ein »Nacht«, bemerke aus dem Augenwinkel, wie Henry und Gideon wieder ihre stummen Kräftemessen-Blicke austauschen, deren Bedeutung ich vielleicht nie verstehen werde, dann läuft Gideon mir nach, und Henry verschwindet mit Sinclair nach oben.

»Soll ich …?«, höre ich ihn fragen. Seine Stimme klingt fremd und hohl im dunklen Treppenhaus. Und ich bin es leid. Ich bin es so verdammt leid, ich kann nicht mehr und ich will einfach, dass es aufhört.

»Nein.«

»Grace …«

»Ich habe Nein gesagt!« Ich fahre zu ihm herum. »Was genau verstehst du daran nicht?«

Alles, sagt sein Blick. Schwere Brauen, Mundwinkel, die nach unten zeigen.

Ich auch nicht, blinzele ich.

Meine Finger sind kalt, mein ganzer Körper sehnt sich nach ihm und seiner Berührung, nicht nur, weil ich keinen blassen Schimmer habe, wie ich ohne ihn ein Auge zumachen soll, sondern auch weil ich plötzlich Angst bekomme, dass London das, was wir hatten, unwiederbringlich beschädigt hat.

Nicht London, er. Er, Gideon, hat das. Er hat die Wurzeln des Baumes unserer Freundschaft, unserer Liebe, was auch immer es war, erst freigelegt, diesen schrecklichen Sommer über verdursten lassen und nun mit einem herzlosen Ruck aus dem Erdreich gerissen. Der Stamm war krank, es war nur eine Frage der Zeit, bis der Baum alle Blätter verloren hätte und einen erbärmlichen Tod gestorben wäre, aber noch steht er da, in seiner ganzen, atemberaubenden Pracht. Ich schlucke, und dann sage ich die vielleicht schwersten Worte meines Lebens.

»Komm nicht mehr vorbei.«

Gideon zuckt zusammen, als hätte ich ihm ins Gesicht geschlagen. Habe ich vermutlich auch. Wollte ich definitiv.

Er nickt nach einem Augenblick.

Ich drehe mich um und renne die Treppe runter.

Stufe für Stufe für Stufe, bis ich ganz unten bin.

Was habe ich getan?

34. KAPITEL

GIDEON

Die Nacht war schrecklich, in meinem eigenen Bett, ohne Grace, dafür mit meinem Vater, der sagt *Darüber wird nicht diskutiert*, bis ich aufwache, nicht neben Grace, die gesagt hat, dass ich nicht mehr vorbeikommen soll. Ich bin ihr nicht nachgelaufen. Hat mich fast umgebracht. Aber ihre Worte waren deutlich, und ihr Blick war verletzt.

Noch vorletzte Nacht lag ich neben ihr, habe sie gehalten, habe sie geküsst, der beste Tag meines gesamten Lebens, bevor alles kaputtgegangen ist.

Mein Körper, mein Geist, meine Seele, seit Jahren haben sie sich auf diesen Moment vorbereitet, und ich … vermassele es. Lasse sie gehen. Habe sie angelogen, aber es war ja keine richtige Lüge, es war kein Verrat, das weiß sie doch. Weiß sie es?

Wie soll sie das wissen? Weiß sie, dass ich sie liebe? Ich habe es ihr nie gesagt, aber es ist doch selbsterklärend. Dachte ich. Hoffte ich. Verdammte Scheiße.

Ich schlafe nicht mehr ein, bis irgendwann der Wecker klingelt und ich mich rausquäle in den schottischen Nieselregen, der wenigstens zu meiner Stimmung passt. Neun Grad, grauer Himmel, der Sommer ist offiziell Geschichte. Beim Morgenassembly geht es um irgendeine zerstörte Glasvitrine mit den Trophäen der Schwimmmannschaft, die komischerweise aber nicht entwendet wurden. Beim Frühstück gibt es kein anderes Gesprächsthema. Olive setzt sich zu uns, Mr Acevedo schickt sie rüber an den Tisch der Elftklässler, wo sie den Neuen, einen großen Typ mit dunklen Haaren und tödlichem Blick, ihrerseits mit Blicken erdolcht. Ich denke nur an Grace.

Sie geht mir offensichtlich aus dem Weg, bis wir uns später beim Unterricht sehen. Ich bekomme rein gar nichts von ihr. Keinen Blick, kein Wort, keine Reaktion, den gesamten Vormittag über.

Beim Mittagessen auch nicht, sie haut direkt danach ab, trifft sich später mit Henry, um etwas für ihre gemeinsame Abiballmoderation vorzubereiten, wie ich von Henry erfahre, woraufhin ich ihn wieder hasse, aber ich hasse ihn nicht so sehr wie mich selbst. Als er anschließend wieder bei uns auftaucht und erwähnt, dass Grace in die Bibliothek gegangen ist, setzen sich meine Beine wie von selbst in Bewegung.

Sie liebt die Bibliothek. Ich liebe sie in der Bibliothek. Grace zwischen Tausenden alten Büchern, deckenhohen Regalen aus aufwendig verziertem Nussbaumholz, antiken Tischleuchten, ein Anblick wie aus einem Gemälde. Sie bemerkt mich nicht, sitzt vor ihrem Laptop, genauer gesagt vor einer leeren weißen Seite ihres Dokuments, was bedeutet, dass sie nicht schreiben kann, was wiederum bedeutet, dass es ihr wirklich schlecht geht, und das, ihr ahnt es, ist der Beweis dafür, dass ich ein Arschloch bin.

Sie bewegt sich nicht, während ich mich neben sie setze. Vermutlich hat sie mich gespürt. Gehört, gerochen, gefühlt, was auch immer, es beruhigt mich fast. Aber eben nur fast.

Sie wendet sich mir nicht zu, blickt starr nach vorn, schluckt bemüht. Meine Augenbrauen fühlen sich tonnenschwer an.

Sie blinzelt mehrfach.

»Bitte«, sage ich leise. »Lass es mich dir erklären. Es ist absolut beschissen gelaufen.«

Ein langgezogenes »Shhh« ertönt. Ich verstumme, und Grace legt die Finger auf die Tastatur ihres Laptops, aber sie tippt nicht.

»Grace.« Ich beuge mich weiter zu ihr. »Ich wollte nicht …«

»Gideon Attwell«, wispert Mr Elling, der plötzlich hinter uns auftaucht. »Es handelt sich hier um einen Arbeitsplatz der Stille. Und um die erste Verwarnung.«

Ich atme schwer aus und drücke die Zunge gegen meine Unterlippe, bevor ich antworte: »Ja, Sir.«

Grace bewegt sich nicht. Nur ihr Finger tippt auf einer Taste. Sie löscht Wörter von der Seite zuvor. Von einer Geschichte, die niemand kennt außer mir.

»Grace, ich …«

»Warum hast du mich geküsst?«

Erst nach einem Augenblick dreht sie sich zu mir. Erst als ich nichts sage. Ich öffne den Mund, aber es kommt kein Ton raus.

In ihren Augen flackert etwas. Ich bekomme Angst.

Warum, Gideon?

Weil …

Weil ich …

Verdammt, weil ich sie liebe. Weil ich, seitdem ich denken kann, fast nichts anderes will. Weil ich es schon so lange will, so ewig, so heimlich und hoffnungslos, dass es mir fast unmöglich vorkommt, es laut auszusprechen.

»Ich …«

Ihre Augenbrauen zucken. Erwartungsvoll, ängstlich. Mein Puls rast.

»Ich weiß nicht.«

Von all den Antworten, die ich ihr hätte geben können, war das die schlimmste. Ich sehe es in ihren Augen, in denen etwas erstirbt. Ein Licht, das erlischt, eine Flamme, die noch mal hochzüngelt, bevor sie kläglich erstickt. Nur noch kalter Rauch. Das unterdrückte Keuchen, das ihr entfährt, fast wie ein stummer Schrei. Ihr Gesicht, das blass wird und glatt, hart, und ich will es in die Hände nehmen, ihr in die Augen blicken und sagen, dass sie das einzige Mädchen auf der ganzen Welt ist. Sie oder nichts. Aber ich komme nicht dazu, denn ihr Blick wird glasig, ihr Blinzeln heftiger. Sie steht auf und schlägt ihren Laptop zu. Mr Elling rauscht um die Ecke, ich springe ebenfalls auf. Da wir nicht miteinander reden, kann er uns keine zweite Verwarnung aussprechen, aber er starrt mich warnend an, während Grace ihren Laptop nimmt, ihr Notizbuch, ihre Tasche und an ihm vorbeiläuft. Ich erwische sie draußen vor der großen Flügeltür der Bibliothek, bekomme sie am Ellbogen zu fassen, sehe sie herumwirbeln, will sie küssen. So sehr.

Sie schreit nicht, sie spricht ruhig, erstickt, kühl, was tatsächlich so viel schlimmer ist.

»Es gibt nichts, was du mir erklären müsstest. Dass du jemanden verloren hast, tut mir leid, doch es geht mich offensichtlich nichts an, und dass du mir nicht davon erzählt hast, respektiere ich. Aber du musst auch meine Entscheidung respektieren.« Sie schluckt schwer. »Und ich … Ich kann das nicht noch mal. So verletzt werden. Das mit Henry, es hat zu wehgetan. Deshalb nein, ich will nichts mehr hören, du sollst nichts erklären, lass uns einfach irgendwie weitermachen. Jeder für sich. Das ist alles, worum ich dich bitte.«

Eine Rede, die sie ganz klar vorbereitet hat und die mich kalt erwischt. Einfach normal weitermachen. Jeder für sich. Was soll das heißen? Sich aus dem Weg gehen, nicht mehr miteinander sprechen, nicht mehr bei ihr übernachten? Ich schwanke fast, weil es sich so anfühlt, als würde sich der Boden unter mir bewegen.

Grace schaut mir eine Sekunde lang weiter ins Gesicht, dann schließt sie die Finger fester um ihren Laptop, presst ihn sich gegen die Brust und läuft davon. Und ich falle in dieses Loch, das sich unter meinen Füßen auftut, und weiß nicht, wie man daraus je wieder auftauchen soll.

35. KAPITEL

GIDEON

Ich falle für eine lange Zeit. Die Woche fühlt sich jedenfalls lang an, jeder Tag fühlt sich lang an ohne sie, jede Sekunde. Sie ist dauernd bei Tori und Olive.

Vermutlich fühlen wir uns alle mies, aber wir vermeiden das Madrid-Thema vor Olive nach Möglichkeit, obwohl Mr Acevedo uns in dieser Woche eine Mail nach der anderen zum Ablauf der Studienfahrt, den genauen Treffpunkten und Uhrzeiten zur Abreise schickt.

Es ist scheiße, ich wäre auch dafür, dass Olive einfach mitkommt, aber dass sie körperlich noch nicht wieder ganz belastbar ist und ein straffes Programm mit hundert Museumsbesuchen, Ausflügen und anderen Aktivitäten in der Großstadt momentan wohl noch eine Nummer zu groß ist, ist ebenfalls kein Geheimnis.

Allerdings scheint in Olives Kopf gerade sowieso für nicht viel anderes Platz zu sein als für diesen Neuen aus den Staaten, dessen Name Colin lautet, wie ich inzwischen herausgefunden habe. Hatte bislang noch nicht wirklich was mit ihm zu tun, aber irgendwie ist er mir auf die Distanz sympathisch mit seiner verschlossenen Art. Olive geht er arg auf die Eierstöcke, sie kann quasi über nichts anderes reden als ihn. Sinclair und ich sind uns einig, dass sie insgeheim auf ihn steht, was wir nie laut aussprechen würden, weil wir keine Todessehnsüchte hegen.

An diesem Abend sind beide bei der Mitternachtsparty mit den Elfern mit von der Partie, und Olive findet etwas über Colin heraus, woraufhin sie plötzlich ganz aufgeregt und besorgt ist und dann mit ihm nach draußen verschwindet. Grace folgt ihr nicht. Grace schaut mich nicht an. Ich lasse mich volllaufen und denke an den Abend letzten Frühherbst, als *ich ihr* nachgegangen bin. Ungefähr ein Jahr ist das jetzt her. Hätte sie draußen fast geküsst. Ich wollte es so sehr, aber sie ist zurückgewichen. Damals war sie noch mit Henry zusammen, und ich dachte, vielleicht irgendwann. Vielleicht anschließend. Vielleicht habe ich eines Tages eine Chance. Vielleicht hatte ich die. Ganz sicher weiß ich nur eines: Ich habe sie verspielt.

Mein Griff um die Flasche ist fest, es würde mich nicht stören, wenn das Glas in meiner Hand zerspringt. Meine Haut aufschneidet und sich in mein Fleisch bohrt. Wünschte, ich müsste das fühlen und nicht diesen anderen Schmerz.

Ich kann das nicht noch mal. So verletzt werden.

Rugby hilft nicht, Morgenlauf hilft nicht, für Madrid packen hilft nicht, denn wenn ich an Madrid denke, denke ich auch an Maidenhead und Clara Berry, und dann kommt wieder die Verzweiflung, und ich muss mich an Clara Berry unter mir erinnern und an ihr Gesicht während meiner verzweifelten Stöße, das ich eigentlich kaum wahrgenommen habe, weil ich die Augen zwar nicht geschlossen hatte, aber trotzdem nur Grace gesehen habe. Ich sehe immer Grace. Grace in der Schuluniform, Schottenkaro, kurzer Rock, Ultra-mini-Laufshorts, Sport-BH, Bikinis im Sommer, dieser rote im Triangel-Schnitt, fuck, ihr wisst nicht, wie sie in diesem roten Bikini aussieht. In meinem riesigen Dunbridge-Rugby-Shirt, in ihrer Unterwäsche, nur in

Slip und einem dunkelblauen Spitzen-BH. In meinen Armen. In meinem Bett. Mein Mund auf ihrem. Ihr glänzendes Haar. Mein harter Schwanz, weil ich wieder von ihr geträumt habe, ihre weichen Hände, ihr Hintern, ihre Taille, ihre Schultern, ihr Hals, mein Gott. Ihr Hals. Ich glaube, ich habe Fieber.

Habe ich nicht. Ich habe es nur verkackt. Am Flughafen wird es mir wenige Tage später vollumfänglich bewusst, als wir aus dem Bus steigen und sich die Maidenhead-Köpfe zu uns drehen. Clara Berry wächst sieben Zentimeter und schüttelt ihr Haar. Vermutlich wartet sie auf eine Begrüßung, die durchaus angemessen wäre, aber Grace steht drei Armlängen von mir entfernt, was drei zu viel sind, schaut von mir zu Clara und versteht es sofort. Welche es ist.

Auf ihrem Gesicht breitet sich der *Henry liebt Emma*-Ausdruck aus. Blanker Schmerz. Subtil natürlich. Nicht subtil genug, nicht für mich. Ich hasse es. Dass ich ihr das angetan habe. Dass ich nicht besser bin als ihr Ex, der wenigstens mal ihr Freund war, aber ich war nie irgendetwas und werde es auch nicht sein. Weil sie das nicht noch mal kann.

Mir ist nur schlecht.

Vor den Check-in-Schaltern bilden sich zwei Lager, Dunbridge und Maidenhead, die schließlich von Omar und Anastasia, seiner Freundin, vereint werden, was auch Clara Berry dazu bringt, sich in meine Richtung zu bewegen. Ich spüre Grace' glühenden Blick im Rücken, während ich mit Clara rede, ohne anschließend zu wissen, was ich eigentlich gesagt habe.

Dann werden wir von Mr Acevedo und der Maidenhead-Lehrerin Richtung Terminal getrieben. Das Schicksal hasst mich, der auf meinem Boardingpass vermerkte Platz befindet sich bei Henry und Omar, nicht bei Grace. Ich stehe reglos daneben, während das große Plätzetauschen beginnt, weil Emma bei Henry sitzen will und Tori bei Sinclair. Und ich bei Grace, aber Grace nicht bei mir, oder doch? Ich suche ihren Blick, aber als ich ihn finde, steht sie bei einer Gruppe Maidenhead-Jungs, mit denen sie sich unterhält. Sie lacht sogar und schüttelt ihr Haar, woraufhin mir noch ein bisschen übler wird.

»Wirklich? Sprichst du es fließend?«, höre ich sie fragen, weil egal wo wir sind und egal wie laut es ist, ich höre Grace immer, wenn ich mich nur ausreichend konzentriere. Spanisch, meint sie. Sie liebt Spanisch. Ich kann kein Spanisch. Henry schon.

»Ja, bin zweisprachig aufgewachsen«, sagt der zweisprachig aufgewachsene Typ mit diesen fast schwarzen Haaren und braunen Augen. »Meine Eltern haben Anwesen in Valencia und auf Mallorca.«

Mein Gott. Valencia-und-Mallorca-Typ macht eine wegwerfende Handbewegung und lächelt nonchalant, als Grace beeindruckt *Wie aufregend* sagt und ihn für ihre Verhältnisse schamlos mustert. Als wäre ihr so etwas wichtig. Ist es nicht. Aber er ist ihr Typ. Haare wie Henry, aber dunklere Augen, athletisch und schlank, außerdem ausreichend viel größer als sie, damit sie sich klein und beschützt fühlen kann. Ich beschließe, ihn zu hassen. Er stellt ihr seine Freunde vor. Ihr Blick findet mich erneut, wird kurz weich, dann trotzig, dann redet sie weiter mit ihnen. Alles, um mich abzufucken. Und es funktioniert.

»Sitzt du bei uns?«, erkundigt sich Clara Berry, die in diesem Moment neben mir auftaucht. Sie blinzelt zu mir rauf und fasst sich in die Haare, weil sie wahrscheinlich in irgendeinem TikTok gesehen hat, dass es Typen den Verstand raubt, wenn sie sich in die Haare fasst. Ich überlege, ob Grace sich je in die Haare fasst. In der Regel fasst sie eher mir in die Haare, das raubt mir tatsächlich den Verstand.

»Nee, sorry«, sage ich zu Clara Berry, obwohl ich es ja nicht mal weiß. Doch wenn es sein muss, sitze ich gerade lieber bei meinen sich betatschenden Pärchen-Freunden als bei ihr.

Genau so kommt es schließlich auch. Grace bleibt bei Tori und Sinclair, ich bei Emma und Henry. Es ist der nervigste Flug meines Lebens, und als wir in Madrid landen, ist es draußen dunkel. Mr Acevedo und die Maidenhead-Lehrerin scheuchen uns in den Reisebus, ich schöpfe kurz Hoffnung und verliere sie wieder, weil Grace bereits bei Tori sitzt, und lasse mich neben Ollie fallen. Ich schließe die Augen, nicht weil ich müde bin, sondern weil ich nur will, dass wir endlich ankommen, unsere Zimmer beziehen können und ich vielleicht, mit viel Glück, eine Chance habe, Grace irgendwo abzupassen und noch mal mit ihr zu reden. Worüber auch immer. Schließlich ist alles gesagt. Vielleicht darüber, ob das hier normal weitermachen ist oder eher unser Ende.

36. KAPITEL

GIDEON

Ich schlafe tatsächlich ein, und als wir angekommen sind, stößt Ollie mich an. Wir steigen aus, die Luft riecht anders, wärmer, dreckiger, nach Pisse und Marihuana, woraufhin ich bemerke, dass wir wirklich hier sind. In einem anderen Land, dessen Sprache ich nicht verstehe. Grace' zweisprachig aufgewachsener Typ quatscht eine halbe Minute später mit zwei schräg aussehenden Männern, wechselt Blicke mit seinen Freunden, dann einen Fünfziger und per Handschlag ein kleines Plastiksäckchen, was Grace bemerkt und jegliches Interesse verliert.

Ich entspanne mich wieder etwas, weil sich der Kerl selbst disqualifiziert hat. Tja, Pech.

Leider hat Mr Acevedo nichts mitbekommen, und ich bin niemand, der andere verpfeift, lieber lasse ich einfach die Zeit für mich arbeiten und Mr Acevedos Intuition, dank der er normalerweise mitbekommt, wenn jemand gegen die goldenen Regeln verstößt: keine Drogen, kein Alkohol, kein Rauchen, Einhalten der Bettzeit oder wieder ab nach Hause. Diesmal scheint sie ihn jedoch im Stich zu lassen.

Wir hieven unser Gepäck die Eingangsstufen unserer Unterkunft hinauf. Das *Hostal* ist ein Schloss in der westlichen

Innenstadt mit hohen Decken, quietschendem Parkett und einem lässigen Spanier an der Rezeption, der vielleicht Ende zwanzig ist und den Mädels während der Schlüsselausgabe lüsterne Blicke zuwirft. Meine aufgehellte Laune verdüstert sich wieder, als er Grace beim Check-in offensichtlich anbaggert. Ich beschließe, auch ihn zu hassen.

Er redet unnötig lang mit ihr, auf Spanisch, woraufhin ich am liebsten hinrennen und ihm die Fresse polieren würde. Sie lacht, dann wirft sie einen kurzen Blick über die Schulter, um sich zu vergewissern, dass ich es sehe.

Tori und Henry beobachten das ebenfalls mit Mienen, die man bestenfalls skeptisch und schlechtestenfalls angewidert nennen könnte, und ich hoffe, dass Tori ihn Grace später madigmacht. So was kann sie ziemlich gut.

Henry hat unseren Schlüssel abgeholt, wir beziehen ein Zimmer in der zweiten Etage, Stockbetten, Blick auf die kunstvollen Fassaden der gegenüberliegenden Häuser.

»Was soll's«, murmelt Sinclair und wirft sich auf eines der Betten, das böse quietscht und das ganze Gestell zum Wackeln bringt. Ich kann nur an Grace und den beschissenen Rezeptions-Typen denken. Um auf andere Gedanken zu kommen, gehe ich später noch mit den anderen raus, was eigentlich verboten ist, weil ab dreiundzwanzig Uhr Madrid-Flügelzeit gilt und wir in unseren Betten zu sein haben. Keine Ahnung, ob Mr Acevedo ernsthaft glaubt, dass sich daran jemand hält. Grace und die Mädels sind nicht mitgekommen. Es ist also unglaublich sinnlos, mit Sinclair, Henry und Omar in einer Bar Tequila zu exen, und ich überrede sie nach dem zweiten Glas wieder zurückzugehen.

Die Nacht ist Horror, die Betten sind scheiße, die Wände dünn, und draußen rast ab vier Uhr nachts die Müllabfuhr durch die engen Straßen, aber wenigstens verhindert das alles, dass ich vom wurmzerfressenen Sarg meines kleinen Bruders träume. Ich träume gar nicht. Ich schlafe auch nicht, zumindest kommt es mir so vor.

Am Morgen sehe ich Grace während der Frühstückszeit am Kaffeeautomaten bei diesem Ficker vom *Hostal* stehen und möchte mich übergeben, als ich höre, wie sie seinen Namen benutzt, der Paolo lautet. Ich verabscheue, dass ich nicht verstehe, was sie sagen, weil ich Französisch gewählt habe statt Spanisch. Nicht der größte Fehler meines Lebens, aber er gehört dazu, denn jetzt kann ich hier stehen und mich fragen, worum es geht, in den angeregten Gesprächen, die Grace mit Paolo führt, und dabei offensichtlich nicht checkt, wie unangenehm er sie anstarrt. Macht er ihr Komplimente? Ist er unhöflich? Ich wünschte fast, er wäre unhöflich, damit ich rüberkommen und ihm eine Ansage machen könnte, aber ich habe keine Ahnung. Ich weiß nur, dass Grace noch wütender auf mich wäre, wenn ich mich jetzt so aufspielen und den eifersüchtigen Macker raushängen lassen würde.

Jedenfalls bin ich gottfroh, als wir schließlich mit unseren gepackten Rucksäcken rausgehen, wo Mr Acevedo bereits mit ein paar anderen wartet.

»Als Treffzeitpunkt hatten wir neun Uhr vereinbart«, erinnert er, während die letzten endlich eintrudeln. »Neun Uhr sin tempore. Victoria, was bedeutet das?«

»Hm?« Tori hebt den Blick von ihrem Handy. »Sin tempore? Ohne … Zeit? Also neun Uhr plus minus ein paar Minuten?«

»Neun Uhr sin tempore bedeutet neun Uhr glatt und nichts anderes. Keine Minute später. Auf der akademischen Viertelstunde könnt ihr euch ab Herbst ausruhen, sobald ihr an den Universitäten seid.« Mr Acevedo scheucht ein paar Maidenhead-Leute rüber zu ihrer Gruppe, die, Gott sei Dank, wenigstens ein eigenes Programm verfolgt und nicht mit uns gemeinsam unterwegs sein wird. »Sind nun alle hier? Eine vollständige Anwesenheit ist von großer Wichtigkeit, wenn wir unser Konzept *Eigenverantwortliches Verhalten plus nachmittäglicher Freiheiten* weiterhin umsetzen wollen. Wir testen das heute, und wenn es nicht funktioniert, war es das mit den Freiheiten, Volljährigkeit hin oder her.«

Sinclair rollt mit den Augen.

»Charles, noch eine respektlose Geste dieser Art, und deine Mutter wird von mir hören.« Mr Acevedo atmet genervt durch. Ich hasse es, wenn er die Autoritätsperson raushängen lässt, aber anscheinend geben wir ihm das Gefühl, es wäre nötig. »Das ist kein guter Start dieser Fahrt. Nun, wir brechen jetzt auf. Uns erwartet ein Fußmarsch durch die Weststadt. Bleibt zusammen, blockiert keine Radwege und trödelt nicht.«

GRACE

Die anderen stöhnen schon nach knapp zwei Stunden gequält rum, als Mr Acevedo uns endlich eine kurze Pause zugesteht, nachdem wir das obligatorische Gruppenfoto für die Schulzeitung gemacht haben. Gideon stand dabei plötzlich bei mir. Wenig überraschend. Er ist schon den ganzen Morgen immer irgendwie in meiner Nähe und lässt mich nicht aus den Augen.

Er kommt mir wieder entspannter vor, seit wir die Maidenhead-Gruppe und das *Hostal* hinter uns gelassen haben. Kein Wunder. Er kann so dumm eifersüchtig sein, vorhin sah er aus, als hätte er Paolo von der Rezeption am liebsten eine verpasst, nur weil wir uns unterhalten haben. Er kotzt mich an, wenn er so ist, aber ich bin ja kaum besser und lasse mich darauf ein, weil ich es nicht ertrage, bemitleidenswert in der Ecke zu stehen, während Clara Berry, die noch viel schöner, noch viel dünner und noch viel blonder ist als in meiner Vorstellung, mit den Wimpern klimpert und zu ihm hochblinzelt. Mich hat sie keines Blickes gewürdigt, was unglaublich ist, wenn man bedenkt, dass jeder weiß, dass Gideon und ich zusammengehören. Zusammengehört haben. Was auch immer. Wir tun es nicht mehr. Weil er nicht weiß, warum er mich geküsst hat. Genauso wenig, wie er weiß, warum er sie gevögelt hat. Ich hasse ihn. Und ich bin verloren ohne ihn.

Er trottet mir hinterher, als ich während einer kleinen Pause an der Plaza Mayor in einen Touriladen gehe, der aussieht, als könnte er Mitbringsel für Gus und Greg führen, an die sie mich vor meiner Abreise pausenlos erinnert haben. Es hat nur noch genervt, ich habe doch auch keine Ahnung, was und ob ich ihnen etwas aus Spanien mitbringe, aber jetzt bin ich hier, und irgendwie fehlen sie mir. Vor einem Ständer mit bestickten Kappen, die so hässlich aussehen, dass sie fast schon wieder cool sind, halte ich an.

Gideon folgt mir kommentarlos und bleibt in meiner Nähe stehen. Ich bin froh, dass er da ist, und gleichzeitig hasse ich es.

»Welche würde man cool finden?«, frage ich mit Blick auf die Mützen, ohne in Gideons Richtung zu sehen. Er kommt sofort näher, woraufhin sich mein Herz etwas fallen lässt.

»Wenn man Greg und Gus wäre?«, vermutet er.

Ich nicke, und als ich doch zu ihm aufblicke und etwas in seinen Augen sehe, diesen Schatten, der mir schon manchmal aufgefallen ist, den ich aber nie einordnen konnte, schmerzt mein Brustkorb. Jetzt verstehe ich es. Woran er denkt, wenn er so aussieht, gefasst, überfordert, ein wenig traurig, *todtraurig*, sobald es um meine kleinen Brüder geht. An seinen kleinen Bruder, von dem niemand etwas wissen darf, außer Henry. Das Puzzleteil, das mir gefehlt hat, um das widersprüchliche Mosaik zu begreifen, das Gideon Attwell ist.

»Die hier.« Er nickt zu der roten und der grünen. Ich verziehe das Gesicht. »Doch«, fügt er hinzu. »Die werden ausrasten.«

Hättest du die auch für deinen Bruder ausgesucht?

Eine Sekunde lang bin ich ernsthaft versucht, ihn das zu fragen. Gideon steht vor mir, noch immer einen Kopf größer als ich, die sicherste Festung der Welt, aber ich habe mich ausgesperrt, weil er nicht mein Zuhause sein kann.

»Cool.« Ich bin fast überrascht, dass meine Stimme nicht bricht. Gideon wartet am Eingang, während ich bezahle und Mr Acevedo uns wieder zusammentrommelt. Cool ist überhaupt nichts, aber ich verstaue die Mitbringsel in meinem Rucksack, damit Gideon sie nicht mehr sieht, und nach einer Weile verschwindet die Traurigkeit aus seinen Augen.

Ich überlege, ob es unmenschlich war, ihn mit nach Hause zu nehmen. Zu meinen Brüdern, die ihn vergöttern, mit ihm Rugby und Fußball und Tischtennis und jede nervige Sportart dieser Welt spielen wollen, in der er sie immer gewinnen lässt, weil er nicht ist wie Henry, der sie zwar auch hat gewinnen lassen, aber ihm war es nicht so egal zu verlieren wie Gideon.

Warum hat er nie was gesagt? Warum konnte ich für ihn kein so sicherer Ort sein wie er für mich? Was habe ich falsch gemacht? Hat er Clara Berry davon erzählt? Ist man in London im Bilde, oder musste es auch dort ein Geheimnis sein? Ich hoffe es fast und zugleich natürlich nicht, aber ich weiß einfach, dass ich es nicht überleben würde, zu erfahren, dass sie meinen besten Freund, den Jungen, den ich liebe, besser kennt, zumindest was dieses Detail angeht. Und dann auch noch mit ihm geschlafen hat. Ehrlicherweise sieht es aber nicht danach aus. Seit wir gestern am Flughafen auf sie gestoßen sind, zeigt er Clara Berry ziemlich die kalte Schulter. Das ist auch besser so.

»Sind wir dann so weit, Grace?«, fragt Mr Acevedo.

Ich nicke und laufe schnell zur Gruppe rüber.

37. KAPITEL

GIDEON

Der Fußmarsch durch die Weststadt entwickelt sich zu einer Art Ultramarathon, der erst am frühen Nachmittag endet. Mr Acevedo entlässt uns in eine dreistündige Mittagspause, nachdem wir den Palacio Real besichtigt haben, und unsere Reisegruppe verstreut sich sofort. Ich bleibe bei Tori, Sinclair, Emma, Henry, und zu meiner Überraschung bleibt Grace auch. Sie setzt sich neben Tori, die sich auf ein Stück Wiese in den Lepanto-Gärten fallen lässt.

»Meine Füße bluten«, stöhnt Tori schmerzgeplagt und schlüpft aus ihren Schuhen. »Oh, doch nicht, aber es fühlt sich so an.«

»Wollt ihr in der Nähe essen oder zurück ins *Hostal*?« Emma schaut von ihrem Handy auf. »Laut Maps brauchen wir ungefähr zwanzig Minuten zu Fuß.«

»Zu Fuß?« Tori stößt den Atem aus. »Gibt es keinen Bus?«

»Der fährt superumständlich. Wir müssten dann trotzdem noch einen Kilometer laufen.«

»Oder wir rufen ein Taxi?«, fragt Tori hoffnungsvoll.

»Wir sind zu viele«, sagt Grace, die gerne laufen würde, aus Gründen, die mich krankmachen.

»Dann eben zwei Uber.«

»Komm schon, deinen Füßen geht's gut, du bist nur nichts gewohnt«, erklärt Grace.

»Essen wir einfach hier«, sage ich. Sie starrt mich an, als wäre ich der größte Verräter dieser Welt.

»Ja, bitte«, fleht Tori. »Ehrlich, das ist das reinste Bootcamp, ich dachte, es wird eine entspannte Städtereise.«

»Das kommt davon, wenn man immer den Morgenlauf abkürzt.«

»Fick dich, Bennington«, murmelt Tori und lässt sich von Sinclair hochziehen, nachdem sie ihre Schuhe wieder angezogen hat. »Kannst du mich tragen?«

»Nein, sorry, aber ich kann dir ein Eis kaufen«, bietet Sinclair an.

»Lieber eine Cola. Da ist ein Kiosk.«

»Okay, ich beeile mich.« Sinclair läuft davon, und ich schaue zu Grace, ehe ich ihm folge.

Es ist heiß, wir haben wenig geschlafen, sind viel gelaufen, und ich weiß, dass sie mich dafür hassen wird, aber das kann mich nicht davon abbringen, die Cola mit Zucker zu kaufen und dazu noch Snacks. Draußen drücke ich ihr beides kommentarlos in die Hand. Aber Grace beschwert sich nicht, sie öffnet die Flasche still und nimmt einen Schluck, was mich verhältnismäßig wahnsinnig macht, weil ich weiß, was das bedeutet. Es geht ihr schon nicht mehr sonderlich gut. Vielleicht also lieber doch ein Taxi.

»Schau mich nicht so an«, sagt sie leise, als unsere Gruppe aufbricht und ich mich mit ihr etwas zurückfallen lasse.

»Danke für das Erfrischungsgetränk, Gideon«, murmele ich. Ein Muskel an ihrem Kiefer zuckt. »Kein Problem, Grace«, füge ich hinzu. Und dann: »Ich werde nachher mit euch essen und kein Theater veranstalten, Gideon.«

Sie blickt starr nach vorn.

»Danke für das Erfrischungsgetränk, Gideon«, murmelt sie schließlich.

Ich lache leise. »Kein Problem, Grace.«

Kurz schweigen wir.

»Wirst du?«, frage ich dann.

»Fuck, lass das einfach, okay?«

»Ich kann nicht. Ich mache mir Sorgen.«

»Dann lass das auch.«

Ich schlucke hart.

Ich kann nicht, wiederhole ich stumm.

Ich vermisse dich, blinzelt sie.

Verdammt, ich dich auch.

Ich hasse das. Ich hasse uns, wenn wir so sind. Ich hasse mich, und sie hasse ich gerade auch, dabei kann ich Grace nicht hassen. Könnte ich nie. Nicht einmal, als sie in dem kleinen Laden in der Nähe nur einen beschissenen Salat bestellt und trotzdem was übrig lässt. Ich habe nur Angst.

Sie läuft nach dem Essen zügig, garantiert befürchet sie, dass wir zu spät kommen und Mr Acevedos Reiseleiterzorn auf uns ziehen. Wir erreichen den Treffpunkt am Museum Reina Sofia glücklicherweise zwei Minuten vor der vereinbarten Zeit, was uns ein knappes Nicken von Mr Acevedo einbringt, bevor er zurück auf seine Armbanduhr blickt.

Es sollte mir zu denken geben, wie wenig ich mich für die Kunstwerke interessiere, von denen es hier zahlreiche gibt, aber warum sollte ich mir Kunstwerke ansehen, wenn ich Grace anschauen kann? Ich kann sie stundenlang betrachten, analysieren und doch nicht aus ihr schlau werden. Jahrelang sogar. Eine ganze Jugend lang. Vielleicht für immer. Aber daraus wird wohl nichts, denn für immer ist in einem Jahr vorbei, und ich kann nicht darüber nachdenken, was das bedeutet. Warum verschwenden wir unsere Zeit damit, sauer aufeinander zu sein und uns zu ignorieren? Wir tun so, als hätten wir noch endlos viel davon, aber das Gegenteil ist der Fall. Wenn wir zurück an der Dunbridge sind, steht der Herbst vor der Tür, die Weihnachtsferien werden schneller kommen, als uns allen lieb ist, sie kommen immer schneller, als einem lieb ist, und dann beginnt das neue Jahr, die letzten Wochen Abiturvorbereitung, Frühjahr, die Prüfungen, Frühsommer, die Prüfungen feiern und dann, Sommer … Schluss mit allem.

Mir wird ein bisschen übel, während ich von Grace zu Henry, Tori, Sinclair, Emma, Omar und all den anderen schaue und begreife, dass ich das nicht ertrage. Ich weiß überhaupt nicht, wer ich bin ohne sie. Ich habe meine Identität um sie herumgebaut, ich bin nicht mal eine eigenständige Person, das ist fast unmöglich, nach sieben Jahren Internat. Wir sind eine innige, teils dysfunktionale Gemeinschaft, fest zusammengeschweißt an beliebigen Ecken, die scharfkantig waren und sich aneinander abgerieben und verhakt haben. Man kriegt das nie wieder voneinander gelöst, ohne dass etwas irreparablen Schaden nimmt.

Aber dann nimmt es eben Schaden. Vielleicht ist das das Leben. Ich beginne zu ahnen, dass es so wohl läuft, als wir nach zwei Stunden Reina Sofia zurück in die Freiheit entlassen werden. Sinclair und Omar reißen die Abendplanung an sich und wollen nur kurz zurück ins *Hostal*, bevor wir in der Nähe was zu essen suchen. Ich wünschte, ich hätte draußen gewartet und nicht sehen müssen, wie Grace an der Rezeption bei diesem schmierigen Typen hängt, der mit den Unterarmen auf dem Tresen aufgestützt vor ihr steht und zu ihr hochblinzelt, während ihm die dunklen Haare in die Stirn fallen.

Sie macht das doch mit Absicht. Mit ihm reden, über seine Witze lachen, die Haare schütteln, weil sie weiß, dass es mich abfuckt und ich kein Wort verstehe. Kann er nicht Englisch mit ihr sprechen? Warum habe ich Französisch statt Spanisch gewählt? Wenigstens schaut sie immer wieder zu mir rüber, um zu überprüfen, ob ich bereits eifersüchtig bin. Genügt es ihr noch nicht? Muss ich hingehen und sie von ihm wegholen, oder was? Als der *Hostal*-Typ sich weiter vorbeugt, reicht es mir. Er hat sich nicht so zu ihr hinzubeugen. Das darf nur ich. Wird Zeit, dass ihm das mal jemand beibringt.

GRACE

»Und morgen Nachmittag steht ein anderes Museum auf dem Plan«, sage ich auf Spanisch zu Paolo, weil Gideon kein Spanisch versteht und ich will, dass er sich ausgeschlossen fühlt. »Lope de Vega, glaube ich.«

»Oh, das ist das beste«, meint Paolo. »Du musst darauf achten, wie kurz die Betten sind, was nicht daran liegt, dass die Menschen damals kleiner waren. Sie haben im Sitzen geschlafen.«

Das finde ich seltsam, aber ich lache, auch noch als ein Schatten auf den Tresen fällt und jemand neben mich tritt. Paolo richtet sich auf und scheint sich an seinen Job hier an der Rezeption zu erinnern.

»Kann ich dir helfen?«, fragt er, nun auf Englisch.

»Nein«, sagt Gideon nur und schaut mich an. »Wir gehen essen. Kommst du?«

Ich will ebenfalls *Nein* sagen, aber ich bin physisch nicht dazu in der Lage, wenn er so vor mir steht. Seine Anwesenheit zieht mich in die Zwischenwelt, zu der niemand außer uns Zutritt hat.

»Warum?«, frage ich stattdessen, versuche wegzuschauen und scheitere.

»Weil ich es will.«

Mir wird heiß.

Warum konnte er so was nicht sagen, als ich ihn gefragt habe, warum er mich geküsst hat?

»Schön für dich«, sage ich, ohne es wirklich zu wollen. »Ich unterhalte mich gerade.«

»Ja, das reicht jetzt«, knurrt Gideon, dann dreht er sich weg und geht zurück zu den anderen, was ich hasse, aber jetzt muss ich das hier wohl durchziehen. Nun zu ihnen zu laufen und mich anzuschließen, wäre demütigend. Außerdem sehe ich bislang nur die Jungs, von Tori und Emma fehlt jede Spur, also warte ich, bis Gideon und die anderen fort sind, wimmele Paolo ab und gehe nach oben in unser Zimmer, wo ich Emma und Tori vorfinde, die das Bett hüten, weil Emma Regelkrämpfe hat und Tori nach wie vor davon überzeugt ist, dass ihre geschundenen Füße keinen Meter mehr gehen können.

»Aber ich habe auch solchen Hunger«, jammert Tori, die unerträglich ist, wenn sie nichts im Magen hat.

»Die Straße runter ist ein kleines Restaurant«, sagt Emma. »Oder wir bestellen was?«

»Ich kann auch zum Supermarkt rüberlaufen und was holen«, biete ich an.

»Mr Acevedo hat gesagt, wir dürfen nur zu dritt raus. Falls einem was passiert, damit einer dabeibleiben und einer Hilfe holen kann«, wiederholt Tori Mr Acevedos goldene Regel, die wohl aus dem Mittelalter stammt oder mindestens aus der Zeit, als er diese Fahrt ins Leben gerufen hat und nicht jeder über ein Smartphone mit Internet im Ausland verfügt hat.

»Es sind nur ein paar Meter«, sage ich. »Ich mache meinen Live-Standort an. Was soll ich mitbringen?«

»Schokoeis und Chips«, schießt Emma los. Ich schreibe es auf, gemeinsam mit Baguette und Hummus, Käse, Trauben,

Pizzabrot (wenn es welches gibt), Empanadas (wenn es welche gibt), Gurke und Tomaten, dann nehme ich einen Jutebeutel und laufe rüber. Aus irgendeinem Grund ist es viel aufregender, allein in einer fremden Stadt unterwegs zu sein, als mit unserer lauten Touri-Gruppe.

Weil man das Leben romantisieren muss, stelle ich mir vor, ich würde hier wohnen, in einer kleinen Einzimmeraltbauwohnung irgendwo am Rande des Zentrums, hohe Decken, undichte Fenster und eine winzige Küche, für die ich schnell ein paar Dinge besorge, nach einem langen Tag an der Uni, wo ich Literatur studiere, bevor ich mich später mit meinen neuen Freunden treffe, für die ich nur Grace aus Schottland bin und nicht Grace, die Ex-Freundin von Henry und beste Freundin von Gideon, die von Gideon geküsst wurde, obwohl er nicht weiß, warum.

Wenn Tori nicht kurz davor wäre, vor Hunger umzukommen, woran sie mich per WhatsApp erinnert, hätte ich meinen Einkauf noch ewig weiterzelebriert. Stattdessen halte ich es kurz und werfe vor den Kassen noch den Becher Schokoeis für Emma in den Einkaufskorb, bevor ich bezahle und zurücklaufe.

Die Sonne ist hinter den Häusern verschwunden, der Himmel über den schmalen Gassen leuchtet in Orange- und Rosatönen, und ich muss den Impuls, Gideon ein Foto davon zu schicken, aktiv unterdrücken. Gideon hat kein Foto davon verdient, außerdem ist er selbst hier und kann das mit eigenen Augen sehen.

Ich weiß, was er sagen würde, wenn wir gemeinsam herumspazieren würden. *Der Himmel, Grace*, woraufhin ich den Kopf heben, den Himmel betrachten, *Wow, so schön* sagen und den Kopf zu ihm drehen würde, nur um zu sehen, dass er nicht den Himmel anschaut, sondern mich, während er sagt: *Ja*.

Jetzt kann er ja Clara Berry anschauen. Ach, ich bin es wirklich leid. Das alles. Mich so zu fühlen, wegen irgendwelcher Typen. Henry, dann Gideon. Paolo checkt gerade eine Vierergruppe ein und winkt mir zu, als ich mit meinen Einkäufen zurückkomme. Ich denke an Toris schrecklichen Hunger und bleibe nicht stehen, sondern laufe direkt zurück nach oben, wo ich bereits sehnsüchtig erwartet werde. Tori nimmt den Beutel sofort an sich und beginnt auszupacken.

»Dieser Paolo«, fragt sie, als wir schließlich mit unserem Picknick auf Emmas Bett sitzen. Sie muss die ganze Zeit auf einen passenden Moment gewartet haben, um mich auszufragen. »Will er was von dir?«

Ich lache nur und nehme ein Stück Brot. »Sicher …«

»Er gibt mir ganz unangenehme Vibes«, erklärt Emma.

»Alter, ja, mir auch«, sagt Tori sofort. »Du solltest aufpassen.«

»Worauf genau?«

»Keine Ahnung, aber schau mal, wie alt der ist. Und trotzdem flirtet er mit irgendwelchen Schülerinnen rum.«

»Wir sind erwachsen, und außerdem hat er nicht geflirtet.« Ich zucke mit den Schultern. »Ich hab das nur gemacht, um Gideon abzufucken.«

»Wieso, was ist los bei euch?«, fragt Tori sofort.

Es war nur eine Frage der Zeit. »Nichts. Aber er kann mich mal«, murmele ich. »Der redet ja auch nur mit den Maidenhead-Mädels.« Ich hasse, wie bitter ich klinge, während ich nichts als die Wahrheit ausspreche.

Tori schürzt die Lippen. »Er wirkt, als würde er eigentlich lieber mit dir reden.«

»Dann soll er mit mir reden«, sage ich knapp. »Ich hab die Nase voll von diesen dummen Spielchen. Entweder er sagt mir, was er will, oder er lässt es bleiben. Ich bin nicht hier, um seine Gedanken zu lesen.«

»Bist du auch nicht«, bestätigt Emma, aber sie hat leicht reden, was ich ihr gerne sagen würde, aber ich halte mich zurück. Sie kann nichts dafür, dass sie Henry hat, der tatsächlich in der Lage ist, verbal zum Ausdruck zu bringen, wenn er was von einem will. Oder wenn er nichts mehr von einem will.

»Soll Charles mal was zu Gideon sagen?«, bietet Tori an.

»Auf keinen Fall.«

»War ja nur ein Vorschlag …«

»Ich weiß doch.« Ich seufze. »Es ist nur … Ich will daran jetzt nicht denken. Wir sind in Madrid, wir müssen die Zeit genießen.«

»Ich genieße sie in vollen Zügen«, murmelt Emma gequält und rollt sich leicht zusammen.

»Willst du eine Schmerztablette?«, biete ich an.

Sie winkt ab. »Hab schon eine genommen.«

»Soll ich unten mal fragen, ob sie eine Wärmflasche haben?«

»Ach, egal«, murmelt Emma, aber ich stehe schon auf, weil alles besser ist, als hier zu sitzen und weiter über Gideon sprechen zu müssen.

»Ich erkundige mich.«

Sehr zur Freude von Paolo, der jetzt wieder allein hinter der Rezeption hängt.

»Du hältst es ohne mich kaum aus, oder?«, fragt er, als ich die Treppe runterkomme, woraufhin ich mir eingestehen muss, dass Tori und Emma womöglich recht hatten.

Ich rolle mit den Augen und gehe nicht auf seine Frage ein. »Habt ihr eine Wärmflasche?«

»Klar«, sagt er und verschwindet im Hinterzimmer. »Für dich?«

»Für eine Freundin. Danke.«

»Also keine großen Pläne mehr für den Abend?«, erkundigt er sich und folgt mir in die leere Gemeinschaftsküche.

»Nicht wirklich.« Ich zucke mit den Schultern und befülle den Wasserkocher.

Paolo lehnt sich gegen den Kühlschrank und verschränkt die Arme vor der Brust. »Dein Freund ist ohne dich gegangen.«

»Er ist nicht mein Freund.« Ich beende den Wasserkochvorgang, damit es nicht zu heiß wird, und fülle das Wasser in die Flasche.

»Verstehe.« Paolo zwinkert mir zu, ich möchte wieder mit den Augen rollen, weil mir zuzwinkernde Männer das wohl größte Missgeschick des Schöpfers sind. »Habe gehört, morgen Abend wird verbotenerweise feiern gegangen?«

»Wo hast du das denn gehört?« Ich gehe zurück zur Treppe.

»Von den anderen Mädels. Ich empfehle euch das Kapital. Sieben Stockwerke, muss man mal gesehen haben.«

»Muss man das also?«

Er zuckt mit den Schultern und betrachtet mich schamlos, während ich zurück nach oben laufe. »Gute Nacht«, rufe ich und winke ihm mit der Wärmflasche zu, bevor ich um die Ecke verschwinde.

38. KAPITEL

GRACE

Ich dachte wirklich, dass wir heute Abend nichts anderes mehr tun werden, als in unseren Zimmern zu hängen, aber nachdem ich zurück bin und Emma sich dank Wärmflasche und Schmerztablette besser fühlt, hört Tori davon, dass ein paar von uns oben mit Maidenhead-Leuten auf der Dachterrasse rumlungern. Weil sie viel zu neugierig ist, will sie auch mal schauen gehen, und da Emma und ich gute Freundinnen sind, schließen wir uns an.

Die Dachterrasse ist tatsächlich ziemlich schön, man kann die ganze Stadt überblicken, aber was meine Aufmerksamkeit auf sich zieht, ist die lange Tafel, an der ich neben den Leuten von Maidenhead bereits einige vertraute Gesichter entdecke. Auch Gideon. Mein Magen wird schwer.

Er schaut sofort zu mir, aber ich nehme neben Emma Platz, ohne ihm Beachtung zu schenken. Rückblickend hätte ich lieber darauf verzichtet, aber da habe ich auch noch nicht gewusst, dass sie hier Wahrheit oder Pflicht spielen und die meisten schon gut einen sitzen haben.

Eine Weile sehe ich stumm zu, nippe an irgendeinem Tinto-de-Verano-artigen Getränk, das viel zu stark schmeckt, dann zeigt der Flaschenhals auf Gideon, und mein Blickfeld verengt sich leicht.

Ich sollte gehen.

Und Gideon sollte auch gehen.

Ich bin mir sicher, dass er das ähnlich sieht, als er kurz zu mir schaut.

»Pflicht«, sagt er dann, und ich frage mich, ob er den Verstand verloren hat. Parallel dazu setzt sich Clara Berry etwas aufrechter hin. Mir ist schon schlecht, noch bevor dieses wissende Schmunzeln auf Ollies Lippen tritt, der zuvor dran war.

»Pflicht also.« Er betrachtet Gideon, dann lässt er seinen Blick über die anderen schweifen. Über mich, wo er nur kurz verweilt, und dann weiter – Nein, nein nein – zu den Maidenhead-Leuten und zu … Ich schließe die Augen.

»Küss sie.« Ollie lehnt sich lächelnd zurück. »Küss Clara.«

Gideons Miene ist wächsern und undurchdringlich. Er bewegt sich nicht, sein Blick liegt auf mir.

»Nein«, sagt er.

»Äh, es gibt kein Nein. Das hier ist Wahrheit oder Pflicht, und du hast Pflicht gesagt.«

Gideons Kiefer spannt sich an. »Und jetzt sage ich Nein.«

»Komm schon, Mann.« Ollie stöhnt, dann beginnt er mit der Faust auf den Tisch zu klopfen. Die Gläser und Flaschen klirren bei jedem Schlag, in den die anderen mit einstimmen. »Küs-sen, küs-sen, küs-sen!«

Ich sehe nicht, wie Clara Berry reagiert, ob sie sich ziert, ob sie voller Vorfreude auf ihren Kuss wartet, ob es ihr wenigstens unangenehm ist, das Einzige, was ich sehe, ist Gideon, der nur mich ansieht, und ich ertrage es nicht, ich stehe auf. Gideon steht ebenfalls auf.

»Alter, du musst die Aufgabe erfüllen!«

»Lass mich einfach sie küssen«, höre ich Gideon sagen. Ich

bleibe stehen, ich drehe mich um. Ich blicke in all die Gesichter, deren Blicke jetzt auf mir liegen. Und in seins.

Es kann nicht sein gottverdammter Ernst sein.

»Fick dich doch«, feuere ich in seine Richtung, dann verschwinde ich durch die Tür.

»Das ist nur ein dummes Spiel, ist doch scheißegal«, maßregelt Tori, aber was sie noch so sagt, erreicht mich nicht mehr. Mein Herz pocht, meine Ohren fiepen, und er kann das nicht ernst meinen. Mich küssen zu können, für irgendein absolut erniedrigendes Saufspiel, um die dämlichen Jungs zu beeindrucken oder wen auch immer.

Ich entferne mich, nicht nur von der Gruppe, nicht nur physisch, sondern auch emotional. Alles ist weit weg, alles verschwindet, ich bin nur noch meine brennenden Augen und meine enge Kehle, mein rasendes Herz und die Enge in meiner Brust und dann im Treppenhaus … er. Ich werde gestoppt, festgehalten, und ich will ihn anschreien und schlagen, aber ich kann nichts davon. Ich kann weder atmen noch sprechen, zumindest für einen Augenblick, dann reiße ich mich von Gideon los.

»Verdammt, Grace«, zischt er und folgt mir. »Tut mir …«

Das reicht, ich explodiere.

»Nein«, fauche ich und fahre zu ihm herum. »Du kannst nicht *einfach mich küssen*, hast du das verflucht noch mal verstanden?«

»Ja«, sagt er, so unerwartet ernst, dass ich kurz strauchle, fast hinfalle, nicht verstehe, wie es sein kann, dass wir schon wieder in so eine Situation geraten sind. »Es tut mir leid, ich hätte das nicht sagen sollen.«

»Du hast es aber gesagt.«

»Weil ich nicht *sie* küssen wollte.«

»Das hast du aber bereits!«

»Ich wollte es nicht«, knurrt er.

»Verdammt, lüg mich nicht an!«, schreie ich. »Ich bin es leid, diese dämlichen Spielchen, es reicht, okay?«

»Das war nicht gelogen.« Seine Stimme ist gefährlich ruhig.

Ich lache nur. »Was auch immer. Ist mir scheißegal, ich bin einfach müde und gehe jetzt ins Bett. Was du machst, geht mich nichts an. Du kannst ebenfalls ins Bett gehen, oder du kannst zurück nach oben, dieses peinliche Spiel spielen, und wenn du sie küssen willst, dann küss sie halt.«

»Ich will sie aber nicht küssen, verdammt!«

»Okay, super.« Ich drehe mich um und komme nicht weiter als zur Treppe.

»Aber du willst diesen Clown küssen?«

Ich fahre sofort zu ihm herum. »Alter, was ist dein verdammtes Problem?«, schreie ich und hole Luft, um weiterzumachen, aber ich komme nicht dazu.

Ich höre eine Stimme. »Ist hier oben alles in Ordnung?«

Scheiße. Ich will die Augen schließen, aber ich nicke nur und schicke ein Stoßgebet zum Himmel, als Paolo auf der Treppe erscheint.

Es ist so. Ich habe keine Angst vor Gideon, hatte ich noch nie, weil ich ihn kenne und verstehe wie niemand sonst, aber da ich ihn kenne und verstehe wie niemand sonst, weiß ich, dass er gerade kocht. Er kocht seit einer Weile, und er wird explodieren, es ist nur eine Frage der Zeit, und ich bete, dass ich dabei sein werde, denn was sonst passiert, möchte ich mir ungern ausmalen. Ich denke an Gideon und Henry beim Rugbytraining nach den Ferien und nicke schnell. »Ja, alles super.« Ich habe nie schlechter gelogen, und ich schaue Gideon nicht mehr an. »Ich bin müde, wollte gerade ins Bett gehen.«

Ich drücke mich an Paolo vorbei und laufe die Treppe runter. Dabei bete ich, dass Gideon mir folgt und nicht folgt. Ich weiß nicht, was mir lieber wäre. Ich würde beides hassen, weil ich ihn hasse, jetzt gerade hasse ich ihn wirklich sehr, und ihn zu hassen, ist die schlimmste Sache auf der ganzen Welt. Ich würde es ändern, wenn ich könnte, aber ich kann es nicht ändern. Ich kann weder ändern, Gideon Attwell zu lieben, noch, ihn zu hassen, und ich ahne, eines von beidem wird mich um den Verstand bringen. Es ist nur eine Frage der Zeit, aber die Uhr tickt, ich höre es. Es wird lauter, und es hört nicht auf.

GIDEON

Es macht mich wahnsinnig, das mit uns. Wir machen mich wahnsinnig. Und Grace ja anscheinend ebenfalls. Ich hätte aufstehen und den Tisch verlassen sollen, in der Sekunde, in der diese Deppen auf die beschissene Idee mit ihrem Wahrheit-oder-Pflicht-Spiel kamen. War doch klar, was passiert. Drama, Katastrophe, so wie immer bei Grace und mir.

»Egal«, murmele ich, als Sinclair kurz darauf von der Dachterrasse runter in unser Zimmer kommt und wissen will, ob alles okay ist.

»Alter, es ist nicht egal«, sagt er und pflanzt sich auf mein Bett, ein Zeichen, dass wir uns nun unterhalten werden. Sinclair und ich unterhalten uns nicht oft. Natürlich reden wir ständig, aber nur irgendwelchen Blödsinn, ich mag ihn, mit ihm ist es nie kompliziert und immer unterhaltsam. Er treibt durch das Internatsleben, er segelt schwerelos dahin, und in meinen Augen hat er keine Probleme, was vermutlich weniger damit zu tun hat, dass er keine Probleme hätte, als damit, dass ich ihn nicht gut genug kenne, um zu wissen, welche Probleme er hat. Ich frage mich, wie das sein muss. Eine Mutter wie seine zu haben. Rektorin Sinclair, die korrekt ist, streng, aber fair, interessiert und verfügbar, und einen Vater, der bodenständig, nett und am Leben seines einzigen Sohnes interessiert ist, keine Geschwister, die sterben und im Erdreich verrotten, Nacht für Nacht. Machen wir uns nichts vor, ich werde es nie herausfinden.

»Grace und du«, beginnt er, und in Gedanken kann ich seinen Satz bereits beenden: *Was ist das mit euch?* Als hätte ich eine Antwort auf diese Frage. »Was ist das mit euch?«

»Weiß ich nicht«, sage ich. »Nichts.«

»Es ist nicht nichts«, stellt Sinclair fest, der Blitzmerker. »Du wolltest sie küssen?«

Ich will gegen die Wand schlagen, aber ich zucke nur mit den Schultern. »Ja.«

»Vielleicht solltest du ihr so was lieber persönlich sagen? In einem ruhigen Moment?«

Ich schließe nur die Augen. »Ja, wahrscheinlich.« Ich seufze. »Bringt nur nichts mehr.«

»Habt ihr euch gestritten?«

Ich muss nachdenken. Haben wir uns gestritten? Ich weiß es nicht, irgendwie schon, aber so ist das in letzter Zeit ja ständig, und ich verstehe den Grund nicht, und Grace hat gesagt, es ist ihr scheißegal, die dreisteste Lüge der Welt. Schließlich entscheide ich mich für die Wahrheit. »Keine Ahnung, es ist immer so bei uns.«

»Klingt anstrengend.«

Ich nicke und stopfe das labbrige Kissen zwischen meinen Kopf und die Wand. »Ist es mit Tori nicht anstrengend?«

»Nur manchmal. In der Regel ist es außerordentlich unanstrengend.« Sinclair überlegt kurz. »Ich denke, so sollte Liebe auch sein.«

Dann ist das bei Grace und mir wohl keine Liebe.

Die Erkenntnis sickert in meinen Magen, tropfenweise und bleischwer. Sollte wohl mal anfangen, das endlich zu akzeptieren.

»Das freut mich für euch.« Ich klinge wie ein Heuchler, dabei ist nichts an dieser Aussage unehrlich. Ich freue mich für Tori und Sinclair, für Emma und Henry, für verdammt noch mal jeden, aber ich würde mich auch für mich selbst freuen. Für Grace und mich, doch allmählich frage ich mich, ob es so etwas jemals geben wird. Vielleicht waren die Monate letztes Schuljahr vor den Sommerferien am ehesten damit zu vergleichen, was es bedeuten würde, mit ihr zusammen zu sein. Ihre Nähe zu spüren, jeden ihrer Gedanken zu kennen, jede Nacht bei ihr zu verbringen. So zu tun, als würden wir zueinandergehören.

Wie sich herausgestellt hat, war das jedoch ein Trugschluss. Jeden ihrer Gedanken zu kennen und kaum einen meiner eigenen preiszugeben, hat nicht funktioniert, wer hätte es gedacht. Dabei habe ich das alles doch nicht einmal bewusst vor ihr zurückgehalten. Freddie, den ganzen Bullshit bei uns in London. Ich vergesse es einfach, all das Schlimme und Dunkle in meinem Leben, wovon ich Grace eigentlich erzählen müsste. Aber wenn ich bei ihr bin, ist alles so weit weg, es spielt nahezu keine Rolle mehr. Es ist ein Stück Seelenfrieden im Schlachtfeld, das mein Kopf ist. Dass ich ihr nichts erzähle, hat nichts damit zu tun, dass ich ihr nicht vertraue, aber das ist eine verdammt beschissene Erklärung, ich würde sie mir auch nicht glauben. Ich würde mich auch hassen, und ich würde es heute wohl auch anders machen, wenn ich noch einmal die Wahl hätte. Acht Wochen abtauchen, mich in meinem Schicksal suhlen, kapitulieren, isolieren, ablenken, mit Clara Berry. Es hätte mir das Herz rausgerissen. Grace mit irgendeinem anderen Typen. Es reicht schon, sie mit diesem Paolo zu sehen. Ein milder Vorgeschmack dessen, was ich ihr angetan habe. Aus Ignoranz, aus Verzweiflung und aus grenzenloser Dummheit.

Es macht mich alles fertig. Henrys überraschter Blick, als er kurz darauf mit Omar in unser Zimmer kommt und mich dort vorfindet.

»Wo ist Grace?«, fragt er, so als ginge ihn das etwas an.

Ich antworte nicht, weil ich nicht dafür garantieren kann, dass etwas Freundliches aus meinem Mund kommt. Ich frage ihn schließlich auch nicht, wo Emma ist. Ob bei ihnen alles okay ist. Ob sie Streit haben. Was das eigentlich mit ihnen ist. Als könnte es nur etwas werden, wenn er sich höchstpersönlich darum kümmert, Henry Bennington, der alles so viel besser hinbekommt als ich.

In dieser Nacht schlafe ich wieder nicht. Ich kann nur an Grace denken, frage mich, ob sie auch schlecht schläft. Es ist so ein Gefühl. Vielleicht verliere ich den Verstand, aber ich bilde mir ein, dass ich es spüre, wenn es ihr nicht gut geht. *Auch* nicht gut geht.

Am nächsten Morgen gibt es dafür keine offensichtlichen Zeichen, als wir zur vereinbarten Zeit am Treffpunkt vor dem *Hostal* aufkreuzen und Mr Acevedo wie ein Entenrudel durch die östliche Innenstadt zum Retiro-Park folgen. Es ist warm, alle bewundern den Kristall-Palast, ich bewundere Grace vor dem Kristall-Palast, bevor wir weiterwandern, zum Museo del Prado, wo alle die Kunst bewundern, und ich … Ihr ahnt es. Ein weiterer normaler Tag meines Lebens.

Grace redet nicht mit mir, aber sie hält sich in meiner Nähe auf, was vielleicht sogar besser ist, als wenn sie mit mir reden würde. Jedenfalls ist es besser als nichts. Als wir am frühen Abend ein Monument zu den Zuganschlägen von 2004 besuchen und Mr Acevedo, der damals in der Stadt war, berichtet, wie es war, als Hunderte Menschen ums Leben kamen, steht Grace zwei Armlängen von mir entfernt, und sie weint. Es reißt mir auf hundert Arten das Herz raus, aber ich wage es nicht, näher zu ihr zu gehen. Ich wage es generell nicht, mich zu bewegen oder zu schlucken oder irgendeinen anderen Gedanken zuzulassen als den, dass das schrecklich ist und man froh sein kann, wenn einem so etwas nie passiert, aber ständig muss ich daran denken, was noch alles schrecklich sein kann und ob man Dinge in mehr oder weniger schrecklich einteilen darf, abhängig von der bloßen Menge an Menschen, die durch einen schrecklichen Grund ums Leben kommen. Ich finde keine Antwort.

Mein Kopf fühlt sich heiß und leer an, als wir zurück zum *Hostal* gehen und Mr Acevedo uns in die Freizeit entlässt.

»Also gehen wir auch?«, fragt Tori, die gehört hat, dass die Maidenhead-Leute heute den waghalsigen Versuch starten und verbotenerweise ins Kapital, den größten Club der Stadt, feiern gehen wollen. Vielleicht etwas geschmacklos (mein Vater wäre stolz), nachdem wir gerade alle schweigend vor diesem Denkmal der Opfer eines Attentats gedacht haben, aber wer bin ich schon, um darüber zu urteilen?

Zu unserem Glück ist besagter Club nur ein paar Blocks von unserer Unterkunft entfernt, was auch die weniger partyaffinen Leute unter uns motiviert. Ich bemühe mich, ordentlich zu essen, obwohl ich gar nicht weiß, ob ich viel trinken werde, aber ich weiß auch nicht, ob Grace viel trinken wird. Ich möchte entsprechend vorbereitet sein, um möglichst lange möglichst nüchtern zu bleiben. Es ist so ein Gefühl, das sich bestätigt, als wir später dort ankommen und Grace etwas verloren rumsteht, so als würde sie nach jemandem Ausschau halten. Nach diesem Paolo? Sein Glück, dass ich ihn nirgends entdecken kann, aber hier drin sind eine Million Leute, und ich habe Angst, Grace aus den Augen zu verlieren. Es ist doch beschissen. Alles, was ich denken kann, ist, dass ich lieber auf einer Mitternachtsparty im alten Gewächshaus wäre, anstatt hier, mitten in Madrid, umgeben von Maidenhead- und Dunbridge-Leuten, mit Grace und Clara Berry, in einem hautengen roten Kleid und abenteuerlich hohen Schuhen, auf denen sie zu mir rüberkommt. Ich rede kurz mit ihr, höre nicht zu, während sie mir ins Ohr schreit, was ihre Gruppe die letzten Tage unternommen hat, und versuche Grace im Blick zu behalten, die ich erst verliere und dann wiederfinde. Drinnen, in einiger Entfernung, nicht mit Paolo, dafür mit irgendeinem anderen Kerl, den ich noch nie gesehen habe. Sie lacht, legt ihre Hand auf seinen Unterarm, und mir wird schlecht, ihr versteht nicht. Es ist mehr als etwas Übelkeit, es ist dieses Gefühl, wenn sich der Magen in Zeitlupe um die eigene Achse dreht, wie ein Betonmischer.

Grausam.

Es bringt mich fast um, als sie ein Getränk von ihm nimmt, mit ihm anstößt, daran nippt, und dann verrät sie der Blick, den sie mir über seine Schulter hinweg zuwirft, nachdem sie das Glas wieder abgestellt hat. Sie sieht mich, und sie will, dass ich sie sehe. Mit einem anderen. Vielleicht hat nie etwas mehr wehgetan als die Erkenntnis, dass sie sich jetzt rächt. Dass ich jetzt spüren werde, was ich sie habe spüren lassen. Ich weiß, dass ich das verdiene, aber ich ertrage es nicht. Ich muss dort hinlaufen, sie von jedem Typ wegziehen, der nicht ich bin, mich von ihr anschreien lassen, was mein verdammtes Problem ist, warum ich nicht mit ihr rede und übergriffig handle, und weil ich für das alles keine Nerven mehr habe, bin ich es, der den Blickkontakt abbricht. Ich wende mich an Clara, und ich höre Clara zu. Zumindest tue ich so.

Ich betrachte Claras Mund, der hübsch ist, keine Frage, aber er ist nicht Grace' Mund. Er ist keine pralle, rote Kirsche, die besser schmeckt als die prallste, rote Kirsche meiner Träume.

Ich sollte das nicht tun, aber aus dem Augenwinkel beobachte ich, wie Grace sich auf die Tanzfläche ziehen lässt und die Arme um ihren Eroberer legt. Auf seine Schultern, um seinen Hals, und es reicht. Die Lichter sind bunt, die Musik laut, die Bässe drücken in meinen Bauch, und dann ist Clara Berry auf meinem Schoß und an meinen Lippen, ich küsse sie, ich bin nicht betrunken genug, um mir dessen nicht mit jeder Faser meines Verstandes bewusst zu sein, und ich verabscheue mich bereits währenddessen. Aber – und das ist wichtig zu erwähnen, weil es beweist, dass ich an allem schuld bin – ich höre nicht damit auf.

39. KAPITEL

GRACE

Meine Laune ist im Keller, und das liegt nicht an Mr Acevedos bewegenden Erzählungen von dieser Katastrophe im Bahnhof von Madrid. Nicht nur, jedenfalls. Es liegt auch an Gideon und mir. An diesem demütigenden Moment letzte Nacht und an der Distanz, die zwischen uns ist und mir mit jedem Tag etwas unüberbrückbarer vorkommt. Jetzt, in diesem Club, mehr denn je. Das hier, Madrid, die Studienfahrt mit ihm und meinen Freunden, das war etwas, auf das ich mich gefreut hatte. Meine größte Sorge waren die Temperaturen, Kurze-Hose-Wetter, die Tatsache, dass ich ständig mit und vor den anderen essen muss und jemand etwas merken könnte, wenn ich zu lange auf einer Toilette bliebe, aber jetzt ist das alles mein kleinstes Problem.

Ich weiß nicht, wie wir in diese Situation gekommen sind. Ich weiß nur, wie sich alles in mir zusammengezogen hat, als Clara Berry in ihrem Bombenoutfit, mit ihrem Bombenkörper und den Bombenlippen vor Gideon auftaucht, seine Brust berührt und beginnt, ihn zuzutexten. Ich wünschte, ich müsste mich nicht näher zu ihnen bewegen, um hören zu können, was sie gegen die Musik in seine Richtung ruft: »Ich dachte schon, du gehst mir aus dem Weg beim Ball deiner Eltern in London.«

»Warum sollte ich?«, erwidert Gideon, woraufhin Clara Berry kokett mit den Schultern zuckt, und dann geht ihr Blick zu mir. Und seiner folgt ihrem. Sie sehen mich an, einen Moment lang beide, und ich möchte sterben.

Sie war dort? In London, beim Ball seiner Eltern? Der Ball, den Gideon plötzlich verlassen wollte, fast fluchtartig aufgebrochen ist mit mir. War das deswegen? Ich dachte, er wollte mit mir allein sein. Ich dachte, er wollte weg, an einen anderen Ort. An einen Ort, an dem er mich würde küssen können, aber wollte er mich überhaupt küssen? Wollte er nur verhindern, dass ich Clara Berry sehe?

Er öffnet den Mund und sieht aus, als wollte er zu mir rüberkommen, um wieder irgendwas zu erklären, sich für irgendwas zu entschuldigen, für das ich keine Entschuldigung will. Ich ertrage es nicht mehr mit ihm. Ich will einfach etwas Ehrliches. Ich will gewollt werden, und wenn nicht von ihm, dann eben von jemand anderem. Ich hatte schon klügere Einfälle, das mag sein, aber heute Nacht will ich nicht klug und vernünftig sein. Ich bin verletzt, enttäuscht und auch nur eine Frau, die nicht erbärmlich danebenstehen will, während ihre Freundinnen mit ihren Freunden tanzen und der Einzige, der mich wirklich interessiert, mit einer anderen spricht.

Ich schaue mich um, keine Ahnung wonach, jedenfalls nicht nach Gideon, sondern nach einer Ablenkung. Ich finde sie in einem Typen, der mich antanzt. Er schreit mir seinen Namen zu, den ich nicht verstehe, die Musik ist zu laut, und es ist mir außerdem zu egal. Ich mache einfach mit. Seine Augen schimmern betrunken, sein Hemd ist zu weit aufgeknöpft, und er leckt sich über die Lippen, während er mir ins Gesicht schaut. Eigentlich habe ich auf all das keine Lust, aber dann denke ich, was Gideon kann, kann ich noch viel besser, also lasse ich mich von meiner neuen Bekanntschaft auf einen Drink einladen. Die anderen sind in der Nähe, daher wird es schon in Ordnung sein.

Es ist erst mein zweites Glas, aber es sollte mich nicht überraschen, dass ich den Alkohol spüre. Mehr, als mir lieb ist. Heute ist mir das egal. Heute ist mir alles egal.

Besonders Gideon, dessen Miene stoisch ist, dort drüben in einer der Sitzecken, wo er sich mit Clara unterhält. Ich versuche, nicht so oft zu ihnen rüberzuschauen, es ist schwer, aber mit jedem Schluck wird es etwas leichter. Ich denke nicht mehr so viel, endlich, ich tanze mit diesem Fremden, aber eigentlich ist jede Bewegung nur für Gideon. Und er sieht sie alle, zumindest hoffe ich das, aber dann sind Clara Berrys Hände an seinen Armen, er zieht sie auf seinen Schoß, und dann küsst er sie.

In mir zieht sich alles zusammen. Es reißt mich fast von den Füßen, es tut so weh, dass ich tatsächlich kurz kaum atmen kann. Ich schnappe nach Luft und hasse ihn für das verletzte Keuchen, das mir entfährt. Meine Bekanntschaft zieht mich näher, die Musik ist so laut. Ich finde sie ehrlich gesagt plötzlich zu laut, und mir ist schwindelig.

»Alles okay?«, fragt er auf Spanisch, als ich schwanke. Er hält mich fest, und ich denke, dass ich mich vielleicht setzen sollte. Der Bass ist laut, und ich muss richtig schreien und meinen Satz wiederholen, um ihm das mitzuteilen. Beim dritten Mal fühlt sich meine Zunge seltsam an. Als würde sie an meinem Gaumen kleben und nicht mehr richtig funktionieren, was mich beunruhigt.

»Komm mit, ich kenne einen ruhigeren Ort«, ruft er in mein Ohr und wirft Blicke über die Schulter, bevor er mein Handgelenk umfasst und mich mit sich zieht. Ich folge ihm und höre ein schrilles Pfeifen, das nicht nachlässt, je weiter wir uns von der Musik entfernen. Dafür wird mir übel, und ich schwitze plötzlich, mehr als gerade eben beim Tanzen, und die Luft ist unendlich stickig. Muss ich mich übergeben oder kippe ich um? Wäre es nicht besser, wenn ich zu Tori und den anderen gehe, anstatt diesem Kerl zu folgen? Doch, ziemlich sicher wäre es das, mein Kreislauf spielt verrückt, aber meine Gedanken laufen wie in Zeitlupe durch meinen Kopf. Ich muss mich aktiv darauf konzentrieren, die Füße in den Boden zu stemmen und stehen zu bleiben.

»Ich denke, ich würde lieber …«

»Was?«, ruft er mir zu. Sein Griff um mein Handgelenk wird fester, aber er bleibt nicht stehen.

Wir rempeln mehrere Leute an, während er mich mitzieht. Der Boden fühlt sich so uneben an, und als wir eine Tür erreichen und nach draußen treten, in die kühle Nachtluft, geben meine Knie kurz nach. Nur eine Sekunde lang, die sich anfühlt, als würde ich fallen, und obwohl es mir Angst macht, ist es mir auch egal. Aber mein Herz rast, und als er mich stützt, gleitet seine Hand unter mein Top, und irgendwie … wünschte ich, er würde sie wegnehmen, aber er tut es erst, als ich mich losreiße, nur um ein paar Schritte zur Seite zu stolpern.

Ein Schwall frischer Luft trifft mich, es fühlt sich an, als würde ich gegen eine Wand laufen. Es ist kühler geworden, und vor dem Eingang stehen Dutzende Leute, alle reden, lachen und rauchen. Ist Gideon irgendwo?

Ich muss mich setzen.

Anscheinend habe ich das laut gesagt, denn der Typ schiebt mich zur Seite. »Ja, komm mit.«

Nein …

Das habe ich wohl nicht laut gesagt, er reagiert nämlich nicht darauf. Aber ich will nicht weggebracht werden von den Leuten und dem Licht, es kommt mir nicht sicher vor und ich … Ich will hier gar nicht sein. Mit ihm. Ich will bei meinen Freunden sein. Bei Gideon. Irgendwie gelingt es mir, nach meinem Handy zu greifen. Der Chat mit Gideon ist noch geöffnet. Die Funkstille.

»Gib mir das, bevor du es verlierst«, sagt jemand mit harter Stimme.

»Nein, ich …« Aber er hat es mir schon aus der Hand genommen, bevor ich mir sicher sein kann, dass ich auf den Telefonhörer gedrückt habe. »Gib wieder her.«

Er sagt etwas, aber ich höre ihn plötzlich wie durch Watte. Mir wird unendlich heiß. Scheiße. Nicht ohnmächtig werden. Nicht jetzt. Nicht hier draußen mit einem Kerl, den ich nicht kenne.

»Ich geh zurück rein«, bringe ich hervor, aber ich werde an der Schulter nach hinten gedrückt.

»Hast du zu viel getrunken?« Er ist vor mir. Nah vor mir. Sein Geruch ist unerträglich, zu süß, Schweiß, kalter Rauch in seinem Atem. Mein Magen rumort.

Ich will ihn wegstoßen, doch die Schwerkraft kommt mir unüberwindbar vor. Und dann … Chaos.

Er wird von mir weggerissen, schreit. Ein Krachen, ein Knall. Ich falle, mein Sichtfeld verengt sich.

Dunkel.

So viele Stimmen, so viel Geschrei.

Schau mich an.

Was? Wen?

Gideon …?

Die Geräusche verschwinden, jemand packt mich.

Schau mich an, ich bin hier.

Ich bin hier.

Gerade rechtzeitig, denke ich. Und dann denke ich nichts mehr.

40. KAPITEL

GIDEON

Es fuckt mich alles ab. Dass ich Clara Berry küsse und mich dabei versichern muss, dass Grace es sieht. Tut sie. Und ihre Augen sind aufgerissen und riesig, ihr Gesicht ist blass, also ziehe ich Clara dichter an mich, schließe die Augen und zwinge mich, den inneren Widerstand zu ignorieren, der sich mit jeder weiteren Sekunde in mir aufbaut. Bis es mich trifft wie ein Schlag.

Fuck. Was tue ich? Was soll diese verdammte Scheiße?

»Sorry, ich …« Ich weiche zurück.

Als ich an Clara vorbeischaue, ist Grace verschwunden. Gemeinsam mit diesem Kerl, der eben noch bei ihr war.

Clara hebt die Hand an mein Gesicht, aber ich schüttele den Kopf. Murmele noch eine Entschuldigung. Mein Handy vibriert. Ich weiß sofort, dass sie es ist. Ich weiß es, bevor ich ihren Namen auf dem Display sehe. Der eingehende Anruf bricht nach nur zwei Sekunden wieder ab.

Ich springe auf, und alles tritt in den Hintergrund, während ich jeden Winkel dieses Scheißclubs abscanne. Gerade waren sie auf dieser Tanzfläche, warum habe ich nicht darauf geachtet, wo sie hin sind? Warum war ich so beschäftigt damit, sie abzufucken, dass ich nicht gemerkt habe, dass sie mich braucht? Warum war ich überhaupt beschäftigt damit, sie abzufucken? Warum muss ich es immer falsch machen, und wo ist sie jetzt? Mein Herz beginnt zu rasen, auf diese ganz bedrohliche Art.

»Wo ist Grace?«, brülle ich, als ich Henry entdecke.

Ich ziehe ihn näher.

»Sie sind raus«, ruft Henry, und ich schaue von ihm auf mein Handy, und dann renne ich los.

Es ist mir scheißegal, dass ich Leute anremple und auf Spanisch angepöbelt werde. Draußen sind tausend Leute, die in Grüppchen rumstehen, rauchen, lachen, kotzen und rummachen.

Wo ist sie, wo ist sie, wo ist sie?

Mein Atem geht schwer, mein Gefühl zieht mich nach links. Weg vom Eingang, Seitenstraße, gelblich-oranges Licht einer Laterne. Ich beginne zu rennen.

Er hält ihre zu Fäusten geballten Hände fest, ist einen Kopf größer als sie und drängt sie nach hinten, und bei Gott, in dieser Sekunde brennt etwas bei mir durch.

Ich schreie nicht, dass er sie loslassen soll oder irgendetwas anderes, ich nähere mich schnell und ohne Vorwarnung und breche ihm die verdammte Nase. Woher ich das weiß? Man spürt es. Das Knacken von Knorpel und wie das Gewebe nachgibt, ein schauderhaftes Gefühl. Der Aufprall seines Körpers auf dem Asphalt und das entsetzte Luftschnappen der Leute, die plötzlich alle zu uns schauen. Ich will mich auf ihn stürzen und alles aus ihm rausprügeln, diesen Scheißwichser zusammenschlagen, wie er es verdammt noch mal verdient, aber ich tue es nicht, weil Grace da steht, gerade noch so, und gegen die Wand fällt. Ich greife nach ihr, packe sie und ziehe sie zu mir.

Verdammte Scheiße, was hat er mit ihr gemacht?

Der Mistkerl stöhnt, flucht, sieht mich, rappelt sich auf, aber ich reagiere nicht auf ihn, ich mache keine schnelle Bewegung, ich halte nur Grace fest und drehe mich mit ihr von ihm weg, während Omar und Henry ihn davon abhalten, sich auf mich zu stürzen.

»Schau mich an«, sage ich, aber Grace reagiert nicht. Sie ist kreidebleich, ihr Kopf kracht gegen meine Schulter, ihr Körper sackt in sich zusammen. »Schau mich an, ich bin hier. Ich bin hier, Grace, schau mich an. Schau mich an, verdammt. Schau mich an.«

Aber sie schaut mich nicht an, sie kippt in meinen Armen um, und es ist das schlimmste Gefühl der ganzen Welt, aber sie ist hier, sie ist in Sicherheit, und ich packe sie, hebe sie hoch und trage sie weg. Es gibt nur noch uns zwei. Die anderen sind auch da, Sinclair taucht auf, Tori und Emma, die hilflos und panisch aussehen. Zwei der Türsteher sind rübergekommen und zerren den Kerl von Omar und Henry weg. Sie brüllen irgendwas auf Spanisch rum, ich glaube, sie wollen, dass wir uns verpissen, aber Henry bringt sie wohl dazu, einen Krankenwagen zu rufen.

Die Zeit zerfließt zu einer zähen Masse, während der wir warten, auf diesem unebenen Pflasterstein knien, neben Grace, die sich nicht bewegt, auch nicht, als die Sirenen ertönen und ein Rettungswagen eintrifft. Die anderen erklären in einer Mischung aus Spanisch und Englisch, was geschehen ist, ich hocke neben Grace, halte ihre Hand und würde am liebsten Stress veranstalten, als man mich von ihr wegschickt, aber ich habe zu große Angst.

Mein Herz rast, während die anderen diskutieren, ob wir Mr Acevedo benachrichtigen müssen, wer Grace ins Krankenhaus begleitet, und weil Henrys Spanisch am besten ist und er Krankenhäuser am besten kennt, fällt die Wahl fast auf ihn, aber Emma und Tori meinen, dass es eine Frau sein muss, also steigt Tori mit in den Rettungswagen.

Mein Herz rast, als sie mit Blaulicht davonfahren, ich kann nicht denken. Was wäre passiert, wenn sie es nicht mehr geschafft hätte, mich anzurufen? Was wäre passiert, wenn ich sie nicht gefunden hätte? Warum muss ich mir diese Fragen überhaupt stellen? Warum sind wir hier? Warum musste es so weit kommen? Warum war sie bei diesem Typen, von dem nun jede Spur fehlt, warum habe ich Clara Berry geküsst, warum verletzen wir uns gegenseitig, und warum bin ich so unendlich dumm? Warum haben wir nicht sofort die Polizei gerufen, warum –

»Gideon, hey.« Ich werde am Arm gepackt. »Alles gut?«

»Ja, alles hervorragend.« Meine Stimme klingt fremd. Wie von weit her, irgendwie bedrohlich. »Alles in bester Ordnung, Henry.«

»Du musst durchatmen«, sagt er, und ich schwöre, wenn er noch einen einzigen dämlichen Satz von sich gibt … »Wir haben sie rechtzeitig gefunden.«

Wir.

Ich.

Ich habe sie gefunden. Ich habe sie aufgefangen, als er sie fallen gelassen hat, und ich wünschte, ich hätte wenigstens die verfluchte Chance gehabt, Grace zu lieben, sie anzubeten und zu beschützen, aber das hatte ich nicht, das hatte nur er, und er hat sie verspielt. Er hat sie weggeworfen und verletzt, so abgefuckt, dass sie mit diesen wässrigen Augen vor mir steht, mich ansieht und sagt *Gideon, ich kann das nicht mehr. Ich kann nicht noch mal so verletzt werden,* und anstatt ihr zu zeigen, dass ich lieber sterben würde, als ihr wehzutun, tue ich genau das: ihr weh.

»Mach dir keine Vorwürfe«, sagt Henry, und ich sollte mich umdrehen, atmen, weggehen, aber ich kann nicht.

Seine Augen weiten sich leicht, als er es versteht. Als ich den Arm hebe. Es passiert schnell, und ich bin darauf nicht stolz. Wie sich alles entlädt, was ich gerade um Grace' willen zurückgehalten habe. Es bricht aus mir raus, und es tut mir leid, dass es Henry trifft, aber es tut mir auch nicht leid, denn eigentlich ist er an allem schuld. Ist er wirklich.

Er hatte sie, er hatte verdammt noch mal alles, aber anstatt sie zu schützen, hat er ihr wehgetan, und vielleicht kann ich mich nicht beherrschen, weil ich keinen Deut besser bin und noch dazu betrunken.

»Alter«, schreit jemand. »Beruhig dich, Mann.«

Aber ich kann mich nicht beruhigen. Und Henry schlägt nicht zurück. Kein einziges Mal. Es ist, als hätte er hierauf gewartet. Die Straße neben dem Club ist dunkel, nachts hört man jedes Geräusch, das leise Wummern im Inneren des Kapital, die entfernten Stimmen der Leute, den dumpfen Aufschlag meiner Faust, der an den Fassaden der Häuser widerhallt.

Im Hintergrund schreit Emma, Omar packt meine Schultern und zieht mich mit Sinclair von ihm weg. Henry starrt mich an, seine Brust hebt und senkt sich schnell, da läuft Blut über sein Gesicht, und in diesen Sekunden kapiere ich, was ich getan habe.

Fuck.

Mein bester Freund.

Und Henry denkt dasselbe.

Er sagt nichts. Es gibt nichts zu sagen.

»Tut mir leid, ich … Fuck.« Mein Herz rast, aber mein Kopf ist ruhig. Er ist endlich ruhig. »Tut mir leid.«

Ich drehe mich um, und dann verschwinde ich in der Dunkelheit.

41. KAPITEL

GRACE

Weiß, als ich aufwache.

Grelles Licht, Krankenhaus.

Moment, was zur Hölle?

Ich richte mich auf, ruckartig und zu schnell für meinen Kopf, der so rasend zu pochen beginnt, dass ich mir sicher bin, er platzt. Habe ich einen Schlaganfall? Ein Aneurysma? Bin ich gestorben? Sterbe ich jetzt gerade in diesem Augenblick?

»Heilige Mutter Gottes«, sagt jemand. Es ist Mr Acevedo, der mit einer Ärztin am anderen Ende des Raums steht. Er sieht zu gleichen Teilen besorgt und fuchsteufelswild aus, als er zu mir kommt.

»Grace«, sagt er, streng, aber auch etwas erleichtert.

»Was ist passiert?«, bringe ich hervor, aber ich bin mir gar nicht sicher, ob ich es wirklich wissen will.

»Das würden wir gerne von dir erfahren«, antwortet er und fährt fort, auf Spanisch mit der Ärztin zu reden. Normalerweise würde ich es verstehen, aber gerade ist alles zu viel.

Zu viele Informationen, als sie mir erklären, dass die anderen den Notarzt verständigt haben, draußen vor diesem Club, in dem wir alle verbotenerweise waren. Ich beantworte hundert

Fragen. Was ich getrunken habe, woran ich mich erinnern kann, aber in meinem Kopf ist nicht viel mehr als Gideon und Clara Berry, und dann Gideon, draußen bei mir in dieser Seitengasse.

Mr Acevedo lässt Tori reinkommen, die vor dem Zimmer gewartet hat und den Tränen nah ist, aber sie bleibt bei mir, als die Ärztin mir erklärt, dass sie Abstriche und Blutproben genommen haben, die auf irgendwelche Substanzen untersucht wurden, die erklären, warum ich mich an die letzten Stunden nicht erinnere.

»Sie haben nichts gefunden, aber oft verflüchtigen sich diese Substanzen bereits nach kurzer Zeit«, übersetzt Mr Acevedo, der mir viel zu gefasst vorkommt dafür, dass mein Blut auf irgendwelche flüchtigen Substanzen untersucht werden musste. »Wir können nicht ausschließen, dass du etwas in dein Getränk gemischt bekommen hast.«

»Oh«, flüstere ich nur, es kommt mir vor wie im Film.

»Tori hat uns berichtet, dass sie dich draußen mit einem ihr unbekannten Mann gefunden haben«, sagt Mr Acevedo. »Kannst du dich an etwas erinnern?«

»Nicht wirklich«, bringe ich hervor. »Ich glaube, ich hab ihn drinnen kennengelernt.«

»Erinnerst du dich an einen Namen?«

Ich schüttele beherrscht den Kopf.

»Hat er dich bedrängt oder berührt, Grace?«

Ich schlucke schwer, und leider kommt in Bruchstücken etwas zurück. »Ich glaube, er hat versucht, mich zu küssen, und er hat mich festgehalten, aber dann kam … Dann kamen die anderen.«

Die Ärztin nickt und erwähnt auf Spanisch, dass sie die Greifspuren an meinen Handgelenken und Oberarmen für die Polizei dokumentiert haben, als Mr Acevedo ihr das übersetzt.

Wie bin ich in diese Situation geraten?

Wieso muss ich jetzt entscheiden, ob ich Anzeige gegen Unbekannt erstatten möchte? Warum muss ich diese Art von Gespräch führen, in einem fremden Land, mit meinem Lehrer und einer Ärztin, die ich noch nie zuvor gesehen habe? Wie konnte das passieren, und wo ist Gideon?

»Draußen auf dem Flur, schon die ganze Nacht. Er ist hier nicht wegzubewegen«, sagt Mr Acevedo. »Möchtest du, dass ich ihn hole?«

Ja!

Oder?

Meine Augen brennen. Ich weiß nicht, was ich möchte. Aus diesem Albtraum aufwachen möchte ich. Aber man kann nicht aufwachen, wenn man bereits hellwach ist.

»Nein«, flüstere ich. Mr Acevedo nickt.

»Charles meinte, Gideon hat sich mit Henry geschlagen«, flüstert Tori, als Mr Acevedo kurz mit der Ärztin spricht. »Er hat die ganze Nacht hier auf dem Flur verbracht.«

Mir wird kalt, aber ich sage nichts. Alles, woran ich denken kann, ist Gideons Mund auf Clara Berrys Mund.

»Aus medizinischer Sicht musst du nicht länger hierbleiben und kannst das Krankenhaus verlassen, vorausgesetzt, dass du dich dazu in der Lage fühlst«, sagt Mr Acevedo, nachdem die Ärztin schließlich rausgegangen ist. Er allerdings geht nicht raus. Er atmet tief durch. »Sofern dem so ist, werde ich den Transport zum Flughafen veranlassen. Denn so leid es mir tut, dass das passiert ist, Grace, für diese Exkursion waren Regeln vereinbart. Und ihr habt euch gleich an mehrere nicht gehalten, wart nach der Bettzeit noch unterwegs, ohne dass ich davon wusste, habt getrunken, dich in Gefahr gebracht, euch geprügelt und alles andere als eigenverantwortliches Verhalten an den Tag gelegt. Ich kann einen Verstoß dieser Schwere nicht dulden und bin zutiefst enttäuscht von eurem Verhalten, mit dem ihr euren Mitschülerinnen und Mitschülern und mir die Reise verdorben habt. Gideon, Henry, Omar, Charles, Emma und Victoria habe ich bereits informiert, dass ihr heute Abend die Rückreise nach Schottland antretet. Dort werden wir uns über weitere Konsequenzen unterhalten.«

GIDEON

Ein schlechter Traum. Aber keiner, aus dem man aufwacht, nach Luft ringt und Grace' Hand auf seiner Brust spürt, sondern einer, der anhält und anhält, die ganze Nacht. Ich laufe ziellos durch die Stadt, bis ich wieder klar genug denken und den Weg zum Krankenhaus googeln kann, von dem die Sanitätskräfte beim Aufbrechen gesprochen haben. Ich sterbe tausendmal, komme dort an, werde nicht zu ihr gelassen, also verbringe ich die Nacht auf einem Stuhl vor ihrem Zimmer. Es ist schlimmer als alles, was ich mir vorstellen kann. Es hilft nicht, dass sie mir am nächsten Morgen sagen, dass ihr Zustand stabil und sie wach ist, mich aber nicht sehen will. Es hilft nicht, dass Mr Acevedo fuchsteufelswild ist, sich jedoch beherrscht, als er uns mitteilt, dass wir nach Hause geschickt werden und noch heute Abend zurückfliegen.

Sinclair packt meinen Kram für mich ein, was ich nicht verdient habe, aber ich bin ihm dankbar, dass ich nicht zurück in dieses Zimmer muss.

Henry begegne ich erst am Flughafen. Und Scheiße, sein Gesicht. Das blaue Auge und die aufgeplatzte Lippe.

Seine Miene ist undurchdringlich, aber als sich unsere Blicke begegnen, atmet er nur schwer aus. Ich spüre meine Hände, und ich begreife nicht, dass ich das getan habe. Ich begreife nichts von alldem, was letzte Nacht geschehen ist. Scheint uns allen ähnlich zu gehen. Es sollte die Reise unserer Schulzeit werden, das Highlight dieses letzten gemeinsamen Jahres, doch anstatt dass sie uns weiter zusammengeschweißt hat, habe ich dafür gesorgt, dass alles kaputtgegangen ist.

Ich kann damit nicht leben, also gehe ich auf Henry zu. Er hockt neben Sinclair auf einer der Bänke am Gate und hebt den Kopf. Sinclair ebenfalls, er kapiert es sofort, murmelt irgendwas von der Toilette, die er mal aufsuchen will, und lässt uns allein.

Henry steht nicht auf, also setze ich mich neben ihn.

»Es tut mir leid, Mann«, sage ich und starre nach vorn. Dann drehe ich den Kopf und schaue ihn an. Von der Seite sieht es fast noch schlimmer aus. »Wirklich, ich … Ich weiß nicht, was in mich gefahren ist.« Ich höre auf zu reden, weil ich merke, wie meine Stimme bricht.

»Ich auch nicht«, sagt Henry, ohne mich anzuschauen. Er klingt, als hätte er aufgegeben. Ich bekomme Panik. Was hat er aufgegeben? Uns? Unsere Freundschaft?

»Ich wollte das nicht«, flüstere ich.

»Doch, ich denke, das wolltest du.« Jetzt schaut er mich an. »Ich hätte drauf verzichten können, aber vielleicht war es nötig.« Er schluckt hart. »Vielleicht kann es jetzt endlich mal wieder normal zwischen uns werden.«

Schon traurig, dass ich angenommen habe, Henry würde es nicht merken. Wie ich mich von ihm abgekapselt habe, wie verdammt scheiße ich zu ihm war.

»Ich vermisse dich, Mann«, sagt er. »Ich weiß überhaupt nicht mehr, wer wir sind. Wie es so werden konnte.«

»Weiß ich auch nicht. Und ich hasse es.« Ich schließe die Augen. »Ich dachte ständig, ich hasse dich, aber ich glaube, in Wahrheit hasse ich nur mich selbst.«

»Dann hör auf damit.« Henry schüttelt den Kopf. »Hör zu, ich will das nicht mehr. Ich will meinen besten Freund zurück.«

Ich nicke, weil ich ihn auch zurückwill, aber bevor ich ihm das mitteilen kann, hebt Henry den Kopf. Er muss nichts sagen, ich spüre es auch so. Ihre Anwesenheit, ich spüre sie immer, selbst auf hundert Meter Entfernung. Mein Herz wird flattrig und leicht, wie ein flügellahmer Vogel, der es wieder und wieder versucht, bis er kapiert, dass er nicht in der Lage ist, ohne fremde Hilfe abzuheben.

Sie sieht soweit gut aus. Sie steht, sie geht aufrecht, ihre Haut wirkt blass und fahl, aber sie ist hier, und ihr Blick findet meinen sofort. Zwischen all den Menschen auf dem Weg zu ihren Gates fängt Grace an zu rennen.

Ich stehe auf, ihre Schritte sind schnell und entschlossen, ihr Gesicht hart. Sie läuft auf mich zu, sie umarmt mich, ich lege ebenfalls die Arme um sie, bereit, sie festzuhalten, aber sie lässt sich nicht festhalten, sie löst sich von mir, blickt zu mir hoch, ihre Augen glänzen, und dann knallt sie mir eine. Ich höre entsetztes Luftschnappen von Henry, Emma und den anderen, aber ich zucke nicht mal zusammen. Als hätte mein Körper das erwartet, und ich finde auch, ich habe das verdient.

Meine Wange brennt, meine Augen ebenfalls, aber ich schlucke nur, metallischer Geschmack in meinem Mund, betrachte Grace' Gesicht, analysiere alles, will sie küssen, mich entschuldigen, hundertmal entschuldigen, hunderttausendmal entschuldigen, aber ich sage nur: »Wie geht's dir?«

Grace schluckt, beißt auf ihre Unterlippe, zuckt mit den Schultern und geht von mir weg, rüber zu Tori.

»Ihr seid so bescheuert, wisst ihr das eigentlich?«, murmelt Emma, bevor sie Henrys Gesicht zu sich dreht. Er stöhnt leise, als sie seine Wunden untersucht. »Vor allem du«, sagt sie dann zu mir.

Ich erwidere nichts, weil es stimmt. Ich nicke nur.

Hier zu sitzen, zehneinhalb Meter von Grace entfernt, ist

pure Folter. Das Boarding beginnt, ich frage mich, wer bei wem sitzt, aber meine Frage beantwortet sich von selbst, denn Tori und Emma nehmen Grace in ihre Mitte und würdigen uns keines Blickes. Es ist der längste Zweieinhalbstundenflug meines Lebens. Ich bin beinahe tödlich müde, aber ich schlafe nicht, ich will nicht letzte Nacht noch mal durchleben. Ich will einfach zurück an unsere Schule, Rektorin Sinclairs Donnerwetter über mich ergehen lassen, ihr erklären, dass alles meine Schuld ist und die anderen nichts dafürkönnen, erfahren, welche Disziplinarmaßnahme ich erhalte, und alles vergessen, was in den letzten achtundvierzig Stunden geschehen ist.

Für einen kurzen Augenblick gelingt mir das sogar. Als wir aussteigen, durch den Zoll zum Gepäckband gehen, unsere Koffer holen und nach draußen treten, wo Mr Alberni steht, der Busfahrer, und neben ihm … Das Blut sackt mir in die Beine.

»Mr Attwell«, sagt Jeremy, der Chauffeur meines Vaters. Ich bleibe stehen, Grace bleibt stehen. »Wenn Sie mir bitte folgen würden?«

Ich verstärke den Griff um meinen Koffer. »Warum?«

»Ihr Vater wünscht, dass Sie nach Hause kommen.«

Nach Hause? Macht er Witze?

Hat er es schon gehört? Hat Mr Acevedo unsere Eltern informiert?

Mir wird ein kleines bisschen schlecht, aber ich bewege mich nicht von der Stelle.

»Nein«, sage ich.

Seine Miene wirkt angespannt. »Er war sehr deutlich. Ich denke, es wäre am besten, wenn Sie mir folgen und das persönlich mit ihm besprechen würden.«

»Nein«, wiederhole ich nur. Ich muss hierbleiben, mir meine Standpauke abholen, bei Grace bleiben, bei meinen Freunden.

»Gideon, ich bitte Sie.« Jeremy dämpft die Stimme und kommt einen Schritt auf mich zu. »Ihr Vater möchte …«

»Es ist mir scheißegal, was er möchte.« Meine Stimme bebt vor unterdrückter Wut. Aber da ist auch Angst. Angst davor, dass ich diesmal zu weit gegangen bin. Dass er Ernst macht, mit London und St. Paul's. »Richten Sie ihm aus, dass ich nirgendwohin kommen werde.«

Damit drehe ich mich um und gehe zu meinen Freunden, die so tun, als hätten sie das eben nicht mitbekommen, aber Grace blickt erschrocken, und Henry nimmt kommentarlos meinen Koffer, schiebt ihn zum Rest ihres Gepäcks und bleibt genau da stehen, bis alles eingeladen ist.

42. KAPITEL

GRACE

Nur, damit wir uns nicht falsch verstehen: Ich lehne Gewalt klar ab. Ich wollte Gideon nicht schlagen, aber gleichzeitig wollte ich es doch. Ich wollte, dass er kapiert, wie unendlich dumm und unnötig das alles war, wie unnötig es *ist*, das mit uns, seit Wochen, wie viel Angst ich hatte, wie viel Schmerz ich spüre. Das hat wohl funktioniert. Mich anschließend nicht zurück in seine Arme zu werfen, war eigentlich unmöglich, aber ich habe es geschafft, mich umzudrehen und von ihm wegzugehen. So wie ich es sollte.

Es kann so nicht weitergehen. Wir können uns nicht verletzen, zerstören und weitermachen, als wäre nichts gewesen, weil wir beide zu viel Angst davor haben, was die Alternative bedeutet. Einen Schlussstrich zu ziehen, miteinander Schluss zu machen, ohne überhaupt je etwas Vernünftiges angefangen zu haben. Wir kreisen umeinander wie verirrte Glühwürmchen, wie Motten ohne Licht, aber ich weiß einfach, wenn ich mich von Gideon distanziere, ist die Dunkelheit zu dunkel, um einen neuen Weg zu finden. Der Mensch braucht Licht, um nicht den Verstand zu verlieren. Und Licht ist nur da, wo er ist.

Aber vielleicht müssen wir anfangen zu akzeptieren, dass

es nichts wird. Dass er nie sagen wird, was er wirklich will. Dass ich nie Erklärungen von ihm bekomme, dass ich nie das bekomme, was ich wirklich brauche. Nicht von Henry, nicht von Gideon, von niemandem. Vielleicht finde ich es nur in mir selbst, aber der Gedanke ist so groß und überwältigend, Furcht einflößend und lähmend, dass ich ihn unmöglich zu Ende denken kann. Ich kann nicht ohne Gideon sein. Aber das dachte ich bei Henry auch.

Ich kann nur wie vom Donner gerührt in Rektorin Sinclairs Büro stehen und ihre Standpauke über mich ergehen lassen. Sie schreit nicht, natürlich nicht, sie wird auch nicht laut, das wird sie nie, aber sie ist zu Tode enttäuscht von uns, sie redet von Verantwortung, von enttäuschtem Vertrauen, von Rücksichtslosigkeit, Leichtsinn und Gemeinschaftsgefühl. Sinclair sagt *Mum, bitte*, Gideon versucht, alle Schuld auf sich zu nehmen, aber Rektorin Sinclair bleibt hart. Verwarnung, zwei Monate Putzdienst für jeden von uns, eine offizielle Entschuldigung bei Mr Acevedo, sobald dieser mit dem Rest der Gruppe aus Madrid zurück ist, sowie eine Strafarbeit in Form eines Essays, um unser Fehlverhalten zu reflektieren. Dann entlässt Rektorin Sinclair die anderen und bittet nur mich zu bleiben.

»Gideon, du kannst gehen«, sagt sie, woraufhin ich erst bemerke, dass er ebenfalls im Rektorat wartet.

»Geh«, flüstere ich, sein Kiefer spannt sich an, aber nach einem Moment dreht er sich um und verschwindet.

Dafür kommt Ms Vail herein. Es war klar, dass sie die Schulpsychologin hinzuziehen, und obwohl es mich nervt, möchte ich plötzlich auch weinen, als Mum und Dad auftauchen und mich mit diesen erschrockenen Blicken in ihre Arme ziehen.

Das restliche Gespräch mit Rektorin Sinclair und ihnen verschwimmt in meiner Erinnerung. Ich weine ein bisschen mehr als erwartet, weil es tatsächlich ein ziemlich furchtbares Gefühl war, auf diese Art und Weise die Kontrolle zu verlieren und sich an nicht besonders viel erinnern zu können. Ms Vail bietet mir an, noch für ein Gespräch unter vier Augen in ihr Büro zu kommen, aber ich lehne ab, weil ich müde bin und für das alles keine Nerven mehr habe. Vielleicht gehe ich demnächst mal hin. Vielleicht aber auch nicht, denn ich habe keine Lust, dass sie anfängt, auch über andere Themen mit mir sprechen zu wollen. Themen, die mir selbst bewusst sind und zu denen ich nichts zu sagen habe außer *ich weiß doch auch nicht, was ich stattdessen machen soll.* Ich will nur nach Hause.

Und meine Augen werden wieder feucht, als ich Mum und Dad aus dem Rektorat folge und Gideon von dem Stuhl hochfährt, auf dem er offensichtlich gewartet hat. Warum hat er gewartet? Was verspricht er sich davon? Ich will nicht mit ihm reden, aber ich will auch bei ihm sein. Es ist so kompliziert, es wird mich noch zerreißen, das weiß ich, und ich liebe ihn, es macht mich fertig, ich kann nicht mit und nicht ohne ihn, er treibt mich in den Wahnsinn, aber ohne ihn werde ich untergehen. Nur eine Frage der Zeit.

So oder so bin ich verloren, und weil ich nicht will, dass er das sieht, halte ich den Kopf gesenkt, während ich an ihm vorbeigehe. Entschlossene Schritte, zerbrochenes Herz, aber dann zerspringt es in tausend Teile, als seine Hand nach meiner greift.

Mein Atem stockt, meine Muskeln halten inne. Ich sehe unsere Hände. Gideons Finger an meinen, seinen Arm, seine Schulter, sein Gesicht. Sein Mund. Seine Augen, sein Blick, flüssiges Karamell. Der Schmerz, das Bereuen, weil er mich verletzt hat, die Entschuldigung, aber was soll ich damit anfangen? Darauf warten, dass er es erneut tut, was er tun wird, er hat es immer getan, und man kann nur so oft das Herz gebrochen bekommen, bis es einfach aufhört zu schlagen, zumindest dachte ich das.

Gideons Hand fällt von meiner, als ich sie ihm entziehe. Er folgt mir nicht, er bleibt an Ort und Stelle stehen. Ich gehe von ihm weg, so wie ich es schon viel früher hätte tun sollen. Auch wenn es mich umbringt. Auch wenn es brutal ist, eine Tragödie. Jemand muss dafür sorgen, dass sie ein Ende nimmt. Aber bei Gott, ich wollte nicht diejenige sein.

GIDEON

Grace verlässt das Internat mit ihren Eltern, und ich will doch einfach nur bei ihr sein. Ich ignoriere die Nachrichten meiner Mutter, das unheilvolle Gefühl, das sich in mir ausbreitet, weil mein Vater mir nicht schreibt, nicht anruft oder anderweitig Druck macht, und dann, am nächsten Tag, wir sitzen zu siebt in diesem Klassenraum, Stille, Schweigen, Strafarbeit unter der Aufsicht von Ms Ventura, werde ich kurz vor Unterrichtsschluss ins Rektorat gerufen.

Es ist nie gut, ins Rektorat gerufen zu werden. Henry kann davon ein Lied singen, aber nicht nur er sieht mich fragend an, als ich aufstehe und meine Taschen nehme.

Ich sollte wohl überraschter sein, meinen Vater in Rektorin Sinclairs Büro anzutreffen, aber ich bin nicht überrascht, ich bin gleichgültig und leer. Ich sage nichts, als Mr Harper mich reinlässt und die Tür schließt.

»Wie wäre es mit einer Begrüßung?«, fragt mein Vater, und ich will die Hände zu Fäusten ballen, aber ich tue es nicht, weil ich weiß, dass es ihn wütender macht, wenn ich keine Reaktion zeige.

»Was willst du hier?«, entgegne ich stattdessen.

Es funktioniert, wie mir die Ader zeigt, die an seiner Stirn hervortritt.

»Gideon, nach den Vorfällen in Madrid hat dein Vater um ein Gespräch unter sechs Augen gebeten«, erklärt Rektorin Sinclair, die Diplomatin, und deutet zu dem Stuhl neben meinem Vater. Ich will mich nicht setzen, aber mir bleibt wohl nichts anderes übrig.

»Gideon wird das Internat verlassen«, sagt mein Vater zu Rektorin Sinclair. Mich sieht er nicht mal an. »Ein Platz für ihn ist in St. Paul's kurzfristig frei geworden. Er wird heute mit mir nach London abreisen.«

Ich lache nur.

Rektorin Sinclair verzieht keine Miene. »Das ist sehr kurzfristig, Sir.«

»Es ist das Beste für meinen Sohn.«

»Ist es das?«, frage ich. »Jetzt geht das ja, wo du dir keine Sorgen mehr machen musst, dass ganz London von deinem kleinen Geheimnis erfährt.«

»Das eine hat mit dem anderen nichts zu tun«, sagt Dad kühl. »Dein Fehlverhalten hat mir gezeigt, dass du nicht in der Lage bist, mit Freiheiten, wie sie an dieser Schule gewährt werden, umzugehen. In London können wir an deinem Verhalten arbeiten und dir Respekt und Anstand beibringen.«

Ich stoße leise die Luft aus. »Du meinst, dort kannst du mich besser kontrollieren.«

»Gideon, ich diskutiere hierüber nicht mit dir. Ich informiere Sie, Ma'am, über eine Entscheidung, die meine Frau und ich einvernehmlich getroffen haben.«

»Selbstverständlich respektiere ich diese«, sagt Rektorin Sinclair, die größte Verräterin der Welt. »Ich frage mich nur, wie sinnvoll dieser Schritt ist, im letzten Schuljahr, so kurz vor Beginn der Abiturprüfungen. Gideon ist hier ein geschätzter Schüler, er ist hervorragend integriert in der Schülerschaft, und von den Kolleginnen und Kollegen wird er sehr gemocht.

Ein Fehltritt wie diese Woche ist sicherlich keine Glanzleistung und muss Konsequenzen haben, aber Werte wie Respekt und Anstand lehre ich meinen Schülerinnen und Schülern hier ebenfalls.«

»Ohne nachhaltigen Erfolg, wie mir scheint«, sagt Dad nur.

In mir steigt heiße Wut auf, weil er es wagt, so mit ihr zu sprechen. Rektorin Sinclair wirkt davon völlig unbeeindruckt.

»Gideon hat diese Werte verinnerlicht«, widerspricht sie langsam. »Davon bin ich überzeugt. Ich bezweifle, dass er davon profitieren würde, aus seinem gewohnten Umfeld gerissen zu werden, so kurz nach einem schweren familiären Verlust.«

»So schwer scheint es ihn nicht getroffen zu haben, wenn ich mir sein ignorantes Verhalten seitdem anschaue.«

Ich weiß nicht, was passiert, als ich aufspringe, es geht nicht anders. Mein Herz rast wütend und schnell. Weil ich hier nicht weggehen werde und weil es an Lächerlichkeit grenzt, was er da von sich gibt.

»Du weißt gar nichts!«

Dad bleibt sitzen, völlig unbeeindruckt.

»Du bist derjenige, der ignorant ist. Der so tut, als wäre nichts gewesen, für den Freddies Tod nur ein unangenehmer, aber glücklicherweise absehbarer Punkt im Kalender war!«

»Pass auf, was du sagst«, warnt Dad, aber ich werde nicht aufpassen. Ich werde endlich aussprechen, was ich schon viel früher hätte aussprechen sollen.

»Es ist die Wahrheit, du ekelst mich an! Dein Sohn ist gestorben, Freddie ist tot!« Meine Kehle schnürt sich zu, Dad steht ebenfalls auf. »Und vermutlich kann er froh drüber sein, denn ganz ehrlich, was war das für ein Leben? Weggesperrt, da oben in diesem Scheißhotel, mit Eltern, die kalt sind und sich für ihn schämen!«

Dads Hand zuckt, es passiert schnell. Es ist ein harter Schlag, der mich fast von den Füßen reißt. Stuhlbeine quietschen übers Parkett, in meinen Ohren ein Pfeifton. Ich lande auf den Knien, Rektorin Sinclair schießt von ihrem Stuhl hoch.

»Das reicht!«

Metallischer Geschmack in meinem Mund, brennende Wange, rasendes Herz. Mein Atem geht schwer, und etwas Warmes läuft über mein Gesicht. Ich ziehe mich an der Lehne des Sessels hoch, vor den Füßen meines Vaters, der auf mich herabblickt. Nicht entgeistert, erschrocken über sich selbst oder gar reuevoll, Gott bewahre. Es ist pure Verachtung. Der Beweis, dass ich in seinen Augen kein Mensch bin, sondern ein Sohn, der nur etwas wert ist, wenn er die Aufgabe erfüllen kann, für die er in die Welt gesetzt wurde. Genau wie Freddie. Ich wusste nicht, dass ich diesen Mann noch mehr verachten könnte als ohnehin schon.

Rektorin Sinclair stellt sich zwischen uns, ihre Schultern sind gestrafft, aber ihre Finger beben.

»An meiner Schule dulde ich keine Form von Gewalt, Sir. Sie verlassen sofort das Internatsgelände.«

Dad macht einen einschüchternden Schritt auf sie zu, ich rappele mich auf, obwohl mein Nacken schmerzt und meine Ohren taub sind.

»Das ist mein Sohn«, sagt er gefährlich leise. »Ich wende die erzieherischen Maßnahmen an, die mir angemessen vorkommen.«

»Ihr Sohn steht in dieser Schule unter meiner Fürsorgepflicht.« Die Tür zum Verbindungszimmer fliegt auf, Mr Harper kommt rein. Rektorin Sinclair weicht dem Todesblick meines Vaters nicht aus. »Wenn Sie meiner Aufforderung nicht nachkommen und sich beruhigen, sehe ich mich gezwungen, die Behörden einzuschalten.«

Sie meint es scheißernst, und ich nehme alles zurück. Gestern, während dieser Standpauke, war Rektorin Sinclair nicht fuchsteufelswild und verärgert. Nicht so wie jetzt. Ich habe sie so noch nie erlebt.

»Sir, Sie haben die Rektorin verstanden.« Mr Harper kommt näher, aber Dad bewegt sich nicht. Er schaut mich nicht mal an, sein Blick liegt auf Rektorin Sinclair.

Er nickt, stößt missbilligend den Atem aus und fasst an seine Krawatte.

»Das werden Sie bereuen«, sagt er, leise und bedrohlich, dann dreht er sich um und geht an uns vorbei nach draußen.

43. KAPITEL

GIDEON

In meinem Kopf dreht sich alles, auch noch nachdem ich mir auf der Krankenstation Eis geholt habe und Dr. Henderson sich meine Nase angesehen hat. Je länger es her ist, desto weniger verstehe ich, was vorhin in Rektorin Sinclairs Büro geschehen ist. Dass mein eigener Vater die Hand gegen mich erhoben hat. Das ist noch nie passiert. Er hat rumgeschrien, manchmal gebrüllt, aber noch kein einziges Mal hat er mich geschlagen. Ich weiß nicht, ob ich es bedenklich finden sollte, dass mir diese Tatsache nicht ausschließlich schlecht vorkommt. Es war eine Reaktion, der Beweis, dass er mir gegenüber nicht so gleichgültig ist, wie er vorgibt. Er lässt sich von mir provozieren, ich löse etwas in ihm aus, und wenn das Ärger und das Bedürfnis ist, mir eine zu verpassen, soll es mir recht sein. In meiner Position nimmt man, was man kriegen kann.

Aber verdammte Scheiße, wenn er ernst macht und mich von der Schule nimmt … Ich wüsste nicht, wie ich weitermachen sollte. Ohne Grace, ohne Henry, ohne Tori, Sinclair, Emma, Omar, alle anderen, die ich irgendwie für selbstverständlich nehme, wenn ich jetzt so darüber nachdenke, aber sie sind nicht selbstverständlich. Nichts von alldem hier ist das.

Einen Ort zu haben, der sich nach Zuhause anfühlt. Freunde, die Familie geworden sind. Ein Mädchen, das einfach alles ist.

Warum setze ich das aufs Spiel? Ist mir noch zu helfen? Warum leiste ich mir diese ganze Scheiße, warum rede ich nicht Klartext mit ihr, warum entscheide ich mich, ihr das Herz zu brechen, wieder und wieder, so oft, dass ich mir nicht einreden muss, ich hätte jemals eine echte Chance bei ihr. Hatte ich nie, werde ich nie haben. Nicht so wie er.

Wie Henry, der von seinem Bett aufspringt und geschockt mein Gesicht mustert, das nur unwesentlich besser aussieht als seins.

»Scheiße, was ist mit dir?«, will er wissen, noch bevor die Tür ins Schloss gefallen ist. »Wer war das?«

»Mein Vater.«

»Was?«

»Er will, dass ich die Schule wechsle. Er war hier, wir hatten Stress, es ist eskaliert.«

»Er hat dich geschlagen?«, wiederholt Henry. »Weiß Rektorin Sinclair …?«

Fast lache ich. »Ja, es war direkt vor ihren Augen. Sie hat es live mitbekommen.«

Und wie sie das hat. Ihre Stimme war beherrscht und ihr Gesicht besorgter, als ich es je erlebt habe, nachdem mein Vater aus dem Rektorat gerauscht ist, während ich das Blut meiner Nase mit meinen Händen aufgefangen habe, um ihr Parkett nicht zu beschmutzen.

»Gideon, geht es dir gut?« *Ja, Ma'am.* »Bitte geh nach unten und lass das ansehen.« *Ja, Ma'am.* »Wir finden eine Lösung.« Ach wirklich, Ma'am?

Das habe ich nicht gesagt, nur gedacht.

Wie Rektorin Sinclair eine Möglichkeit findet, einen der

einflussreichsten Männer Londons umzustimmen, das möchte ich sehen. Wird nicht passieren. Meine Tage an der Dunbridge Academy sind gezählt. Es nützt nichts, sich etwas vorzumachen. Wenn Victor Attwell etwas entschieden hat, passiert es auch. Alles andere wäre Inkonsequenz und Charakterschwäche. Ein Satz, den ich so oft gehört habe, dass er mir in Fleisch und Blut übergegangen ist, sollte man meinen, aber ihr kennt mich jetzt, ihr habt gesehen, wie ich bin. Inkonsequent und charakterschwach. Ein verliebter Volltrottel, der die Menschen, die ihm wichtig sind, verletzt, weil er es einfach nicht auf die Reihe kriegt. An Dads Stelle würde ich mich auch verachten. Die letzte Attwell-Hoffnung.

»Nein, der meint das ernst«, sage ich, als Henry in gewohnter Henry-Manier beginnt, nach Lösungen zu suchen, die normalerweise hilfreich sein mögen, aber er versteht nicht, dass er sich die Mühe sparen kann. »Er will, dass ich nach St. Paul's wechsle. Wollte er eigentlich schon nach den Sommerferien.«

»Ich kann mir nicht vorstellen, dass das im laufenden letzten Schuljahr so einfach möglich ist«, meint Henry, worüber ich nur müde lächeln kann.

»Er kennt tausend Leute, die ihm immer irgendwas schuldig sind, und im Zweifel bringt's eine entsprechende Spende an den Förderverein.«

»Aber es ist St. Paul's, die haben eine ewig lange Warteliste und …«

»Und er ist Victor Attwell«, unterbreche ich ihn. »Henry, es nützt nichts. Ich meine, was soll's? Es ist egal.«

»Ist es nicht«, widerspricht Henry sofort und klingt erstaunlich verzweifelt, woraufhin meine Kehle eng wird, aber ich schlucke, weil es vielleicht nicht egal ist, aber wirklich nichts nützt. »Du kannst hier nicht weg. Nicht jetzt, nicht so kurz vor Schluss. Nicht ohne …« Er hält inne, und für einen Augenblick frage ich mich, ob er wirklich sagen wollte, was ich denke.

Nicht ohne endlich meinen Scheiß mit Grace zu klären.

»Keine Ahnung, ich muss nachdenken«, sage ich rau und deute auf sein Auge. »Und sorry noch mal, jetzt weiß ich wohl, wie man sich fühlt.«

Und ich kann kaum leugnen, dass ich der Sohn meines Vaters bin. Vielleicht würde er mich mit etwas weniger Enttäuschung ansehen, wenn er wüsste, dass ich zumindest zuschlagen kann wie er. Das war's dann aber auch mit den Gemeinsamkeiten.

»Schon vergessen.« Henry klingt etwas abwesend, während er nach seinem Handy und den Schlüsseln greift. »Mir fällt gerade ein, ich muss noch mal … was erledigen.«

Lügt er jetzt? Hat er die Nase voll davon, mit mir in diesem Zimmer zu hocken und sich meine Katastrophe von einem Leben zu geben? Ich kann es ihm nicht verübeln, und letztendlich spielt es auch keine Rolle. Wenn ich nicht bei Grace sein kann, will ich wenigstens allein sein. Ich könnte schon mal anfangen zu packen. Und mir eine Erklärung zurechtlegen, wenn ich ihr in Kürze beibringen muss, dass wir die längste Zeit miteinander zur Schule gegangen sind. Oder ich mache es wie im Sommer. Ich verschwinde einfach, ohne etwas zu erklären. Nur diesmal ohne je wieder zurückzukommen.

Fuck, auf keinen Fall. Ich kann sie nicht nie wiedersehen. Ich kann nicht nie wieder bei ihr schlafen. Nie wieder neben ihr aufwachen, viel früher, als ich müsste, um sie ansehen zu können. Meine Rippen geben kurz nach, mein Brustkorb wird eng. Das geht nicht. Ich kann nicht ohne sie existieren. Aber ich kann auch nicht mit ihr existieren. Wir machen uns kaputt, vielleicht schade ich ihr mehr, als ich ihr helfe. Vielleicht bedeutet sie zu lieben eigentlich, sie gehen zu lassen, nur das Beste für sie zu wollen. Aber ich … Ich will das sein. Das Beste für sie. Und wenn ich es nicht bin, dann muss ich es lernen. Wenn sie mich lässt.

44. KAPITEL

GRACE

Ich bin mir nicht sicher, ob man das hier eine außerkörperliche Erfahrung nennen kann, aber so stelle ich mir jedenfalls eine vor. In meinem Zimmer auf dem Teppich vor dem Bett sitzen und mich fragen, ob ich wirklich zurück in Ebrington bin und nicht mehr in Madrid. Ob ich tatsächlich den ersten Blackout meines Lebens hatte. Was passiert wäre, wenn Gideon nicht rechtzeitig gekommen wäre. Was passiert wäre, wenn Gideon nicht Clara Berry am Abend auf der Dachterrasse des Hostels nicht-geküsst und in den Sommerferien gevögelt hätte. Ob ich es dann auch für nötig gehalten hätte, mit diesem Kerl zu flirten und zu riskieren, dass mir fast etwas passiert wäre. Kann man das so sagen, oder *ist* mir etwas passiert? Ist es normal, den Alkoholatem zu riechen und die Stellen zu spüren, an denen seine Hände lagen? Vermutlich nicht. Vermutlich ist nichts von alldem normal, was nun mein Leben ist.

Aber ich spüre auch die Stellen, an denen Gideons Hände lagen. Seine Finger, vorhin vor dem Rektorat. Sein schmerzerfüllter Blick, flehend und verzweifelt.

Und ich warte, ich dachte, er würde kommen und klopfen,

ich dachte, es ist nur eine Frage der Zeit, aber er klopft nicht. Warum habe ich Mum und Dad überredet, wie geplant mit Gus und Greg zu ihrem Rugbywettkampf zu fahren, anstatt hier bei mir zu bleiben, als bräuchte ich all ihre Zuwendung? Ich brauche nur die Zuwendung eines Einzigen. Aber ich bekomme sie nicht.

Ich ahne das bereits, als es an der Haustür klingelt. Das ist höchstwahrscheinlich nicht Gideon. Die Freunde meiner Eltern klingeln, die Post, Kumpel meiner kleinen Brüder, manchmal auch Tori oder Olive, wenn sie mich nicht übers Handy erreichen. Ich weiß nicht, wann Gideon zuletzt bei uns geklingelt und dieses Haus durch den offiziellen Eingang betreten hat. Er ist schließlich nicht Henry.

Meine Lust, nach unten zu gehen, hält sich in Grenzen, aber es klingelt erneut. Und dann steht er da. Henry, in Trainingskleidung und dem Dunbridge-Hoodie, Traumhaare, Traumaugen, ernstes Gesicht. Alles wie vor einem Jahr.

Und gleichzeitig ist nichts wie vor einem Jahr. Damals habe ich ihn gesehen und wusste Bescheid. Henry Bennington vor meiner Tür konnte nur eines bedeuten. Er war hier, um Schluss zu machen. Ich wusste, was passiert, ich konnte es antizipieren, ich war vorbereitet. So vorbereitet, wie man eben sein kann. Jetzt bin ich es nicht. Sein Auftauchen trifft mich wie ein Güterzug, der durch den Raum auf mich zurollt.

»Kann ich reinkommen?«, fragt Henry, genau wie vor einem Jahr.

Ich erwache aus meiner Starre und trete zur Seite. Sage *Ja, klar*, ohne zu wissen, ob ich das wirklich will. Eine Wiederholung dieser Tragödie, die mich auf mehr Arten gebrochen hat, als er je wissen wird. Weil ich ihm nichts davon gezeigt habe. Am Ende dieses Trennungsgesprächs, als er mir gesagt hat, dass es vorbei ist, und die Unverfrorenheit hatte, zu weinen, vor mir, hat mich das unendlich wütend gemacht. Wo war in diesem Gespräch Platz für mich und meine Gefühle? Wo war der Moment, in dem ich weinen und die Fassung verlieren konnte? Warum musste ich kühl und beherrscht bleiben, warum musste ich sagen, es ist okay, warum musste ich die größere Person sein? Warum wiederholt es sich nun? Warum schicke ich ihn nicht weg? Warum bin ich froh, dass er hier ist, und warum hasse ich mich zugleich dafür?

Fragen, auf die ich nie Antworten erhalten werde. Henry folgt mir in den Flur. Er schiebt die Hände in die Hosentaschen, kurze Blicke zu beiden Seiten. Mit Sicherheit versucht er herauszufinden, ob sich etwas verändert hat, und wird feststellen, dass sich nichts verändert hat. Nicht hier bei mir.

»Bin alleine«, erwähne ich, weil er das als Nächstes fragen wird. »Alles okay?«

Henry nickt, aber er wirkt etwas durch den Wind.

»Hast du's schon gehört?«, fragt er und folgt mir ins Wohnzimmer. Er wartet, bis ich zum Esstisch deute, dann nimmt er Platz, aber nicht auf seinem Stuhl, sondern nach kurzem Zögern auf der Bank von Greg und Gus. Ich nehme es zur Kenntnis und setze mich auf meinen Platz, ihm gegenüber, nachdem ich zwei Gläser und Wasser für uns geholt habe, weil mir mein Gefühl sagt, dass das hier ein Gespräch wird, das man am Esstisch mit Wasserglas führen sollte. Nicht auf der Couch, nicht oben in meinem Zimmer. Sondern wie Erwachsene. Das Einzige, worin Henry und ich richtig gut sind.

»Was?«, frage ich, als er nicht weiter ins Detail geht.

»Gideons Vater war da. Er will, dass Gideon die Schule verlässt.«

Das leere Glas klirrt, als es mir aus der Hand rutscht und auf den Tisch fällt. Es zerspringt nicht, Henry fängt es auf. Mein

Körper zeigt eine erstaunliche Reaktion. Magengrummeln, kalter Schweiß, Herzschlag beschleunigt sich.

»Was?«, wiederhole ich. »Warum?«

»Ich weiß es nicht genau, er war ziemlich durch den Wind. Sein Vater hat ihn geschlagen.«

Eine unbändige Wut kocht in mir hoch, aber ich zwinge mich, nicht ein drittes Mal »Was?!« zu sagen.

»Das geht nicht«, sage ich stattdessen und umklammere mein Glas mit zitternden Fingern. »Er kann nicht …«

Gehen (Gideon)? Ihn schlagen (sein Vater)?

Beides, aber eins noch etwas weniger als das andere.

Henry nickt. »Ja, wir müssen uns was überlegen. Wir brauchen eine Lösung. Ich dachte, wir könnten Rektorin Sinclair fragen, ob sie eine Art Leistungsstipendium für Gideon vergeben kann, so wie damals bei Kit, dann könnte er bleiben, auch wenn seine Eltern sich weigern, das Schulgeld weiter zu bezahlen.« Henry schluckt, und ich frage mich, ob er wirklich hier ist, um mir das zu erklären, oder ob es nicht eigentlich um etwas völlig anderes geht.

»Ja, klingt gut«, höre ich mich sagen.

Henry nickt wieder. Er verknotet seine Finger, er ist nervös. Henry ist nie nervös. Ich kenne ihn so nur bei Emma. Nur, wenn ihm etwas wirklich nahegeht.

Er betrachtet die Tischplatte, gebeizte Lärche, an der er so oft mit meiner Familie gegessen hat, bevor er aufgestanden und gegangen ist. Er hebt den Kopf, schaut mich an, und in seinen Augen erkenne ich einen Schmerz, der mir erstaunlich vertraut ist.

»Wie geht's dir?«

Ich frage mich, was er meint. Die Trennung, Madrid, Gideon, Olive, oder alles andere?

»Gut«, lüge ich. Henry atmet gequält aus.

»Ich kann kaum glauben, was in Madrid passiert ist«, sagt

er dann. »Das alles, es tut mir so leid. Ich hatte echt verdammt viel Angst um dich.«

Er sagt nicht *wir*, er sagt *ich*. *Er* hatte Angst. Er, Henry. Um mich, Grace. Als würde ich ihm noch was bedeuten.

Ich zwinge mich zu lächeln. »Ist ja zum Glück nichts passiert.«

Sein Gesicht wirkt maskenhaft, so als würde er mir am liebsten widersprechen. »Hast du jemanden, mit dem du darüber reden kannst?«

»Ja, Ms Vail war gestern da, als ich noch im Rektorat bleiben sollte. Sie ist super.«

»Ist sie wirklich.« Er schweigt kurz, und ich wünschte, ich hätte schneller interveniert und dieses Gespräch in eine andere Richtung gelenkt. »Seit Maeves Tod rede ich regelmäßig mit ihr.«

»Das ist gut, Henry.«

»Ja, ich kann es nur empfehlen.«

Lächeln, nicken.

Es funktioniert nicht. Sein Blick liegt auf mir und durchschaut mich.

»Es geht dir nicht gut«, sagt Henry, und etwas an seinen Worten, an dieser ganzen Situation zerbricht mich. »Und es ist meine Schuld.«

Jetzt, das spüre ich, kommt es auf jedes Wort an.

»Ist es nicht.« Lockerer Ton, entspannte Hände. Blickkontakt. »Es ist einfach viel, aber ich komme zurecht.«

Er sieht mich nur an. Ernst, besorgt, mit so viel Mitgefühl und Angst, dass ich Schwierigkeiten habe, zu atmen.

»Grace, ich habe nicht das Gefühl.«

Kälte flutet meine Brust. Ein Eismeer, in dem mein flattriges Herz jämmerlich ertrinkt.

Ich hasse es, zu spüren, dass er meinen Körper sehen kann.

Dass er ihn wahrnimmt, betrachtet und Vergleiche zieht, weil er einer der wenigen ist, der ihn mal in- und auswendig kannte. Vielleicht sogar der Einzige.

Ich verstehe, dass es zwecklos ist, Henry Bennington etwas vormachen zu wollen.

»Bist du deshalb hergekommen?«, frage ich.

Das weiß er selbst nicht. »Nein, keine Ahnung.« Er fährt sich mit einer Hand durch die Haare. »Ich weiß es nicht. Ich hatte einfach das Gefühl, dass ich muss. Ich glaube, zwischen uns ist noch eine Menge ungeklärt.«

Was du nicht sagst.

Ich zucke nur mit den Schultern, weil ich ansonsten patzig antworten müsste.

Sein Blick liegt auf mir. Diese grünen Augen, ein ganzes Wunderland. »Darf ich einen Kommentar über deinen Körper machen?«

Ich nicke und fühle nichts.

Henry schluckt, doch er spricht nicht sofort. Dass er seine Worte bewusst wählt, ist wichtiger für mich, als ich zugeben kann.

»Hör zu, es macht mir Angst. Du verschwindest vor unseren Augen, schon seit Monaten. Ich bin mit meinem Latein am Ende, ich mache mir Sorgen. Gideon hat mir erzählt, dass du dich übergibst.«

Wusste ich es doch. Verräter.

Ich muss seinem Blick ausweichen.

Mein Herz rast und tobt wie ein eingesperrtes Tier.

»Grace«, bittet er leise, der Junge, den ich so sehr geliebt habe. »Schau mich an.«

Also schaue ich ihn an, aber Henry verschwimmt vor meinen Augen. Mein Kopf arbeitet effektiv. Er erstellt mir hundert Ausreden, glaubhaft und schnell, manche weniger glaubhaft, aber aus irgendeinem Grund will ich keine davon benutzen. Weil ein Teil von mir so überfordert und erleichtert ist, dass Henry hier ist und wir das gerade machen. Miteinander sprechen.

Meine Augen brennen, während ich mit den Schultern zucke. Die erste Träne fällt. Die zweite. Wann habe ich zuletzt vor ihm geweint?

»Ich dachte, ich habe es unter Kontrolle«, flüstere ich.

Er schluckt bemüht. »Seit wann?«

Seit du mich weggeschickt hast. Seit dieser Nacht in deinem Zimmer.

Das kann ich ihm nicht sagen. Es würde ihn zerstören, und eine Zeit lang, da wollte ich das auch. Als ich mir vorgestellt habe, wie es wäre, wenn alle davon erfahren. Wenn Henry davon erfährt. Wenn er mich ansieht, voller Entsetzen, sich entschuldigt, mich anfleht und bittet, ihm noch eine Chance zu geben, so als wäre mir selbst zu schaden eine Art Druckmittel, um andere dazu zu bringen, mich mehr zu lieben. Aber so funktioniert es nicht. Es ist keine Liebe, die ich wollen würde, sie wäre nicht bedingungslos und echt, sie wäre … einfach überhaupt nichts wert.

»Seit einer Weile.«

»Letztes Jahr auch?«

Ich nicke.

»Als wir … noch zusammen waren?«

»Henry«, sage ich nur und drehe das Gesicht weg, aber er schüttelt den Kopf.

»Beantworte meine Frage.«

Ich schlucke und schließe kurz die Augen. »Letztes Jahr, September.«

Er versteht sofort. Er muss nicht zurückrechnen oder überlegen, er weiß es. Genau wie ich es damals wusste. Keine Chance mehr, wir beide, aus und vorbei. Ich wusste es einfach.

In seinem Gesicht erstirbt etwas. Er sieht aus, als wäre ihm schlecht.

»Warum hast du nichts gesagt?«

Ich lache fast. »Was hätte ich sagen sollen? Beachte mich? Entscheide dich für mich? Liebe mich?«

Seine Miene fällt in sich zusammen.

»Grace, ich hab nie aufgehört, dich zu lieben.«

»Aber du hast angefangen, Emma mehr zu lieben.«

Seine Augen werden feucht, glänzende Smaragde, dunkelgrüner Schmerz, weil es wahr ist.

»Ich wollte das nicht.« Seine Stimme klingt brüchig. »Ich wollte nie, dass du denkst, du wärst nicht genug.«

»Aber ich war nicht genug«, flüstere ich. »Wenn ich genug gewesen wäre, dann wärst du nicht gegangen.«

»Das stimmt nicht, es ist … Fuck, ich weiß nicht, was ich sagen soll.« Und das von ihm. Von Henry Bennington, Schulsprecher, der heimliche Prinz, immer die richtigen Worte. »Ich hasse es«, flüstert er. »Ich hab dir so verdammt wehgetan, und ich wollte nichts davon.«

»Ich weiß, Henry. Und ich wollte einfach, dass es reicht. Dass ich …« Meine Kehle schnürt sich zu, und mein Gesicht ist nass. »Dass ich dir reiche.«

»Du hast gereicht, du hast mehr als gereicht.«

Es tut so weh, ich kann es kaum ertragen. Mein größter Wunsch war doch, dass er so etwas sagt, aber jetzt bringt es mich zum zweiten Mal um.

»Hör auf«, flehe ich. »Hör auf zu lügen.«

»Es ist die Wahrheit«, widerspricht er. »Grace, du warst alles. Du warst perfekt, ich …«

»Aber wieso hast du es nicht mehr gefühlt?«

»Ich weiß es nicht«, flüstert er, und seine Augen füllen sich mit Tränen. »Ich kann's dir tatsächlich nicht sagen, aber es lag nicht an dir. Das klingt wie eine abgedroschene Floskel, aber das ist es nicht. Es ist die Wahrheit. Es lag an mir. Scheiße, Grace, ich hab dich so geliebt. Und ich werde dich für immer lieben, du wirst mir nie egal sein. Und es bringt mich um zu sehen, dass es dir schlecht geht.«

Das trifft einen Punkt in mir. Einen Knopf, den niemand anderes drücken konnte als Henry. Weil er nur für ihn war. Für ihn und sonst niemanden. Weil ein Teil von mir wohl wollte, dass es ihn umbringt.

»Ich weiß.« Ich schluchze. »Ich will das nicht mehr. Du wolltest immer nur das Beste für mich, und ich … Ich wollte dir wehtun. Ich wollte, dass du es spürst. Dass du auch leidest. Dass du verstehst, wie es sich anfühlt, wie es sich für mich angefühlt hat. Die ganze verdammte Zeit.«

Er nickt mühevoll. »Das habe ich verdient.«

»Nein, hast du nicht. Und du hast recht, ich verdiene es auch nicht. Aber ich weiß nicht, wie ich damit umgehen soll. Mit dieser ganzen Wut, an irgendwem muss ich sie doch auslassen.«

Ein Muskel an Henrys Kiefer zuckt. »Aber doch nicht an dir selbst«, fleht er dann.

Ich bemühe mich zu lächeln, aber ich kann nicht aufhören zu weinen. »An wem sonst?«

Er schweigt, und da habe ich meine Antwort. Es gibt keine.

»Ich hab dich so geliebt«, flüstere ich. »Es tut mir leid.«

»Ich dich auch. Grace, du bist mir immer noch so verdammt wichtig.«

»Und du mir auch. Das macht es schließlich so schwer.« Henry nickt, ich schlucke. »Aber es wird nie wieder so wie früher.«

Ist es eine Frage, eine Feststellung? Vielleicht beides auf einmal.

Erneut schimmern Tränen in seinen Augen. Er senkt den Kopf, und wir müssen plötzlich beide lachen.

»Verdammt, was ist das hier?«, murmelt er und fährt sich mit dem Handrücken übers Gesicht.

»Ich weiß auch nicht, es tut mir leid. Vielleicht hättest du nicht herkommen sollen.«

»Doch, hätte ich«, sagt er, ohne zu zögern. »Ich musste. Es ist wichtig. Dass wir dieses Gespräch führen. Dass wir ehrlich sind und auch weinen.« Er schluckt. »Grace, du darfst wütend sein. Auf mich. Du musst sogar. Bitte, bitte hör auf, das gegen dich selbst zu richten.«

Ich zucke mit den Schultern. »Aber das kann ich nicht. Ich könnte dich niemals hassen, egal wie sehr ich es versuche. Und ich habe es wirklich versucht, Henry.«

»Vielleicht musst du es erst lernen.« Er zögert kurz. »Gideon kann es dir beibringen«, scherzt er dann, und ich betrachte sein blaues Auge.

»Ich lehne Gewalt ab«, bringe ich mit dünner Stimme hervor und denke daran, wie ich Gideon geohrfeigt habe. Vielleicht sollte ich Henry auch ohrfeigen. Aber ich will ihn nicht ohrfeigen. Nicht mehr. Es ist beinahe erstaunlich.

»Ich sage nicht, dass du mich schlagen musst. Aber du darfst dich nicht für etwas bestrafen, wofür du nichts kannst. Grace, du bist zu schlau dafür.«

Ich atme schwer aus. »Nicht so schlau wie du.«

Henry schweigt kurz. »Es war nie förderlich, oder?«, fragt er dann. »Wir beide, es war schon verdammt dysfunktional.«

Ich wische mir über die Wangen. »Findest du nicht, wir haben stets das Beste ineinander hervorgebracht?«

»Ein bisschen zu sehr vielleicht«, sagt er tonlos.

Und es stimmt.

»Ich wünschte, ich müsste nicht immer die Beste sein wollen.

Ich wünschte, ich wäre mir einfach mal genug. Ich wünschte, ich könnte damit aufhören. Diese ständige Vergleicherei.« Ich schließe für einen Moment die Augen. »Aber leider kommt es mir vor, als müsste ich besser abschneiden, weil es einfach meine verdammte Pflicht ist.«

»Grace, das ist Bullshit.«

»Ich weiß doch.« Die Tränen laufen mir über die Wangen, aber ich weiß auch, dass ich noch nie so ehrlich mit Henry gesprochen habe. »Ich weiß es, rein rational ist mir klar, dass mein Wert nicht von Leistung abhängt, aber es fühlt sich schon immer so an. Es kommt mir vor, als wären wir seit Jahren in einem Wettbewerb miteinander. Und du weißt nicht mal davon, aber du gewinnst ihn trotzdem immer.« Er sieht gelinde gesagt schockiert aus, aber ich halte mich nicht zurück. Nicht mehr. Mein Kopf pocht, mein Brustkorb schmerzt. »Und dann kam Emma und … Warum muss ich immer alles zu einem Wettbewerb machen, Henry? Warum kann ich nur sehen, was sie ist und was ich nicht bin?«

Etwas in Henrys Gesicht verändert sich. Das letzte Puzzleteil, das ihm gefehlt hat.

»Grace«, flüstert er voller Schmerz.

Ja, es tut weh, wenn man sich das Ausmaß all dessen einmal bewusst macht. Und Gott weiß, ich habe mich bemüht, aber es gibt fast keine andere Möglichkeit, als daran zu zerbrechen, wenn der Junge, für den du sterben würdest, eine andere wählt. Egal, wie respektvoll er das tut. Egal, wie korrekt, egal, wie bemüht.

Es hat mich zerstört, auf jede erdenkliche Weise, und ich weiß nicht, ob ich jemals damit fertig sein werde, zu zerbrechen. Ob die Splitter zu klein sind, ob sie sich überhaupt noch einmal zusammenkitten lassen. Was für ein jämmerliches Bild das dann wäre, das anschließend noch übrig ist.

»Bereust du es?«, fragt Henry nach einer Weile. »Würdest du es rückgängig machen, wenn du wüsstest, wie es ausgeht?«

»Das mit uns?«

Er nickt.

Ich überlege lange, obwohl ich das nicht müsste, dann schüttele ich den Kopf.

»Würdest du?«, frage ich leise.

»Ich denke, ich sollte, denn wenn ich sehe, was ich angerichtet habe, bricht es mir das Herz, aber Grace, das waren die schönsten Jahre. Vielleicht ist es egoistisch, aber ich würde dich immer wieder fragen. Ich würde nichts ändern wollen. Nur deinetwegen bin ich, wer ich bin. Nur deinetwegen weiß ich, was Liebe ist. Nur deinetwegen ist das hier ein Zuhause für mich geworden.«

»Nicht nur meinetwegen«, widerspreche ich.

»Aber vor allem«, korrigiert Henry.

Ich nicke langsam, und alles, was ich denken kann, ist, dass das hier, dieser Ort, dieses Internat auch nicht nur seinetwegen ein Zuhause für mich ist. Sondern wegen eines anderen. Vielleicht hatte ich nie eine klarere Erkenntnis.

Ich kann nicht sprechen, ich kann nur an die Sommer denken. Trockene Hitze, warmes Gras, Gideons Gesicht, gebräunte Haut, Sommersprossen, die braune Augen brauner wirken lassen, aufgeschürfte Knie, verbrannte Nasenspitzen, sein Körper, eine Festung, meine Burg, in der mir nichts passieren kann. Nie. Diese Ferien, die nur uns gehörten. Dann, wenn Henry fort war und ich ihn nicht vermisst habe. Das habe ich erst anschließend. Später, wenn er wieder da war und ich erkennen musste, dass wir uns nichts mehr zu sagen hatten.

»Ich würde es auch nicht ändern«, höre ich mich sagen.

»Ich dachte immer, du trennst dich zuerst«, sagt Henry zu meiner Überraschung. »Wenn du die Ferien mit Gideon verbracht hast und ich zurückgekommen bin, war nicht zu leugnen, dass das zwischen euch besonders ist. Ihr wart so eng, und ich kam mir vor wie ein Fremdkörper, an den ihr euch erst wieder gewöhnen musstet.«

Ich möchte widersprechen, etwas sagen wie *Das ist Unsinn, Henry*, aber es ist kein Unsinn, sondern die Wahrheit. Das wissen wir beide.

»Er liebt dich«, sagt Henry.

»Keine Ahnung«, meine ich nur.

»Natürlich liebt er dich. Er hat mich deinetwegen zusammengeschlagen.«

»Das war nicht meinetwegen«, murmele ich.

»Doch, das war es. Und er wollte das seit Jahren tun. Ich habe nur drauf gewartet, dass es endlich passiert.«

Ich auch. »Die dysfunktionalste Freundesgruppe Schottlands.«

Henry lacht nicht, aber er sieht das ähnlich. Er zuckt mit den Schultern. »Das ist mehr als Freundschaft«, sagt er. »Das ist jetzt Familie, das geht nicht anders nach sieben Jahren Internat. Und ich würde es nicht ändern wollen.«

Ich nicke, weil es stimmt. Weil er recht hat. Weil es lieben und hassen ist, aber auch sicher sein können, aufgefangen zu werden, wenn man fällt. Er, hier bei mir, ist der lebendige Beweis.

»Redest du mit Gideon?«

»Kommt drauf an. Manchmal. Gerade nicht.« Wenn er die Schule verlassen wird, dann wohl auch nie wieder. Der Gedanke sorgt für Übelkeit. »Denkst du, sein Vater meint es ernst?«

»Ich weiß es nicht, aber ich glaube, Gideon muss sich von ihm nichts sagen lassen, und Rektorin Sinclair ist auf seiner Seite.«

»Was ist mit seiner Mutter?«, frage ich. »Hat er dazu was gesagt?«

»Nee, ich glaube, sie nimmt das alles viel mehr mit.«

»Du meinst, mit seinem Bruder?«

Henry nickt.

»Er hat es dir erzählt. Und mir nicht. Ich weiß, das ist seine Entscheidung gewesen, aber ich … Es hat mich so verdammt verletzt. Dass du es wissen duftest und ich nicht.«

»Ja, aber auch erst, nachdem Maeve …« Henry spricht nicht zu Ende. Es ist erstaunlich, wie Trauer funktioniert. Wie sie sich über ihn wirft, von einer Sekunde auf die andere. Wie ein Schleier, der plötzlich vor seinen Augen liegt und dafür sorgt, dass ich sein Gesicht in meine Hände nehmen will. Er blinzelt mehrmals stark. »Ich bin davon ausgegangen, du wüsstest es auch.«

Tja, wusste ich aber nicht.

Das sage ich nicht, es kommt mir plötzlich unpassend vor.

»Wie geht's dir?«, frage ich stattdessen. »Ohne Maeve?«

Er schluckt und lächelt tapfer. »Nicht immer gut. Manchmal vergesse ich es. Dass sie nie wieder zurückkommt, aber dann fällt es mir wieder ein, und ich habe keine Ahnung, wie ich atmen soll.«

So wie jetzt.

»Sie fehlt sehr«, sage ich leise. »Wird sie immer.«

Henry nickt nur, weil er zu beschäftigt damit ist, nicht noch mal zu weinen. Das lässt mein Herz für ihn brechen, und ich finde es wieder grausam, dass er da durchmusste und ich nicht diejenige war, die für ihn da sein konnte, aber ich weiß, dass Emma da war. Der Gedanke löst plötzlich Ruhe in mir aus.

»Ich bin mir sicher, du hast viele tolle Menschen, die dich lieben und mit denen du darüber sprechen kannst«, sage ich. »Aber ich wollte dir sagen, dass ich hier bin. Falls du je das Bedürfnis hast, mit mir darüber zu reden.«

Er lächelt bemüht. »Danke, Grace.«

Ich kann nicht zurücklächeln. Ich kann nur daran denken, wen Gideon hatte, als das Schlimmste geschehen ist. Mit wem er darüber reden konnte. Warum ich hier war, im Sommer, in Schottland, allein und wütend auf ihn, während es ihn in London zerbrochen hat. Wie ich jetzt noch wütender auf ihn sein kann, weil ich davon nichts wusste. Wie selbstbezogen und egoistisch das ist. Ich wollte doch für ihn da sein. Warum durfte ich nicht für ihn da sein? Warum konnten wir nicht füreinander da sein?

»Ich muss mit ihm reden«, sage ich wie zu mir selbst.

Henry nickt. »Das solltest du.«

Wir sitzen voreinander, am Esstisch meiner Familie, ich erkenne die Tränenspuren auf seinem Gesicht, rieche ihn, spüre den Schmerz. Vermisse ihn. Wie letztes Jahr, aber anders, denn ich drücke es nicht weg.

»Grace, ich bin noch hier. Wenn du das möchtest und es dir hilft, können wir immer noch über alles reden. Aber wenn es nicht hilft, sondern alles nur schwerer macht, dann tun wir das nicht. Ich muss es nur wissen. Das Letzte, was ich will, ist, dir noch mehr wehzutun.« Henry zögert. »Auch wegen dieser Abschlussballsache. Wenn du das nicht willst mit der Moderation, trete ich davon zurück. Ich würde es verstehen. Ich will nur, dass du diesen Abend genießen kannst.«

Erstaunt blicke ich auf. »Nein, ich denke, es ist schon okay.«

»Bist du dir sicher?«

Bin ich mir sicher?, frage ich mich und höre in mich hinein, aber es kommt mir vor, als wüsste ich die Antwort.

»Ich glaube, ich fände es schön, wenn wir das machen«, bringe ich hervor, und meine Stimme klingt erstaunlich piepsig. »Denkst du nicht?«

Henry zögert, so als müsste er sichergehen, ob er mir glauben kann. Dann nickt er. »Doch, ich fände das auch schön. Aber nur, wenn es für dich in Ordnung ist. Ich will dir das nicht kaputtmachen, diesen letzten Abend.«

Der letzte Abend. Es trifft mich wie eine Ohrfeige.

»Es wird wirklich der letzte Abend sein«, murmele ich.

»Ich weiß.« Er schweigt kurz. »Es ist so surreal, oder?«

Ich nicke, und dann sage ich es einfach. »Ich schätze, ich wollte, dass einfach alles bleibt, wie es war.«

»Ich wollte das auch«, sagt Henry. »Und es tut mir leid, dass es das nicht konnte.«

»Es muss dir nicht leidtun. Es gehört dazu. Auch wenn es wehtut, alles andere wäre vermutlich nicht gesund.«

Er nickt stumm.

»Danke, dass du gekommen bist.«

Henry lächelt leicht. »Ich hoffe, das war in Ordnung.«

»Es war sogar ziemlich wichtig. Und es hat sehr geholfen. Wirklich. Dir hoffentlich auch?«

»Es geht hier nicht um mich«, sagt er.

»Doch, Henry.« Ich nicke. »Es geht um uns beide.«

Das war so, und das wird auch immer so bleiben. Und etwas daran ist tröstlich. Im Grunde hat sich nichts verändert, seit er vor einem Jahr hier war, um sich von mir zu trennen. Im Grunde ist alles gleich, wir sind nicht mehr zusammen, aber es ist auch alles anders, denn es fühlt sich nicht mehr an, als hätte ich Henry verloren. Als müsste ich doppelt trauern, um unsere Liebe, um die romantische Beziehung, aber auch um diesen Menschen, diesen wichtigen Freund, der mir genommen wurde. Er ist immer noch hier, er hat es selbst gesagt. Er hat nie aufgehört, mich zu lieben, und ich habe nie aufgehört, ihn zu lieben. Er wird mir immer etwas bedeuten, ich würde es nicht anders wollen. Zum ersten Mal seit Monaten kann ich diesen Gedanken denken, ohne Bitterkeit dabei zu empfinden.

Er schaut zur Tür, dann lächelt er. Gleich wird er sagen

Schätze, man sollte aufhören, wenn es am schönsten ist, aber ich lasse es nicht so weit kommen.

»Henry?«, frage ich.

»Grace?«, antwortet er.

»Du hast damals gefragt, ob du mich umarmen darfst.«

»Ja.« Er lächelt, er weiß es auch noch ganz genau. »Und du hast Nein gesagt, was ich verstehen konnte und respektiert habe.«

Ich nicke leicht. »Was wäre, wenn ich jetzt Ja sagen würde?«

Etwas in seinen Augen hellt sich auf. »Dann würde ich mich sehr freuen.«

»Also umarmen wir uns?«

»Komm her«, sagt er, und als er die Arme um mich legt, entweicht ein leises Schluchzen meiner Kehle.

Ich dachte nicht, dass ich das noch mal erlebe. Seine Umarmung, und dass ich sie genießen könnte. Dass ich ihn riechen und mich erinnern würde, an all die Jahre, an die guten Momente, die schlechten und die wunderschönen, und plötzlich bin ich froh, dass es nicht möglich war, sie aus meinem Gedächtnis zu löschen. Dass sie da sind und für immer da sein werden. Dass dieser Junge für immer ein Teil von mir sein wird, selbst wenn es wehtut. Er hat mich stark genug gemacht, um es auszuhalten, und vielleicht sogar stark genug, um mein Herz erneut zu öffnen. Erneut in Kauf zu nehmen, zu lieben, zu bluten, so zu bluten, wie man nur bluten kann, wenn man jemandem bedingungslos vertraut. Sich des Risikos bewusst zu sein und es trotzdem zu wagen. Nicht daran zu denken, was alles passieren könnte.

Nicht mehr.

45. KAPITEL

GRACE

Henry hat auf mich gewartet, unten im Wohnzimmer, während ich mich fürs Training umgezogen habe, dann sind wir zusammen rübergegangen. Fast wie früher.

»Sieht man, dass wir geheult haben?«, fragt er, als wir hinter dem Ostflügel zum Rugbyfeld und der umlaufenden Aschebahn laufen.

Ich betrachte sein Gesicht und denke an meins vorhin im Spiegel. Glasige Augen, gerötete Nase. Ich muss lachen. »Kaum.«

»Wenn jemand fragt, es ist Pollensaison.«

»Ist es das?«

Er zuckt mit den Schultern. »Haselnuss ist immer.«

Ich nicke. Wir wissen beide, wen er meint. Wer fragen könnte. Wer sofort verstehen würde, dass wir ein Gespräch hatten. Aber er ist gar nicht hier.

Während ich mich zum Laufteam geselle, frage ich mich, ob Gideon nicht zum Rugby-Training kommt. Hört er etwa auf seinen Vater und packt bereits seine Sachen? Am liebsten würde ich in sein Zimmer stürmen und nachsehen, aber das wäre etwas dramatisch, und er wird schon kommen. Denke ich. Hoffe ich. Emma wirft mir einen Blick zu, der mir verrät, dass Henry ihr gesagt hat, dass er heute für ein Gespräch zu mir gehen wird, und ich frage mich, ob ich auch mal für ein Gespräch zu Emma gehen sollte. Nicht, dass ich das Gefühl hätte, zwischen uns bestünde viel Klärungsbedarf. Aber den Eindruck hatte ich auch bei Henry nicht mehr. Ich dachte, alles wäre gesagt. Es war ein bitteres Gefühl, schwer und kompakt, es lag in meinem Magen, für etwas über ein Jahr, ich habe mich so sehr daran gewöhnt, dass ich dachte, es wäre normal. Aber es ist nicht normal, sich so zu fühlen. Und ich ahne, dass es noch eine Weile dauern wird, bis alle Fäden entknotet und fein säuberlich wieder aufgerollt sind, doch das vorhin war dieser wichtige Schnitt mit der Schere, den man hinauszögert, aber irgendwann machen muss, um überhaupt mit dem Entwirren beginnen zu können. Wenn sich alles derart kompliziert verwickelt hat, bleibt einem nichts anderes übrig.

Neben mir beginnt Getuschel, ich drehe mich um, ich sehe ihn, und dann fühle ich etwas anderes. Wut, heiß und verzweifelt. Weil er nicht gehen darf. Mein Magen sinkt, als ich Gideons Gesicht sehe. Vermutlich heuchlerisch, ich habe ihm am Flughafen in Madrid schließlich selbst eine Ohrfeige verpasst.

Gideons Gang ist schnell und entschlossen. Gesenkter Kopf, angespannte Schultern, die Hände in der Tasche seines Hoodies, während er sich auf die Ersatzbank am Spielfeldrand setzt. Von dort geht sein Blick über die Rugbyjungs zum Track and Field Team, dann sieht er mich, und sein Gesicht wird weich, so wie es immer weich wird. Ich will auf die Knie fallen und in Tränen ausbrechen, damit er rüberkommt und mich in die Arme nimmt, hochhebt und wegträgt, an einen Ort, an dem wir endlich allein sein können, aber ich zwinge mich, meine Konzentration auf die Dehn- und Technikübungen zu lenken, die wir absolvieren, bevor Ms Ventura uns die Übergabe für die Staffel trainieren lässt. Emma und ich gewinnen, wir sind schneller und synchroner als die anderen. Eine Tatsache, die ich zur Kenntnis nehme, aber nicht emotionslos. Es wäre gelogen, zu leugnen, dass das etwas mit mir macht. Und mit ihr auch.

»Yay«, sagt sie, als wir uns abklatschen, aber in ihren Augen sehe ich mehr als Yay. Eine leise Hoffnung, dass es zwischen uns noch funktionieren könnte, auch wenn es nie nicht funktioniert hat, aber ihr wisst schon, und Emma weiß es auch. Man muss sich nicht anzicken und gegenseitig sabotieren, aber wenn es um einen Jungen geht, der sich nur für eine von uns beiden entschieden hat, dann geht es eben um einen Jungen. Mir gefällt das auch nicht, aber ich mache die Regeln nicht. Ich kann mich nur weigern, nach ihnen zu spielen.

»Tut mir übrigens leid«, sage ich, als Ms Ventura uns entlässt und ich neben Emma meine Trainingstasche von der Bank nehme. Die Sonne ist hinter der großen Tribüne untergegangen, die Flutlichter sind an und werfen ihr Licht auf das Feld. Im Hintergrund brüllt Mr Cormack seine Rugby-Kommandos, die ich nie verstehen werde. »Dass ich euch Madrid kaputtgemacht habe.«

»Du hast gar nichts kaputtgemacht«, sagt Emma sofort. »Wir haben uns schließlich alle freiwillig dazu entschieden, an diesem Abend die Regeln zu brechen.«

Ich zucke mit den Schultern. »Aber vielleicht wäre es niemandem aufgefallen, wenn ich nicht …«

»Grace«, unterbricht sie mich. Emma klingt selten sauer, aber jetzt schaut sie mich aufgebracht an. »Wenn du damit andeuten willst, dass …« Sie schluckt beherrscht und muss sich kurz abwenden, bevor sie mich wieder ansieht. »Was geschehen ist, ist nicht auch nur in geringster Weise deine Schuld. Es tut mir so leid, und es macht mich wütend, dass dir das passiert ist.«

»Es ist ja nichts passiert«, sage ich schnell.

»Grace, du wurdest unter irgendwelche Drogen gesetzt, es ist nicht nichts passiert.« Sie betrachtet mich so besorgt, dass ich es auf einmal schwierig finde, nicht emotional zu werden. »Ich weiß nicht, ob ich die Person bin, mit der du über so was reden willst, aber ich frage mich, wie es dir damit geht.«

Uff, dass dieses Gespräch in eine solche Richtung geht, war eigentlich nicht mein Plan, aber ich möchte es auch nicht abbrechen, es erstaunt mich selbst. »Denke, mir ging's schon besser.« Ich zwinge mich zu lächeln, auch mit den Tränen in meinen Augen. »Es war ziemlich unheimlich, besonders wenn ich darüber nachdenke, was gewesen wäre, wenn ihr nicht gekommen wärt.«

»Es war wirklich ziemlich unheimlich«, sagt Emma nach einem Moment. »Gut, dass Gideon da war.«

Ich nicke nur.

Sie lächelt angespannt und betrachtet den Rasen.

»Emma?«

Sie schaut auf, als ich ihren Namen sage.

Ich schlucke. »Du hast auch nichts kaputtgemacht.«

Sie versteht sofort, was ich meine. Wen ich meine. Den Jungen, wegen dem es so ist, wie es ist.

Sie zuckt mit den Schultern, und plötzlich schimmern auch in ihren Augen Tränen. »Es fühlt sich aber so an.«

»Es tut mir leid, wenn ich dir das Gefühl gegeben habe.«

»Das hast du nicht«, sagt sie. »Das war nicht nötig. Ich konnte es auch so spüren. Als ich herkam und euch gesehen habe, war eigentlich alles klar. Manchmal wünschte ich, ich wäre nicht bereits am Flughafen in Henry reingerannt, sondern hätte ihn erst hier gesehen. Mit dir. Dann wäre mein dämliches Herz vielleicht nicht auf die Idee gekommen, sich in ihn zu verlieben, sondern hätte akzeptiert, dass ihr zwei so etwas wie ein Nationalheiligtum dieser Schule seid.«

Ich schlucke bemüht, aber ich spüre, dass ich die Wahrheit sagen muss. »Ich denke, es war gut, dass du am Flughafen in ihn reingerannt bist.«

Emma betrachtet mich. »Es hat sich wie etwas Heiliges angefühlt, das meinetwegen aufhört.«

»Es war eigentlich schon vorbei, bevor du gekommen bist.«

»War es das?«, erkundigt sie sich. »Henry hat das auch gesagt, aber ich … Ich kann nicht aufhören, mich zu fragen, was es mit mir machen würde, wenn er so etwas über mich sagen würde.«

Blinzeln, lächeln. »Es zerfetzt dir das verfluchte Herz.«

»Hasst du ihn dafür?«, fragt sie leise.

»Nein.« Mein Herz schlägt schwer, meine Kehle ist eng. »Dafür liebe ich ihn immer noch zu sehr.«

Emma nickt. »Und hasst du mich?«

»Emma, wenn ich jemanden hasse, dann mich.«

Ihre Augenbrauen ziehen sich bestürzt zusammen. »Das darfst du nicht. Du hast keinen Grund dazu, Grace.«

»Ich weiß.« Ich zucke mit den Schultern. »Ich muss mich wohl mehr anstrengen.«

»Redest du mit jemandem?« Emma betrachtet mich voller Sorge. Sie passt so gut zu ihrem Freund. Ich muss lächeln, zumindest kurz. »Mit Gideon?«

Ich zucke mit den Schultern. »Manchmal glaube ich, dass ich mit Gideon eigentlich über gar nichts vernünftig reden kann.«

»Wirklich? Aber warum nicht?«

»Ich weiß nicht. Ich denke, ich kenne ihn, aber dann fällt mir auf, dass er ein Buch mit sieben Siegeln ist und ich ihn nicht knacken kann, egal wie sehr ich mich bemühe.«

Emma nickt langsam, dann geht ihr Blick über meine Schulter. »Ich glaube, er kommt auf uns zu.«

»Gideon?«, frage ich unnötigerweise. Mein Herz schlägt bereits schneller. Ich drehe mich nicht um.

Emma nickt. »Ja, soll ich ihn abwimmeln?«

»Nein, schon gut. Ich sollte wohl mit ihm sprechen.«

»Möchtest du, dass ich in der Nähe bleibe?«, fragt Emma, aber ich schüttele den Kopf.

Sie wirft noch mal einen Blick an mir vorbei, dann nimmt sie ihre Tasche, lächelt mich kurz an und läuft davon.

46. KAPITEL

GRACE

Ihr ahnt nicht, wie schwer das ist, mit dem Rücken zu ihm stehen zu bleiben, mich ebenfalls zu meiner Tasche zu bücken, in der Hocke die Schnürsenkel neu zuzubinden, nach irgendetwas in meinen Sachen zu kramen und darauf zu warten, dass das Herz in meiner Brust zerspringt, was bedeutet, dass er gleich vor mir steht. Seine Schuhe tauchen vor mir auf.

»Grace«, sagt er. Nur meinen Namen, sonst nichts, aber seine Stimme, in der ungefähr alles liegt, was er mir nicht sagen kann, genügt, und die Tränen steigen mir wieder in die Augen. Ich stehe langsam auf, und dann blicke ich in sein Gesicht. Ernst, verzweifelt. Er ist zum Sterben schön, nichts Neues, aber ich sehe seine dunkelrot verfärbte Wange, und mein Magen sinkt. »Bitte.«

Ich antworte ihm nicht. Ich hebe nur die Hand, befehle meinen Fingern, nicht zu zittern. Gideon schließt die Augen, als ich sie an seine Wange lege. Seine Brust hebt sich, während er einatmet. Seine warme Haut pocht unter meinen Fingerkuppen, und ich kann nur daran denken, dass es wahnsinnig ist. Was wir hier tun. Wie viel Zeit wir verschwendet haben.

Der Sportplatz hat sich geleert, niemand ist mehr auf dem Rugbyfeld. Nur noch wir, im Flutlicht unserer Gefühle.

Gideon blinzelt, will den Kopf abwenden, ich spüre das, seine Muskeln, die sich anspannen, und dann setzt mein Herz aus, als ich die Träne sehe, die ihm über die Wange läuft.

Ich ziehe scharf den Atem ein.

»Tut mir leid. Es tut mir so leid. Alles, es …« Seine Stimme bricht, aber er dreht sich nicht weg, schüttelt meine Hand nicht ab. Er öffnet die Augen, die gerötet sind, und sieht mich an.

Wisst ihr, Gideon, er hat mich oft angesehen. Einen Großteil meines Lebens täglich, vermutlich sogar in jeder Minute, die wir miteinander verbracht haben. Es ist unsere Sprache, diese Blicke, doch jetzt gerade fühlt es sich an, als würde er mich zum ersten Mal in die tiefste Wahrheit seiner Seele blicken lassen. Das Stück von sich, das er verschlossen gehalten hat, was ich verstehe – ich habe seine Eltern kennengelernt, seinen Vater, vor dem er keine Schwäche zeigen darf. Er präsentiert es mir. Voller Angst und todesmutig.

»Warum?« Er verschwimmt vor meinen Augen, aber ich zwinge mich, weiterzusprechen. »Ich dachte, wir vertrauen uns, ich dachte, wir können uns alles erzählen.«

Seine Kiefermuskeln treten hervor. »Es gibt dafür keine einfache Antwort.«

»Dann gib mir die komplizierte.«

Gideon sieht mich an, atmet durch und nickt. »Ich hatte Angst. Und ich wollte es dir erzählen, aber ich wollte es auch nicht. Ich war … schlichtweg nicht in der Lage, mich mit dem Gedanken zu befassen, dass Freddie wirklich … dass er tot ist. Dass es real ist. Dass es mein Leben bestimmt, nicht nur in London, sondern auch hier, bei euch, bei der einzigen richtigen Familie, die ich habe.«

Ich kann nicht nicken. In meinen Ohren ist und bleibt es ein

Widerspruch. Wer, wenn nicht wir – seine Familie –, wären da gewesen, um ihn aufzufangen? Warum weiß er das nicht? Es ist doch sonnenklar.

»Weißt du, wie weh es getan hat, zu wissen, dass du so etwas Wichtiges vor mir geheim hältst?«, höre ich mich sagen. »Dass ich es nicht wissen durfte? Dass ich nicht für dich da sein durfte?«

Er schluckt hart. »Es hatte nie etwas damit zu tun, dass ich dir nicht genug vertraue.«

»Anscheinend hatte es das doch.«

»Gracie, nein.« Er sieht mich an. »Das ist nicht wahr. Ich weiß nicht, warum es mir so schwerfällt. Warum ich so verdammt schlecht darin bin, etwas einfach auszusprechen. Ich wollte keine Geheimnisse vor dir haben. Ich wollte … einfach atmen können, und das kann ich nur bei dir.«

Meine Kehle zieht sich zu. »Aber kannst du es nicht auch jetzt? Während du doch genau das tust? Mit mir reden?«

»Ja, ich …« Er stockt und blickt zu Boden. Beinahe erstaunt. »Ja.«

»Was hat dich zurückgehalten?«

»Nichts.«

»Gid«, sage ich nur. »Schau mich an. Und hör auf damit. Hör auf. Weich mir nicht aus. Riskier endlich was, okay?«

»Wofür denn?«, stößt er hervor. »Ich hatte doch sowieso nie eine Chance.«

Meine Hand fällt von seinem Gesicht. »Was redest du da?«

»Es stimmt doch, es ist wahr. Niemand hat je mehr riskiert als ich. Jeden Tag, jede verdammte Sekunde habe ich einfach nur gehofft, ich habe den Himmel angefleht, aber egal, wie sehr ich es mir gewünscht habe, es ist nie in Erfüllung gegangen.« In seinen Augen glitzert etwas, das mich zutiefst beunruhigt. Er lacht verletzt auf. »Weil du mit Henry zusammen warst. Mit meinem besten Freund. Du hast mich nicht gesehen, ich war eine Nebenfigur in deinem perfekten Leben mit deinem perfekten Freund, und verdammt, verstehst du nicht, wie wahnsinnig es mich gemacht hat?«

Mein Herz beginnt zu rasen. »Das warst du nicht!«

»Grace …« Er stößt den Atem aus und schüttelt nur den Kopf. »Doch, das war ich.«

»Nein, wie kannst du es wagen? Wie kannst du so etwas sagen?« Ich gehe einen Schritt auf ihn zu, und er weicht nicht zurück. »Was ist mit all den Sommern? Mit all den Ferien, in denen …«

»Ich der Trostpreis sein durfte?«, unterbricht er mich. Seine Stimme klingt viel zu ruhig. Als wäre das ein Fakt. »Der Lückenfüller, der Hofnarr? Ein Ersatz, bis Henry zurückkam?«

»Was redest du da?«, stoße ich hervor. Mir ist übel. Er denkt das wirklich.

»So war es doch. Ein paar Wochen nur wir zwei, dann kam er wieder, und es war, als wäre nichts gewesen.« Ich schnappe nach Luft, aber ich kann nicht antworten. Gideon ist noch nicht fertig. »Und dann habt ihr euch getrennt, und ich war immer für dich da, ich habe dir zugehört, ich habe dich getröstet, ich habe dich gehalten, und ich bin ein kleines bisschen gestorben, jedes Mal, wenn du gesagt hast, wie kaputt dich das gemacht hat. Wie verletzt du bist und dass du so was nicht mehr willst.«

Das habe ich. Er hat recht.

Warum habe ich das gesagt?

Ich kann nicht atmen.

»Aber damit habe ich nicht dich gemeint«, flüstere ich.

»Du hast es aber gesagt. Zu mir.«

»Nachdem du acht Wochen lang verschwunden warst und mit einer anderen geschlafen hast!«

Wir drehen uns im Kreis. Offensichtlich. Aber wenigstens

drehen wir uns überhaupt noch. Wenn dieses Karussell unserer verdrehten Liebe alles ist, was wir noch haben, bleibt mir nichts anderes übrig, als mich gut festzuhalten und die Fahrt zu genießen.

»Ich habe dir gesagt, dass es nichts bedeutet hat«, sagt er.

»Aber für mich hat es etwas bedeutet«, widerspreche ich. »Es hat alles bedeutet. Es war der schlimmste Verrat, die größte Demütigung, es hat mir so wehgetan, Gid. Wir waren nicht mal zusammen, aber allein die Vorstellung …«

»Wir waren nicht zusammen«, unterbricht er mich. Jetzt, da er meine Worte wiederholt, kommen sie mir unnötig grausam vor. Die schlimmste Wahrheit der Welt. »Hörst du das? Wir waren nicht zusammen, und das wird für immer das größte Bedauern meines Lebens sein. Weil es immer du warst, Grace. Immer. Schon mein halbes Leben lang.« Meine Kehle schnürt sich zu, mein Körper wird heiß. Gideon fährt sich mit der Hand übers Gesicht. Ein erstickter Laut entweicht ihm, bevor er mich wieder ansieht. »Deshalb habe ich dich geküsst. Nicht weil ich es nicht weiß. Ich wusste es schon immer. Weil du die Sonne bist und der Mond, weil ich dich liebe, so sehr, dass es mich fertigmacht. Weil das, was ich für dich fühle, größer ist als eine verdammte Galaxie.« Mir fällt erst auf, dass ich wieder begonnen habe, zu weinen, als er meine Wangen berührt. Sein gequälter Blick liegt auf meinem Gesicht. »Und Grace, es tut mir leid, aber ich kann es nicht ändern.«

Es presst mir fast die gesamte Luft aus der Lunge. Gideon erstarrt, als ein Ruck durch meinen Körper geht. Als ich sein Gesicht umfasse, auf die Zehenspitzen gehe und meinen Mund auf seinen presse. Wahrscheinlich habe ich noch nie jemanden verzweifelter geküsst.

Und nach einem Augenblick küsst er zurück. Seine Hände an meinem Kopf, seine Finger auf meiner Haut, sein Mund auf meinem, seine Zunge, die sich zwischen meine Lippen schiebt und weiter, als ich den Mund öffne und den Kopf in den Nacken legen muss.

Gräser sprießen, Vögel flattern in Scharen aus den Bäumen, die Sonne singt, und zwischen alldem – wir. Unsere Liebe, deren Wurzeln in die Erde sprießen. Der Baum, der noch steht, alles Laub abgeworfen, beinahe morsch, aber die Knospen treiben neu aus und entfalten sich zu neuen Blättern, die sich im leichten Wind wiegen.

»Ich liebe dich«, wispere ich an seinem Mund. »Meine Liebe für dich ist auch so groß wie eine ganze Galaxie. Weil ich dich brauche, Gid. Ich habe dich immer gebraucht.«

Er weicht zurück, warum auch immer, ich verstehe es tatsächlich nicht, vielleicht, um mir einen Blick zuzuwerfen, mein Gesicht zu betrachten, mit dem Daumen über meine Unterlippe zu streichen. »Immer?«, fragt er leise.

Ich blinzele heftig. »Immer«, antworte ich.

Ich weiß nicht, ob ich jemals ein Lächeln an ihm gesehen habe, das so schön ist wie dieses. Sein Mund, der sich elegant verzieht, seine Augen, die glänzen. Über uns am echten Himmel grollt ein Donner, während Gideon mich wieder an sich zieht und küsst. Ich klammere mich an seinen Körper, meine Burg, ich hebe das Kinn, recke mich ihm entgegen. Ich kann spüren, wie sich etwas verändert. Wie er das Gewicht verlagert, sich gegen mich drängt. Sein Bauch an meinem, ich drücke ihm das Becken entgegen, Gideon stöhnt in meinen Mund, und ich sterbe. Greife in seine Haare, spüre seine Zähne, verglühe fast und fühle den ersten Tropfen. Zwei, drei, die einzeln auf mich fallen, dann öffnet der Himmel seine Schleusen.

Mir entfährt ein spitzer Schrei. Der Regen ist kalt, er prasselt haltlos auf uns nieder. Ich werfe mich an Gideons Brust, und er hält mich fest, einen Moment lang, in dem ich zu ihm aufblicke, damit er mich noch mal küsst. Anschließend nimmt er meine Hand, bückt sich zu meiner Tasche, und wir rennen los. Einmal quer über den Sportplatz und die Wiese hinter dem Internat, bis wir den Ostflügel erreichen. Ich bin komplett durchnässt, und mein Herz rast. Gideon zieht mich wieder an sich, sobald wir im Trockenen sind, aber er küsst mich nur kurz. Nur ein paarmal, die hundertmal zu wenig sind, aber ich zittere vor Kälte.

In seinem Zimmer schlingt er ein riesiges Handtuch um mich, als wir aus den nassen Sachen geschlüpft sind. Er hat sich eine trockene Jogginghose angezogen. Das Wasser tropft aus seinen nassen Haaren auf seine nackte Brust. Seinen Dunbridge-Hoodie, den ich schon so oft anhatte und einfach liebe, weil er weich ist und mir fast bis zu den Knien geht, reicht er mir.

»Zieh den an.«

Gideon ist einen Schritt zurückgetreten, und als ich das Handtuch zur Seite gelegt habe, sieht er mich einfach nur an. Draußen prasselt der Regen gegen die Scheiben, drinnen ist es still. Gideon betrachtet mich schweigend, und plötzlich umfasst er mein Gesicht erneut und küsst meine Stirn. Mein Gott. Falls jemand herausfindet, was es mit Stirnküssen auf sich hat, lasst es mich wissen. Sie machen mich fertig.

»Ich wäre fast gestorben vor Angst um dich.«

Mir wird leicht schwindelig.

»Bist du aber nicht«, flüstere ich nach einem Moment.

Er nickt langsam. »Viel hat nicht gefehlt.« Seine Augen sind dunkler Honig, und sein Mund ist der perfekteste Mund dieser Welt. Ich will die Hände heben und ihn berühren, aber er sieht so traurig aus.

»War es ein Unfall?«, wispere ich.

Er senkt den Kopf, seine Schultern heben und senken sich schwer. Der Teil dieses Gesprächs, den ich gern überspringen würde, weil offensichtlich ist, wie viel es ihm abverlangt. Er muss nicht fragen, was ich meine. Er weiß es auch so. Freddie. Sein kleiner Bruder, den ich nie kennengelernt habe.

»Eine erbliche Stoffwechselkrankheit, die nicht heilbar ist und die das Nervensystem angreift, was darin resultiert, dass man motorisch und geistig abbaut, erst nur ein bisschen, aber irgendwann so stark, dass man nicht mehr gehen kann oder essen oder … irgendetwas anderes. Die Diagnose kam, als er fast fünf war und aufgehört hat, zu sprechen.« Er rattert diese Informationen runter wie einen Vortrag, den er innerlich schon Hunderte Male gehalten hat. »Ich war neun, ich hab es nicht verstanden. Mit elf haben sie mich hergeschickt, damit ich *normal aufwachse* und es sich nicht rumspricht, es ist so fucking ekelhaft.« Gideon bricht ab, schaut weg und ballt die Hände zu Fäusten. Er schließt kurz die Augen. »Meine Eltern haben ihn im Hotel behalten. Außer der engsten Familie wusste es niemand. Mein Vater wollte, dass ich es niemandem erzähle, und sobald ich hier war, ist mir das auch nicht schwergefallen, aber jedes Mal, wenn ich in den Ferien zurückgekommen bin, war deutlich zu sehen, wie es weiter bergab gegangen ist, während ich weg war, mein normales Leben gelebt habe, Freddie vergessen habe, hier war, mit euch, alles ignoriert habe, und ich … Ich hab … Ich konnte irgendwann nicht mehr hin. Ich konnte einfach nicht. Es hat zu wehgetan, ich hab es nicht ertragen, und ich hab ihn … einfach … aufgegeben.«

Sein Atem geht schwer, und als ich nach Gideons Hand greife, geht sein Blick wie durch mich hindurch. Dann senkt er den Kopf, und als sich seine Schultern heben, während ein Schluchzen aus ihm herausbricht, zerreißt mein Herz.

Sein ganzer Körper bebt, während ich ihn zu mir ziehe und die Arme um ihn schlinge.

Ich weiß nicht, was ich sagen soll, und ich weiß auch nicht, was ich denken soll. Ich kann ihn nur festhalten. Mich und ihn. Für uns beide.

»Es tut mir so unendlich leid«, flüstere ich irgendwann in seine Halsbeuge und lasse ihn nicht los. Sein Atem in meinen Haaren ist heiß, sein Weinen erstickt. Es gibt nichts Schlimmeres als das. »Es tut mir so leid, dass das passiert ist, Gid.«

»Die Beerdigung war im Sommer«, sagt er mit dieser unerträglich brüchigen Stimme. Er löst sich leicht von mir. »Mein Vater hat am Morgen nach dem Feuer angerufen und gesagt, dass ich kommen muss. Ich wollte es dir sagen, aber ich … Ich konnte nicht, Grace.«

Am Morgen nach dem Feuer.

Die schlimmste Zeit meines Lebens, die ich auf Krankenhausfluren verbracht habe, und er … auch. Nur woanders. In London. Wegen seines kleinen Bruders und ich wegen Olive. Und ich habe ihn wieder und wieder dafür verurteilt.

»Ich wusste nicht …«, murmele ich. »Ich hätte dir das alles nie vorgeworfen, wenn … Ich weiß nicht, was ich sagen soll.«

»Ich wusste es auch nicht.« Er schluckt hart. »Und ich hasse mich. Ich hasse mich fast so sehr wie meine Eltern. Sie haben nur darauf gewartet, weil es keine Hoffnung gab, und als er gestorben ist … Es war wie ein Protokoll, alles war vorbereitet, es ging so schnell, und ich konnte es einfach nicht begreifen. London war die Hölle. Es war die schlimmste Zeit meines Lebens, aber ich war wie gelähmt. Ich konnte nichts mehr. Ich konnte dir nicht antworten, ich wollte es nicht wahrhaben oder fühlen, ich wollte nur so tun, als wäre nichts davon real Eines Abends hat mich ein Freund von früher gefragt, ob ich mit ihnen feiern gehe, also bin ich mit ihnen feiern gegangen und hab mich volllaufen lassen und mit Clara rumgemacht, ohne an irgendwas zu denken oder irgendwas zu kapieren. Genau, was ich wollte.«

Jedes Wort ein Schwerthieb in mein Herz, aber ich stehe ganz still und nicke nur.

»Ich hab dir wehgetan«, flüstert Gideon, und meine Augen füllen sich mit Tränen. »Es tut mir leid.«

Ich nicke.

Er hat mir wehgetan, aber er hat es nicht getan, *um* mir wehzutun. Er hat es getan, um irgendwie klarzukommen. Und das schmerzt, aber ich kann es auch verstehen. Was ich jedoch nicht verstehen kann, ist etwas anderes.

»Warum durfte Henry von alldem wissen und ich nicht?«

»Weil Henry, als Maeve …« Gideon schluckt. »Es hat ihn fertiggemacht, und ich wusste nicht, was ich sagen soll, also dachte ich, ich sage etwas, wodurch er merkt dass ich vielleicht verstehe, wie das ist, obwohl man es nie versteht. Nicht bevor es passiert. Und selbst dann nicht.« Er atmet tief durch. »Fuck«, flüstert er leise und wischt sich grob mit dem Handrücken über die Augen.

Ich beobachte ihn dabei. Dann schlucke ich. »Ich wünschte, ich hätte das alles früher erfahren, aber ich kann auch verstehen, warum du es für dich behalten hast. Das war dein Recht, ich respektiere das, ich … Es hat nur so wehgetan. In London, ich dachte … Wir waren uns so nah, und dann zu erfahren, dass du etwas vor mir verheimlichst, so etwas Großes, ich wusste gar nicht mehr, ob ich dich überhaupt kenne.« Meine Stimme bricht. »Ich dachte, ich wäre dir egal.«

Er antwortet nicht sofort, aber was er hört, trifft ihn. Tief. Ich sehe es in seinen Augen, und es tut mir leid, aber ich kann es nicht ändern. Unsere Blicke verhaken sich, voller Sehnsucht, Schmerz und gegenseitiger Anteilnahme. Voller Entschuldigung, und dann schüttelt er leicht den Kopf.

»Grace, du bist das Gegenteil von egal.« Er kommt einen Schritt auf mich zu. »Du bist die ganze Welt.«

»Und du bist nicht der Trostpreis«, flüstere ich.

»Aber ich bin auch nicht Henry.« Er schluckt hart. »Und ich frage mich, ob du je von ihm loskommst. Ob ich je das für dich sein kann, was er war.«

»Vermutlich nicht«, sage ich und sehe, wie etwas in Gideons Augen erstirbt. »Du bist viel mehr. Mit dir ist alles doppelt so intensiv wie mit ihm. Du kannst mich auf die Palme bringen und so glücklich machen wie niemand sonst. Du verstehst mich ohne Worte.« Ich schlucke. »Henry war vorhin bei mir. Wir hatten ein gutes Gespräch, wir haben eigentlich zum ersten Mal seit der Trennung richtig miteinander geredet. Er hat gesagt, dass er mich immer lieben wird, und ich … denke, ich ihn auch. Aber nicht so wie dich. Gid, du bist der sicherste Ort dieser Welt.« Ich muss blinzeln, aber meine Augen werden wieder feucht. »Und ich bin einfach nur verloren ohne dich.«

Er kommt einen Schritt auf mich zu und nimmt mein Gesicht. »Ich liebe dich«, teilt er mir mit, ohne Zögern, ohne den leisesten Zweifel. Mein Herz flammt auf. Entzündet sich neu, beginnt zu glühen. »Du weißt nicht, wie oft ich dir das sagen wollte. Als du mich gefragt hast, warum ich dich in London geküsst habe. Weil ich dich liebe. Warum ich so scheiße zu Henry war. Weil ich dich liebe. Es ist die Antwort auf verdammt noch mal jede Frage.«

»Wirklich?«, wispere ich, während er vor meinen Augen verschwimmt.

Er kommt näher. »Seit der fünften Klasse. Und seitdem keinen Tag nicht.«

Ich greife nach seinen Händen. »Ich liebe dich«, antworte ich, ein wenig atemlos, aber sehr entschlossen. Gideon lächelt, ich küsse ihn, sein Mund ist wie Nachhausekommen.

47. KAPITEL

GRACE

Ich schreibe Mum, dass ich bei Tori bin und über Nacht bleibe, dann lege ich das Handy zur Seite.

Es ist spät geworden, Henrys Bett auf der gegenüberliegenden Zimmerseite ist leer, weil Henry bei Emma ist, und es macht nichts mit mir, weil ich bei Gideon bin.

Als ich das bemerke, geschieht etwas Erstaunliches: Meine Mundwinkel heben sich. Ich lächle, es ist nahezu verrückt.

»Du bist so verdammt schön.«

Ich blicke zur Tür des Badezimmers, wo er stehen geblieben ist, um mich zu betrachten.

Ist er auch. Aber er sieht auch verdammt fertig aus, als er zu mir kommt.

Ich stehe noch mal auf, um in der Flügelküche Eis zu holen für sein blaues Auge. Als ich wieder neben ihm liege, betrachte ich seine Nase.

»Dafür, dass wir alle Gewalt klar ablehnen, wird in letzter Zeit relativ viel Gewalt angewendet.«

Er blinzelt erschöpft und zuckt mit den Schultern.

»Das am Flughafen tut mir leid. Ich wollte nicht …«

»Doch, wolltest du«, murmelt Gideon. »Und das ist gut so.«

»Würdest du das auch sagen, wenn es andersrum gewesen wäre?«

Bei meiner Frage spannt er sich kaum merklich an.

»Gracie«, sagt er rau. »Das ist was anderes.«

»Nein, ist es nicht. So oder so ist es nicht in Ordnung gewesen.«

Er seufzt nur. »Ich hab's verdient.«

»Hast du nicht«, sage ich leise.

»Du hast nicht verdient, dass so etwas passiert.« Er dreht mir das Gesicht zu und richtet sich etwas auf. Der Schmerz in seinen Augen nimmt mir den Atem. In diesem Moment verstehe ich, wie sehr er mich liebt. Ich habe keine andere Wahl, als es vollumfänglich zu begreifen. »Ich hätte mir nie verziehen, wenn dir in Madrid etwas zugestoßen wäre. Wenn ich nicht rechtzeitig da gewesen wäre.«

»Aber du warst rechtzeitig da«, flüstere ich.

Wir liegen nebeneinander, auf der Seite, und dann beuge ich mich vor.

Gideon bewegt sich nicht, als meine Lippen auf seine treffen. Erst nach einem Moment schließt er die Augen und greift in meine Haare. Eine Welle wandert durch meinen Körper und spült eine ganze Menge an Dingen fort, an die ich jetzt nicht denken will. Ich sinke tiefer in sein Kissen, es ist anstrengend für meinen Nacken, weil ich das Kinn heben und seinen Mund erreichen muss, aber Gideon kommt mir entgegen, als ich die Hände an sein Gesicht lege. Er rollt sich halb auf mich, sein schweres Bein drängt zwischen meine Beine, sein Mund drückt mich runter, was so gut ist, ich kann es fast nicht glauben. Meine Finger fahren durch seine Haare, bis sie sich in ihnen verfangen, während wir uns weiter küssen. Es sind nicht viele kurze Küsse, es ist ein einziger langer, der nicht aufhört. Ich atme durch die Nase und in seinen Mund, ich schmecke seine Zunge und all das Beste der Welt, das er ist – Gideon. Ich bekomme Gänsehaut.

Seine Finger streichen über meinen Hals und meine Schultern, aber sie wandern nicht tiefer, was ich nicht gut finde. Ich fände es besser, wenn sie tiefer wandern würden. Wenn er endlich all die Stellen berühren würde, die von ihm berührt werden wollen. Sein Becken drängt sich gegen meines, und ein leises Stöhnen entweicht meinem Mund, weil durch seine Jogginghose zu spüren ist, wie hart er geworden ist. Mir wird heiß, so heiß wie in London, in seinem Bett, als er hinter mir lag, geschlossene Augen, entblößter Hals. Jetzt träumt er nicht, und ich träume auch nicht, Gideon Attwell küsst mich, meinen Mund, meine Haut, und alles, woran ich denken kann, ist mehr. Ich brauche seine Hände an meinen Hüften, die mich ausziehen, aber bevor ich sie bekomme, hält er inne. Er richtet sich etwas auf, bis er mich ansehen kann.

»Grace, was tun wir?«, fragt er, nachdem er mein Gesicht betrachtet hat.

Ich kann kaum atmen, denn ich frage mich dasselbe. In seinen Augen suche ich nach einer Antwort und verstehe, dass nur ich sie ihm geben kann.

»Wir schlafen miteinander«, sage ich. Er antwortet nicht sofort.

»Möchtest du das?« Er streicht mir das Haar aus dem Gesicht. »Jetzt?«

Seine Stimme ist ein bisschen heiser.

»Ja«, wispere ich. »Ich möchte jetzt. Außer du möchtest lieber warten.«

»Ich warte schon mein halbes Leben, ich will dich auch jetzt.«

Ich schnappe leise nach Luft und verglühe. Er küsst mich auf den Mund, dann richtet Gideon sich auf. Ich habe ihn so oft nackt gesehen, ich kenne seine Brust, seinen Bauch, die Linien an seinen Hüften, die im Bund seiner Boxershorts enden, aber ich habe sie noch nie berührt. Nicht so wie jetzt. Mit trockenem Mund und pochendem Herzen, während Gideon die Hände unter mein Oberteil schiebt. Mein Körper wölbt sich ihm entgegen, er passt so verdammt perfekt in seine Hände. Schicht für Schicht zieht er mich aus, die Trainingshose, die er mir gegeben hat, die frischen Boxershorts von ihm, in dessen Bund er seine Finger einhakt, mich ansieht und sie mir erst auszieht, nachdem ich *Ja* geblinzelt habe. Mein Körper kribbelt, als Gideon aufsteht, um die Zimmertür abzuschließen und ein Kondom zu holen. Er öffnet es mit dem Mund, als er wieder über mir kniet und seine Hose ausgezogen hat. Ich schlüpfe aus seinem Hoodie, und er sieht mich nackt, was er noch nie getan hat, offensichtlich, denn sein Blick glüht, so wie mein Körper glüht, als er ihn über mich gleiten lässt. Er küsst mich, hart und tief, dann weicht er zurück, um sich das Kondom überzustreifen, und ich denke, es stimmt nicht, dass alles in seinen Händen irgendwie winzig aussieht. Im Gegenteil. Er ist so verdammt groß, dass ich nach Luft ringen muss, als er in mich dringt. Gideon sieht mir währenddessen in die Augen, was mich fast um den Verstand bringt, weil er so vorsichtig ist und mich komplett ausfüllt. Meine Lider flattern, ich atme, ohne zu atmen, ich falle, ohne zu fallen. Ich küsse ihn, ich ziehe ihn näher, so als gäbe es etwas Näheres als das hier. Unsere miteinander vereinten Körper, seine glatte Haut, seine festen Oberschenkel, mein Gott, seine Oberschenkel, die sich an mich pressen, und wie er sich bewegt, sein Becken hebt, sich zurückzieht und in mich stößt, schneller als erwartet, tiefer als erwartet. Nicht tief genug. Ein Laut steigt in mir auf, den ich nicht zurückhalten kann. Erstaunen, Erregung, Verlangen. *Mehr*. Ich keuche, ich blinzle, er versteht.

Gut, sagt sein Blick, und er wird schneller. Alles wird schneller. Mein Herz, unser Atem. Ich dachte nicht, dass es so sein würde. So perfekt. Ich habe es mir vorgestellt. Wie sein Gesicht dabei aussieht, wie mein Herz schlägt, wie *sein* Herz schlägt. Ich dachte, so etwas gibt es nicht wirklich. So einen Rhythmus, so eine Hitze, die alles verbrennt und ein Feuer entfacht, das zwischen uns lodert und um sich greift, meinen Körper in Brand setzt, und mein Herz, das um sein Leben schlägt. Gideon beugt sich über mich, er stößt ein tiefes Stöhnen aus. Ich greife in seine Haare, er greift an meine Schulter, und seine Hand drückt mich runter, als sich mein Körper aufbäumen will, ich liebe, wie er mich runterdrückt. Ich hatte keine Ahnung, wie sehr ich es liebe. Ich hatte keine Ahnung, wie stoßweise mein Atem gehen kann, wie die Muskeln in mir zucken, wie alles kurz schwarz wird, wie die Welt verschwindet und es nur noch ihn gibt, wie sehr ich ihn liebe, wie das alles ist, woran ich denken kann, während unsere Liebe mich überrollt. Wie mein Name aus seinem Mund klingt, wenn ihm nur noch Sekunden bleiben. Wie er mich festhält, wie sein Gesicht aussieht, wenn er kommt. Wie verdammt schön er ist, wie sich sein Mund öffnet, wie der Schweiß über seinen Hals fließt, wie er ein letztes Mal in mich stößt und dabei stöhnt – *ich liebe ihn*.

Mein Körper erschlafft, und mein Kopf fällt zurück. Meine Lider schließen sich, Gideon bricht über mir zusammen. Sein Herzschlag trommelt gegen meine Brust, sein Atem geht so schwer, aber er stützt sich neben mir ab und umfasst mein Gesicht, nachdem er sich aus mir zurückgezogen und das Kondom entsorgt hat.

Es muss der schönste Kuss sein, den ich je bekommen habe. Meine Muskeln zucken noch, und sein Mund ist heiß. Seine Finger gleiten über meinen schweißbedeckten Hals, sein Arm liegt auf meinem Bauch. So, wie das sein muss.

Als ich die Augen öffnen kann, sind seine halb geschlossen.

Ich küsse ihn. Ich will ihm so viel sagen, und er versteht alles, weil er die gleiche wortlose Sprache spricht wie ich.

Geht's dir gut?, fragt sein Blick.

Ich liebe dich, antworte ich stumm.

Und er liebt mich auch. Er blinzelt, aber seine Lider schließen sich trotzdem, und sein Arm wird schwer. Ich berühre seine Schulter, sein Schlüsselbein und seinen Hals, bis Gideons Gesicht entspannt ist. Ich schaue ihn an, bis meine Augen nicht mehr offen bleiben können. Bis ich ihn nicht mehr sehe, nur noch rieche, spüre und schmecke.

Vielleicht käme es mir vor wie ein Traum, wenn ich ihn nicht spüren würde. Seine Wärme, seinen atmenden Körper, der mir zeigt, dass es wirklich passiert ist. Der intensivste Tag meines Lebens. Das Gespräch mit Henry, dann Emma, dann Gideon. Nur noch Gideon. Wie ein Gewitter, das tagelang in der Luft lag, wochenlang, während es immer heißer wurde, immer drückender, an Atmen war kaum noch zu denken, doch jetzt ist die Luft klar, und der Wind flacht ab. Der Regen hat aufgehört, alles hat sich entladen, mit einer gewaltigen Kraft, Donnerschläge, brüllend und laut, und Blitze, die den Himmel zerreißen. Niemand ist zu Schaden gekommen, was an ein Wunder grenzt. Alle sind noch hier. Alle können wieder atmen.

Sogar ich.

48. KAPITEL

GIDEON

Es fühlt sich an wie ein Traum. Grace und ich, wie wir miteinander geschlafen haben. Wie wir es wirklich getan haben. Und jede Vorstellung, die ich davon hatte, wie es sein muss, mit ihr Sex zu haben, kam nicht ansatzweise ran an die Realität. An ihren Körper, an ihre Haut, an dieses Gefühl, wenn sie kommt, kurz vor mir. Es ist ungefähr alles auf der Welt. Besser ist nur, neben ihr einzuschlafen, mit ihr aufzuwachen, sie in den Armen zu halten und festzustellen, dass sie wach ist und mich betrachtet.

Wo sind wir? Warum ist es schon hell? Wie lange habe ich geschlafen?

Es wird mir erstaunlich egal, als sie lächelt und mein Gesicht berührt, was sie höchstwahrscheinlich zuvor auch getan hat, während ich geschlafen und von ihr geträumt habe. Nur von ihr.

»Ich liebe dich«, flüstert sie in dem Moment, in dem ich denke, dass ich sie liebe.

Also sage ich ihr das. Eigentlich will ich noch viel mehr sagen, aber ich bin so müde. Mein Körper und mein Kopf sind ein bisschen am Ende, und hier bei ihr kann ich nicht anders, als das alles zuzulassen.

»Gideon«, fragt sie irgendwann. Ich blinzele. »Denkst du, Henry kommt bald zurück?«

Das weiß ich nicht, aber mein Schlüssel steckt von innen, was bedeutet, dass er sowieso nicht reinkäme, daher ist es mir egal, außerdem hat er sein Ladegerät und seine Zahnbürste mitgenommen, was er nur tut, wenn er länger bei Emma bleibt, und heute ist Samstag. Bestimmt bleibt er länger.

Grace nickt, als ich ihr das sage. Sie hebt das Kinn, was bedeutet, dass ich sie küssen soll, was ich liebend gern tue, jetzt, wo ich es kann. Es kommt mir fast zu gut vor, um wahr zu sein. Fast wie die beste nur mögliche Version der Realität.

Eine Weile liegen wir nur nebeneinander und küssen uns. Langsam und gedankenverloren, weil langsames und gedankenverlorenes Küssen jetzt wohl unser Ding ist. Tatsächlich fällt mir nur wenig Besseres ein. Es ist Wochenende, wie viel Uhr auch immer, mein Kopf ist noch müde, und mein Schwanz wird langsam wieder hart, aber dann sagt sie etwas, das ich so nicht stehen lassen kann.

»Ich bin froh, dass wir endlich über alles geredet haben.« Eine Hand an meinem Gesicht, ihr Daumen unter meinem Kinn.

Ich nicke nicht. Ich sehe sie nur an. Ihr wunderschönes Gesicht, das schmal ist, außer an den Wangen, was mir erst aufgefallen ist, nachdem ich nachgelesen habe. All diese Dinge, die irgendwie irre sind und seitdem nicht mehr an ihr zu übersehen. Speicheldrüsen, die anschwellen, wenn man sich ständig übergibt, Haare, die ihr ausfallen, aufgeschürfte Fingerknöchel. Es macht mich wahnsinnig. »Haben wir das?«

Sie blinzelt, und sie versteht genau, was ich meine. Ich halte ihren Blick fest, sie will wegschauen, und das tut sie auch fast, aber ich flüstere *Hey*, streiche ihr eine Strähne aus der Stirn.

»Ich will, dass es dir gut geht.«

»Es geht mir gut«, lügt sie, was nicht nur dreist ist, sondern nahezu unverschämt.

Ich atme schwer durch den Mund aus und nehme ihre Hand. »Wann hast du's das letzte Mal gemacht?«

Sie schluckt nur, was kein gutes Zeichen ist. Es ist also noch nicht lange her.

»Grace, ich kann nicht mit dir zusammen sein und so tun, als wäre das nichts.«

Sie blinzelt. »Du willst mit mir zusammen sein.« Aus ihrem Mund klingt das wie eine Frage. Denkt sie, es wäre eine Frage?

»Ja, natürlich will ich das. Du nicht?«

Ich bin mir nicht sicher, ob sie atmet.

»Doch«, wispert sie.

Ich nicke. »Schön, und ich will, dass es dir gut dabei geht. Dass du Hilfe bekommst.«

Sie starrt mir ins Gesicht. Ihre Augen glänzen.

»Ich schaffe es da auch so raus«, sagt sie und versucht, mir ihre Hand zu entziehen.

Ich halte sie fest. »Ich denke nicht, Gracie«, sage ich und warte, bis sie mich ansieht. »Die nächsten Monate werden stressig, die Abiprüfungen kommen, das Mündliche und der Ball … Es wird anstrengend. Ich habe kein gutes Gefühl dabei, abzuwarten, was passiert, und zu hoffen, dass du dem Druck standhältst.«

Sie schweigt. Eine ganze Weile, während der ich beobachte, wie sie mit sich ringt.

»Aber ich habe Angst«, flüstert sie irgendwann.

Mein Herz bekommt einen Riss.

Hab ich auch. Werde ich sie nie wissen lassen. Lieber sterbe ich.

»Wovor?«, frage ich leise.

Sie sagt lange nichts, ich sage auch nichts. Ich muss das wissen.

»Wieder zuzunehmen.«

Es ist so unbegreiflich wie schmerzhaft. Und ich weiß, dass nichts hilft, was ich ihr zu sagen habe. Dass sie atemberaubend ist, immer, egal mit welcher Art von Körper. Dass es absurd ist, wie sie sich wahrnimmt, dass ich sie schütteln will, meine Netzhäute in ihren Schädel implantieren möchte, damit sie mich durch meine Augen sehen und verstehen kann, wie verflucht perfekt sie ist.

»Ich liebe dich, und es wird so nicht weitergehen«, sage ich stattdessen.

Ihre Augen füllen sich mit Tränen, aber sie nickt.

»Wenn ich zu Ms Vail gehe, würdest du auch zu ihr gehen?«, frage ich.

Sie nickt erneut.

Ein nicht unbeträchtlicher Stein fällt mir vom Herzen.

»Gideon«, sagt sie irgendwann. Ich schaue sie an. »Was ich gestern noch sagen wollte, als du meintest, du hättest Freddie aufgegeben.« Meine Kehle schnürt sich zu. »Das hast du nicht«, flüstert sie.

Das weißt du nicht, denke ich.

»Du warst so für ihn da, wie es für dich möglich war.«

»Ich war weg«, widerspreche ich leise. »Ich war jahrelang Hunderte Kilometer entfernt und habe nicht an ihn gedacht.«

»Gid, du warst ein Kind«, wispert sie.

Meine Augen brennen wieder, also schließe ich sie. Weil das kein gutes Argument ist. Genauso wenig wie ich ein guter großer Bruder war.

Ich blinzele.

»Ich hätte dich nicht ständig mit zu Greg und Gus geschleppt, wenn ich das mit Freddie gewusst hätte.«

»Warum?« Ich hebe den Kopf. »Ich liebe Greg und Gus.«

»Sie lieben dich auch. Aber hat es nicht irgendwie alles schwerer gemacht?«

Ich antworte nicht sofort. »Einerseits schon, aber andererseits auch nicht. Mit Freddie konnte ich keine Rugbybälle rumschleudern. Oder ihm irgendwas beibringen.«

Grace schaut mich an. »Du denkst das wirklich, oder?«

Ich zucke mit den Schultern. »Ich weiß nicht«, flüstere ich. »Ich wünschte einfach, ich hätte ein besserer großer Bruder sein können.«

»Warum denkst du, du warst keiner?«

»Weil ich ihn alleingelassen hab.« Ich schlucke. »Weil ich in den Ferien lieber hier war als … zu Hause.« Bei ihm.

Grace rollt sich neben mir auf die Seite und schaut mich an. »Was ist deine liebste Erinnerung an Freddie?«

Sie benutzt seinen Namen, als würde sie ihn kennen, was irgendwie so verdammt wichtig für mich ist.

Sie wartet, während ich überlege.

»Ich glaube, immer wenn wir früher unten in der Restaurantküche waren.« Ich schweige kurz und kann das Fett riechen, das Brutzeln von Fleisch, die Rufe der Küchenleute. »Er hat alles probiert, was ich gemacht hab. Zumindest solange er noch selbst kauen konnte. Vor ein paar Jahren ist auch das schwierig geworden, aber manchmal hab ich Sachen von unten mit hochgebracht und für ihn püriert.« Ich schweige kurz und spüre, wie die Trauer an meinen Lippen zupft und meine Mundwinkel nach unten drängen wollen. »Man hat ihm das so am Gesicht ablesen können, ob ihm etwas schmeckt oder nicht.«

Grace lächelt. »Hast du Fotos von euch beiden?«

Ich nicke und beuge mich über sie, um mein Handy vom Nachttisch zu fischen.

Ich betrachte ihr Gesicht, während sie durch das Album scrollt, das ich mir seit einer Weile nicht mehr ansehen kann. Urlaube von früher, seine Einschulung in London. Das einzige Jahr seines Lebens, das er als Teil einer Klassengemeinschaft verbracht hat. Danach haben Mum und Dad jemanden für Hausunterricht kommen lassen, und ich bin hierhergeschickt worden.

Grace' Augen leuchten auf, und sie hält mir das Display hin. Freddie mit seiner riesigen Schultüte und dem Ranzen, in den er komplett reingepasst hätte. Ich stehe neben ihm.

»Er sieht aus wie du in mini.«

Ich muss lächeln und daran denken, dass er mini war, auch wenn sich meine Kehle dabei zuschnürt. Ich weine nicht, aber wenn Grace nicht neben mir läge, hätte ich vielleicht geweint, was sie sicherlich ahnt. Ihre Hand liegt auf meinem Arm, während sie mit der anderen durch die Fotos scrollt. Sie nimmt sich so viel Zeit, sie zu betrachten.

Irgendwann legt sie das Handy zur Seite und rollt sich zu mir.

»Gideon«, sagt sie.

»Grace«, sage ich.

»Du hast gesagt, es ist eine Erbkrankheit.«

Darauf habe ich gewartet. »Ich trage das Gen nicht, sie haben es bei mir getestet, nachdem Freddies Diagnose feststand.«

Grace nickt nach einem Moment. »Okay«, flüstert sie und versucht zu verbergen, dass sie erleichtert ist, was nichts ist, was man verbergen müsste, meiner Meinung nach, ich war auch erleichtert und habe mich direkt anschließend dafür gehasst, denn wenn es die Möglichkeit gäbe, würde ich jedes mutierte Gen der Welt nehmen, wenn es bedeutet hätte, dass Freddie die gesunden kriegt. Aus irgendeinem Grund bin ich davon überzeugt, dass Grace das ahnt.

»Gideon, ich liebe dich«, flüstert sie, und ich frage mich, ob man diesen Satz oft genug sagen kann oder ob er irgendwann an Bedeutung verliert. Bislang kommt es mir nicht so vor.

Ich lege beide Arme um sie und ziehe sie an meine Brust. Erst als ihr Kopf da liegt, kann ich richtig atmen.

49. KAPITEL

GIDEON

Der Alltag kehrt wieder ein, als der Rest unserer Gruppe aus Madrid zurück ist, wir uns Montag nach dem Morgenassembly offiziell bei Mr Acevedo entschuldigen und ihm unsere Essays aushändigen.

Ich bin immer noch hier, mein Vater hat sich nicht mehr gemeldet, aber als wir beim Mittagsessen im Speisesaal sitzen und mein Handy klingelt, rechne ich mit dem Schlimmsten.

Grace auch, ihr angespannter Blick liegt auf mir, während ich aufstehe und den Tisch verlasse. Auf dem Weg nach draußen nehme ich den Anruf an.

»Mum?«, frage ich kraftlos.

»Hallo, mein Sohn«, sagt sie. »Passt es gerade?«

»Ja, wir haben Mittagspause.« Ich schlucke und schweige. Lohnt es sich, zu diskutieren? Habe ich den Hauch einer Chance, sie zu überzeugen, dass es für mich keinen besseren Ort gibt als diesen?

»Ich habe gehört, dass dein Vater in eine Auseinandersetzung mit der Direktorin geraten ist.«

Nette Formulierung. Ich lächle freudlos. »Überrascht dich das?«

»Tatsächlich nicht«, sagt Mum zu meiner Verwunderung. »Ich habe vorhin mit Rektorin Sinclair gesprochen und mich in aller Form für sein Verhalten entschuldigt.«

Neben der Flügeltür bleibe ich stehen. »Ich habe ihr außerdem mitgeteilt, dass du an der Dunbridge Academy bleibst. Wie sie korrekt festgestellt hat, ergibt ein Wechsel im letzten Jahr für dich schlicht und ergreifend keinen Sinn.«

»Auf einmal?«, frage ich. »Wann hat Dad seine Meinung geändert?«

»Das hat er nicht«, antwortet meine Mutter. »Jedoch entscheidet er nicht allein über die schulische Ausbildung unserer Kinder. Genau genommen bin ich es, die finanziell dafür aufkommt. Ich habe daher entschieden, dass du bleibst. Ist das in deinem Sinne?«

»Ja«, bringe ich hervor. Ich bin völlig überrumpelt.

»Das freut mich zu hören. Die Rektorin weiß Bescheid, es ist alles geklärt.« Als sie weiterspricht, klingt ihre Stimme streng. »Aber Gideon, was war das in Madrid?«

»Ich fürchte, das war einfach richtig dumm.«

»Das fürchte ich auch. Besser, du nutzt deine restliche Zeit an dieser Schule, um deinen Fehler wiedergutzumachen. Ich möchte nichts von weiteren Regelverstößen hören, ist das klar?«

»Ja, Mum«, sage ich.

»Gut. Ich befinde mich zwischen zwei Terminen. Wenn noch etwas sein sollte, kannst du mich später wieder erreichen.«

Aus dem Augenwinkel sehe ich, wie Grace aus der Flügeltür tritt. Sie schaut sich suchend um und kommt auf mich zu, als sie mich entdeckt. Ihr Gesicht ist besorgt, und ich strecke die Hand aus, als sie näher kommt.

»Okay, Mum. Danke.«

»Bis bald, Gideon.« Damit legt sie auf.

»Was hat sie gesagt?«, fragt Grace, als ich das Handy sinken lasse und versuche, meine Gedanken zu ordnen.

»Dass ich bleiben kann.«

»Was?« Ihre Augen weiten sich leicht. »Also hat dein Vater …?«

»Ich schätze, sie hat es über seinen Kopf hinweg entschieden.«

»Nein!?«, ruft Tori begeistert, die mit den anderen ebenfalls nach draußen gekommen ist.

»Dein Ernst, Mann?« Sinclair wirkt erleichtert.

Ich zucke nur mit den Schultern. »Sie hat wohl schon mit deiner Mutter gesprochen.«

»Ich bin so froh«, flüstert Grace und stellt sich auf die Zehenspitzen, um mich zu küssen. Ich lege sofort die Hand an ihren Kopf und verlängere den Kuss, bevor sie zu früh zurückweichen kann. »Muss zu Spanisch«, murmelt sie. »Bis später.«

Und schon ist sie weg mit Tori und Emma, während ich bei Henry und Sinclair bleibe, die auf der Stelle animalisch zu grölen beginnen.

»Alter, was war das denn grade?« Henry schmeißt mir meine Schultasche gegen die Brust, die er aus dem Speisesaal mitgebracht hat. Seine Augen funkeln aufgeregt, woraufhin sich meine Muskeln etwas entspannen.

Ich zucke nur mit den Schultern, aber eigentlich möchte ich lächeln. »Tja«, sage ich nur.

Sinclair schlägt mit mir ein. »Hast du's endlich auf die Reihe bekommen?«

»Er hat sein Leben lang drauf gewartet, so was endlich mal zu anderen zu sagen«, meine ich an Henry gewandt.

Der lacht und ignoriert Sinclairs empörtes Schnauben. »Ich freue mich für euch, Gideon.«

»Du musst zu Spanisch«, sage ich nur.

Henry nickt schmunzelnd. »Ich muss zu Spanisch«, bestätigt er und geht ein paar Schritte rückwärts. Sein Blick liegt auf mir, ich habe es kaum für möglich gehalten. Dass ich Grace küsse, vor den Augen aller. Vor seinen Augen. Dass es sich so richtig anfühlt. Dass endlich alles stimmt. Also, fast alles. Denn es gibt da noch eine Sache, die ich erledigen muss.

»Hey, Mann«, rufe ich, als ich einige Minuten später Omar vor unserem Klassenraum sehe. »Brauche deine Hilfe. Kannst du mir ne Nummer besorgen?«

»Eine Nummer?«, wiederholt er. »Kommt drauf an von wem.«

»Clara Berry. Und nein, nicht aus diesem Grund«, stelle ich sofort klar, als er erstaunt die Brauen hebt. »Ich muss was gradebiegen.« Das habe ich auch Gracie erklärt, die das ebenfalls befürwortet. »Kannst du Anastasia fragen?«

»Kann ich«, verspricht er.

Ich nicke. »Danke.«

GRACE

»Oh mein Gott?«, wispert Tori, die neben mir vom Speisesaal durch den gepflasterten Innenhof läuft. Ihr Blick geht von mir zurück zu Gideon und den Jungs, die vor dem alten Kirchengebäude stehen geblieben sind. Meine Lippen prickeln noch, und mein Herz fühlt sich so leicht an, dass ich mir gar nicht sicher bin, ob es noch da ist. »Hat Gideon Attwell dich gerade geküsst?«

Ich zucke nur mit den Schultern und greife an den Henkel meiner Tasche, während wir in den Kreuzgang einbiegen.

»Grace!«, verlangt Tori. »Ihr habt euch abgeschlabbert!«

»Ihh, komm schon.« Ich muss lächeln.

»Ich kenne diesen Gesichtsausdruck«, erklärt sie und stellt sich mir in den Weg. »Gracie«, murmelt sie dann und strahlt. »Du bist glücklich.«

Ich senke kurz den Kopf, kann aber nicht aufhören zu lächeln. Weil es wahr ist. »Wir haben uns geküsst, als ich mit ihm in London war, aber danach war alles irgendwie kompliziert.«

»Das haben wir gemerkt«, meint Tori. »War ja komplett Eiszeit zwischen euch, als ihr wieder zurück wart.«

»Das ist euch aufgefallen?« Wir setzen unseren Weg fort.

»Natürlich ist es uns aufgefallen. Wir sind eure Freunde.« Tori schweigt kurz. »Jetzt versteh ich auch, warum es in Madrid eure Mission war, den anderen größtmöglich abzufucken.«

Ich seufze. »Reden wir nicht drüber. Das war dumm.«

»Ein bisschen, aber ich verstehe es auch. Jetzt habt ihr aber endlich alles geklärt?«

Ich nicke und kann es selbst kaum glauben. »Henry war Freitag bei mir, wir hatten ein gutes Gespräch, und später habe ich mit Gideon geredet. Und dann ... Ja.« Ich spüre Hitze in meinen Wangen, und Tori lächelt.

»Es wurde Zeit«, erklärt sie feierlich. »Das mit euch beiden, jeder hat in den letzten Monaten darüber spekuliert.«

»Übertreib nicht.«

»Nein, wirklich.« Sie zögert kurz. »Weiß Olive ...?«

»Ich muss es ihr noch sagen«, meine ich. »Das mit ihren Plänen, zu uns in die Zwölfte zu wechseln, sobald sie volljährig ist. Denkst du, das wird was?«

Tori schweigt kurz. Dann schaut sie mich an, und ich kenne die Antwort. Sie bezweifelt es, und es bricht ihr das Herz. Genau wie mir. Wie uns allen. »Ich würde es mir so wünschen«, sagt sie.

Ich nicke. »Ich will diesen Abschluss nicht ohne sie machen.«

»Ich auch nicht«, erklärt Tori. Dann hellt sich ihr Gesicht

auf. »Wir könnten alle versuchen, bei den Abschlussprüfungen durchzufallen, dann haben wir noch ein Jahr mit Olive.«

»Super Idee.« Ich seufze.

»Wir bleiben eine Clique«, beschließt Tori, nun ernster. »Das werden wir doch?«

Ich nicke. »Wir müssen.«

»Das Einzige, was ihr müsst, ist nun in diesen Klassenraum gehen und eure Plätze einnehmen«, sagt Mr Acevedo, der sich unbemerkt angeschlichen hat.

Er wirft uns einen tadelnden Blick zu, und wir huschen durch die Tür.

50. KAPITEL

GIDEON

Omar schickt mir Clara Berrys Nummer gleich nach der Stunde. Ich schreibe ihr in der Pause, und wir verabreden uns für den Nachmittag in Edinburgh. Ich habe keine Lust, das ewig vor mir herzuschieben, dadurch wird es nicht einfacher, und es ist mir wirklich wichtig, ihr zu sagen, dass es mir leidtut.

»Gideon Attwell«, meint Clara Berry, als ich später in dem Café vor ihr Platz nehme, in dem wir uns verabredet haben. »Na so was aber auch.«

»Danke, dass du dir die Zeit nimmst.« Ich habe nicht vor, lange um den heißen Brei herumzureden. »Ich wollte dich treffen, um mich bei dir zu entschuldigen.«

»Entschuldigen?«, wiederholt sie und legt die Hände um die Teetasse, die vor ihr auf dem runden Tisch steht.

»Ja.« Ich nicke. »Es tut mir leid, wie ich mit dir umgegangen bin. Das war nicht in Ordnung.«

»Redest du von Madrid oder …?«

»Von Madrid und London im Sommer.« Ich nicke. »Beides war kacke. Ich wollte dich nicht benutzen.«

Sie lacht auf. »Du denkst also, du hast mich benutzt? Weil wir Sex hatten?«

Ich zucke mit den Schultern.

»Komm schon, so einseitig läuft das nicht. Hast du gedacht, ich würde hoffen, dass du dich unsterblich in mich verliebst, weil wir ein paarmal gebumst haben? Mir ist schon bewusst gewesen, dass du voll im Arsch warst.«

Ich blinzele nur. »Okay?«

»In Madrid hab ich's dann auch verstanden, als ich sie gesehen habe. Oder besser gesagt, als ich gesehen habe, wie du sie anschaust.« Sie stützt sich mit den Ellbogen auf dem Tisch auf und beugt sich leicht vor. »Hast du es endlich auf die Reihe bekommen mit ihr?«

Ich schlucke überrascht. »Mit Grace?«

Clara hebt auffordernd die Augenbrauen.

»Man könnte sagen, dass wir endlich unseren Scheiß geklärt haben.«

»Gut.« Clara nickt. »Verletz sie nicht, oder ich mache dich fertig.« Sie lächelt mich an, zuckersüß. »Verstanden, Attwell?«

»Hast du mir gerade gedroht?«

»Nein, ich habe dich gewarnt. Ich kenne Männer wie dich.«

»Ach ja?«

»Leider.« Sie seufzt, aber dann wandert ihr Blick über mich. »Tut mir leid, das mit deinem Bruder. Ehrlich.«

»Danke«, sage ich nur. Ein Kellner kommt an den Tisch. »Kann ich dich noch auf was einladen oder so?«

Sie schnauft. »Meine Familie ist wohlhabender als deine.«

»Ich weiß.«

»Gut. Aber danke, nicht nötig. Glaube, du solltest zurück an deine ungehobelte Schule.« Sie zückt ihren Kartenhalter von Goyard und scheucht mich damit davon.

Ich muss schmunzeln, während ich aufstehe. »Man sieht sich, Clara Berry.«

»Hoffentlich nicht so bald, Gideon Attwell.«

GRACE

Nach der letzten Stunde laufe ich nach Hause, um mich fürs Training umzuziehen und meine Brüder einzusammeln, die gleich ebenfalls zum Rugby müssen. Gideon darf noch nicht wieder aufs Feld, Dr Henderson hat ihm ein paar Tage Sportverbot verschrieben nach der Gehirnerschütterung durch die Ohrfeige seines Vaters.

Statt wie beim letzten Mal von der Ersatzbank beim Training zuzusehen, ist er heute nach Edinburgh gegangen, um sich dort bei Clara Berry zu entschuldigen. Dass er das vorgeschlagen hat, fand ich erstaunlich gut von ihm. Dass er mich vorher eingeweiht hat, sogar noch besser.

In meinem Zimmer stolpere ich fast über meinen immer noch nicht ganz ausgepackten Koffer. Dabei fällt mir ein, dass ich meinen Brüdern die Mitbringsel noch nicht überreicht habe, die Gideon und ich in Madrid ausgesucht haben. Greg und Gus überschlagen sich fast, als ich ihnen die Kappen zeige.

»Gideon hat sie ausgesucht«, erkläre ich, worauf sie natürlich gleich noch zehnmal toller ankommen als ohnehin schon.

Mum blickt von ihrem Handy auf, als Greg und Gus damit zum Spiegel im Flur rennen. »Kann Gideon am Wochenende hier übernachten?«, frage ich kurzerhand.

Sie schaut mich überrascht an. »Tut er das nicht sowieso schon ständig?«

»Äh …« Ich erstarre. Sie wusste das? Wie kann das sein? Gideon ist immer über mein Fenster eingestiegen, wir waren leise und …

»Tut er dir gut, mein Schatz?«, fragt Mum und betrachtet mich kritisch.

Ich muss blinzeln. Die Antwort darauf ist sonnenklar. »Ja, sehr«, wispere ich.

Mum lächelt. »Dann kann er gerne hier übernachten. Vielleicht hat er ja auch mal Lust, vorher zum Abendessen herzukommen und dieses Haus durch die Haustür zu betreten.«

»Ich werde es ihm vorschlagen.«

»Tu das.« Mum lächelt.

GIDEON

»Sie wussten es?«, wiederhole ich überrumpelt. Grace nickt. Sie hockt auf meinem Schoß in einer Ecke des alten Gewächshauses, Mitternachtsparty, quasi alles wie immer, nur besser, denn sie schaut den ganzen Abend schon nur mich an und ich sie. So, wie es sein sollte.

»Ja.« Sie wickelt sich die Kordel meines Hoodies um den Finger und zuckt lächelnd mit den Schultern. »Anscheinend war es wohl doch nicht so unauffällig, dass du immer übers Vordach eingestiegen bist.«

»Waren sie sauer?«

»Nee, sie meinten nur, du kannst ja mal durch die Tür und zum Abendessen kommen, wenn du magst.« Sie hebt den Kopf und schaut mich an. »Ich glaube, sie würden sich freuen.«

Erstaunlich. So ist das also, Eltern zu haben, die tatsächlich wollen, dass man glücklich ist.

»Hast du noch mal was von deinem Vater gehört?«, fragt sie.

»Nein. Schätze, er tobt, weil Mum ihn einfach übergangen und mit Rektorin Sinclair gesprochen hat.« Ich lache, aber es klingt bitter.

Grace legt die Unterarme auf meine Schultern und betrachtet mein Gesicht. Die meisten anderen haben sich schon ins Bett verabschiedet. Wir sind erst später zu ihnen gestoßen. Ich wollte Grace noch in Ruhe von dem Gespräch mit Clara erzählen. Sie sah zufrieden aus, während sie zugehört und genickt hat.

»Gehen wir?«, fragt sie leise.

Ich würde vermutlich zu allem Ja sagen, wenn sie mich so ansieht.

Wir brauchen länger für den Weg vom Internat nach Ebrington als sonst, weil wir ständig stehen bleiben und uns küssen müssen. Es fühlt sich irgendwie verboten an, Grace durch die Haustür und den Eingangsflur zu folgen, die Treppe hinauf, durch die Tür in ihr Zimmer. Ihr Laptop und ein aufgeschlagenes Notizbuch liegen auf ihrem Bett. Sie schreibt wieder. Aus irgendeinem Grund erleichtert mich das.

»Wie läuft's?«, frage ich und deute auf die Sachen.

Grace folgt meinem Blick. »Gut. Ich hatte einen kleinen kreativen Durchbruch.«

»Wirklich?« Ich ziehe sie auf dem Bett zu mir.

»Willst du lesen?«, fragt sie und klingt fast etwas schüchtern. Es gibt nicht viel, was ich lieber tun würde, also nicke ich.

Wir putzen uns kurz die Zähne und ziehen uns um, dann liegt sie in meinem Arm und betrachtet mein Handgelenk, während ich ihr Notizbuch halte und Sätze vorlese, die am ehesten vergleichbar damit sind, jeden ihrer Gedanken zu kennen. Mir war gar nicht klar, wie sehr ich das vermisst habe.

Sie hat viel geschrieben, es war also ein ziemlich großer kleiner kreativer Durchbruch, und als ihr Kopf an meiner Schulter schwer geworden ist und ihre Hand auf meinem Bauch liegt und sich dort nicht mehr bewegt, lese ich still weiter. Sobald ich damit fertig bin, die Sachen zur Seite gelegt und die Decke über uns gezogen habe, kommt es mir gewissermaßen unbegreiflich vor.

Wir haben unseren Scheiß auf die Reihe bekommen. Wir haben zurück zueinander gefunden, nachdem ich zwischenzeitlich dachte, dass wir beide einfach zu kaputt, zu beschädigt sind, um so füreinander da zu sein, wie wir es brauchen.

Ich liege hier mit ihr, halte sie in meinen Armen, und alles, woran ich denken kann, sind die Worte von Ms Vail, bei der ich am Vormittag tatsächlich meinen ersten Termin hatte. Es war nicht so seltsam wie erwartet. Eigentlich war es sogar ein relativ lockeres Gespräch, erst gegen Ende ging es dann zur Sache, als ich es nach fünfunddreißig Minuten zum ersten Mal geschafft habe, Freddies Namen auszusprechen und von der Zeit rund um den dunkelsten Tag im Sommer zu erzählen.

Was könnten Kraftgeber in dieser schweren Zeit sein, Gideon?

Ich habe geschwiegen und nur an Grace gedacht. An ihre Augen, ihr Lächeln, ihr Gesicht, an einfach alles an ihr. An die Tatsache, dass sie versteht, warum ich nicht in der Lage war, ihr von Freddie zu erzählen. An den Fakt, dass mir alles etwas weniger überwältigend und beängstigend vorkommt, wenn ich daran denke, dass ich es mit ihr gemeinsam machen kann. Dass sie mich liebt. Nicht wie Henry, was ich auch gar nicht will, sondern anders, und dass anders nicht weniger bedeutet oder schlechter. Sondern genau richtig.

51. KAPITEL

GRACE

Zu meinem ersten Termin bei Ms Vail ist Gideon mitgekommen, hat sich draußen hingesetzt und gewartet, bis ich wieder rausgekommen bin. Tatsächlich hat es noch drei Wochen gedauert, bis ich ihr zum ersten Mal von der Sache mit dem Übergeben erzählen konnte. Keine Ahnung warum. Vielleicht weil ich erst warten wollte, ob sich das Problem in Luft auflöst, jetzt, wo man meinen könnte, ich wäre glücklich bis an mein Lebensende und müsste mich nicht mehr mit Emma oder sonst irgendwem vergleichen. Ich wünschte, es wäre so einfach. Ich wünschte, ich hätte Gideon sofort sagen können, dass ich nicht von jetzt auf gleich damit aufgehört habe, auch wenn ich es so sehr wollte. Ich wünschte, ich hätte vor Ms Vail darüber sprechen können, ohne zu weinen, aber die Angst, dass sie mich für einen hoffnungslosen Fall halten könnte, war zu groß. Tatsächlich tut sie das nicht. Sie kam mir sogar erstaunlich ruhig vor, während ich es endlich ausgesprochen habe. Drei Termine später hat sie mir zum ersten Mal die Broschüre einer Klinik mitgegeben, nachdem ich ihr davon erzählt habe, wie groß meine Angst vor der Zeit nach dem Abitur ist. Die Zeit ohne meine Freundinnen und Freunde, ohne einen strukturierten Alltag, ohne die Mahlzeiten im Internat, ohne das Sport- und Freizeitprogramm, den Unterricht und alles, was dazugehört. Die Angst davor, dass sich alles wieder so dunkel und aussichtslos anfühlen könnte wie im Sommer. Trotz Gideon, der da sein wird. Trotz Olive, um deren Leben ich nicht bangen muss. Trotz Henry, an den ich ohne Schmerz denken kann.

Es wäre sicher sinnvoll, diese Zeit in einem geschützten Rahmen dafür zu nutzen, mir zu überlegen, was ich für meine Zukunft will, und dabei wieder gesünder zu werden. Mum und Dad haben gesagt, dass sie das auch so sehen, als wir für ein Familiengespräch zusammen bei Ms Vail waren, weil ich es nicht geschafft habe, ihnen selbst von meinem Problem zu erzählen. Treffen muss diese Entscheidung aber ganz allein ich.

»Ich denke, ich würde die Anmeldeformulare gerne fertig ausfüllen«, sage ich, als Ms Vail gegen Ende unserer Stunde fragt, was meine Ziele bis zu unserem nächsten Termin sind. »Und ich möchte die Geschichte beenden, an der ich gerade arbeite. Es fehlt nicht mehr viel.«

»Das ist ein schöner Plan«, meint Ms Vail. »Worum geht es in dieser Geschichte?«

»Um ein Mädchen und einen Jungen, und irgendwie wissen sie beide, dass sie sich lieben, aber es ist kompliziert.«

»Hm«, macht Ms Vail und lehnt sich mit diesem auffordernden Gesichtsausdruck in ihrem Stuhl zurück, während sie sich etwas notiert.

»Es geht aber nicht um Gideon und mich«, füge ich hinzu. »Es ist alles ausgedacht.«

Sie nickt. »Was hast du damit vor, wenn die Geschichte fertig ist?«

»Ich weiß es nicht«, sage ich. »Vielleicht bewerbe ich mich eines Tages irgendwo damit. Bei einem Verlag oder einer Agentur. Ist aber ziemlich unrealistisch, dass das klappt.«

»Es kommt mir realistischer vor, dass es klappt, wenn du es versuchst, als wenn du es nicht versuchst.«

Ich schweige.

»Ja«, sage ich dann. »Stimmt eigentlich.«

Ich denke noch über ihre Worte nach, während ich aufstehe und zur Tür gehe. Henry steht vor mir, als ich aus ihrem Büro komme.

»Oh, hi.« Er lächelt. »Fliegender Wechsel.«

»Viel Spaß«, sage ich, obwohl ich nicht weiß, ob das ein angemessener Wunsch ist für einen Termin bei der Schulpsychologin. Nicht, dass die Gespräche mit ihr schlimm wären. Eher herausfordernd, aber das ist eigentlich gut.

Ich spüre die Klinikbroschüre in meiner Hosentasche und setze mich in die Sitzecke am Ende des Flurs. Henry wird hier vorbeikommen, wenn seine Stunde bei Ms Vail vorbei ist. Er wird mich sehen, stehen bleiben, wir werden miteinander sprechen. Er wird mich fragen, wie es mir geht. Ich werde nicht wissen, was ich ihm antworten soll.

Ich hole mein iPad aus der Tasche, rufe das Formular auf und lese es noch mal durch. Mein Körper fühlt sich schwindelig und heiß dabei an, so wie letzte Woche, als ich die Fragen und persönlichen Angaben mit Mum ausgefüllt habe.

Ich höre Schritte näher kommen und hebe den Kopf.

»Hey«, sagt Henry.

»Wie war's?«, frage ich.

Er lächelt und zuckt mit den Schultern. »In Ordnung, denke ich. Was hast du da?«

Ich knete meine Finger. »Das Aufnahmeformular für eine Klinik.«

»Oh.« Sein Gesicht hellt sich auf. Pure Erleichterung. »Das ist gut, Grace.«

»Ms Vail meint, wenn ich mich jetzt auf die Warteliste setzen lasse, könnte es mit einem Platz im Sommer klappen.« Ich zögere. »Ich muss es nur noch abschicken. Kannst du mir dabei helfen?«

Henry mustert mich überrascht. »Wenn du das möchtest?«

Ich nicke.

»Was soll ich machen?«

»Hier drücken«, murmele ich. »Die Mail ist schon vorbereitet.«

»Hier?« Er schaut mich an. »Bist du sicher?«

Ich nicke, aber er zögert.

»Oder sollte Gideon das mit dir machen?«

Darüber habe ich auch nachgedacht, lange, allein, mit Gideon, mit Ms Vail, bis ich zu dem Schluss gekommen bin, dass ich es mit Henry machen muss.

»Du solltest es machen«, murmele ich. »Bitte.«

Henry wartet kurz, dann nickt er. »Gut.« Er beugt sich über mein iPad. Es klingelt zur nächsten Stunde, die Türen der Klassenzimmer öffnen sich, und Schülerinnen und Schüler strömen auf die Flure.

Henry wirft mir einen kurzen Blick zu, dann drückt er auf Senden.

»Danke«, flüstere ich.

Er lächelt nur und nickt, dann läuft er zur Sitzung der Schülermitverwaltung und ich zu Gideon.

ZWÖLFTE KLASSE

GIDEON

Juli

Es gibt Tage, auf die kann einen nichts und niemand vorbereiten. Der erste Schultag an einem Internat, mehrere Hundert Kilometer von zu Hause entfernt, zählt dazu. Die Beerdigung seines kleinen Bruders. Der Tag, an dem du das Mädchen endlich küsst, das du dein Leben lang geliebt hast. Der Moment, wenn dieser Brief aus Paris kommt mit der Zusage für die Kochschule. Das letzte große Rugbyspiel unserer Schulzeit. Der erste Besuch auf dem Friedhof. Die schriftliche Abiprüfung. Die Notenvergabe. Der letzte gemeinsame Tag an der Dunbridge Academy.

Ich habe nie eine seltsamere Stimmung zwischen uns allen erlebt als heute, am Tag unseres Abschlussballs. Eine Mischung aus Aufbruch, Erleichterung, Ausgelassenheit und Abschiedsschmerz. Weil es vorbei ist. Acht Jahre an dieser Schule, mit diesen Leuten.

Ms Vail nennt es kognitive Dissonanz, was mir passend vorkommt und vor Augen geführt hat, dass es anscheinend normal ist, sich über etwas zu freuen und zugleich todtraurig zu sein. Im Grunde weiß ich eigentlich überhaupt nicht, was ich fühle.

Hat schon angefangen während der letzten Abschlussprüfung. Das letzte Mal in dieser Aula sitzen, stundenlang konzentrierte Stille, kratzende Stifte auf Papier, das Knistern von Müsliriegelverpackungen und Traubenzucker, so als könnte der noch irgendwas rausreißen. Aufstehen, Tasche nehmen, den Bogen abgeben, durch diese Tür gehen, nach draußen, wo alle stehen und anstoßen mit Moët aus Plastikbechern, während Henry und Grace, die natürlich als Erste abgegeben haben, über irgendwelche Ergebnisse diskutieren, zumindest so lange, bis ich rüberkomme und Grace küsse, damit sie aufhört, über all das nachzudenken.

Wir haben alle bestanden, Grace und Henry natürlich mit den besten Noten des Jahrgangs, und das Schönste daran ist eigentlich, dass ich da stehen und während der Zeugnisvergabe für sie applaudieren kann, ohne Bitterkeit zu empfinden. Weil Henry zwar das beste Abitur hat, die besten Freunde (also mich), einen Studienplatz in St. Andrew's, gemeinsam mit Emma, aber er hat nicht Grace. Es gibt nichts, worum ich ihn beneiden könnte.

Ich sitze auf meinem Platz in der Menge, neben meinen Freundinnen und Freunden, ihren Familien, den Lehrkräften, und sehe Grace und Henry zu, die auf der Bühne stehen und den Abend moderieren. Ich sehe ihnen zu, ohne diese Wut und Enttäuschung zu empfinden. Weil Grace' Blick andauernd meinen sucht und sie immer etwas aufgeregt wirkt, wenn sie ihn findet.

Sie war scheißnervös, schon die letzten zehn Tage, nervöser als vor dem Schriftlichen, nervöser als vor dem Mündlichen, nervöser als vor dem Telefonat mit der Klinik, aber mir war klar, dass sie das hier souverän meistern wird, weil sie alles souverän meistert. Ich hoffe, dass sie es vielleicht sogar genießen kann. Dass es die Art Abschluss ist, die sie braucht, auch mit Henry, und sie nicht mit einem bitteren Gefühl an diesen

Abend zurückdenken muss. Gott, ich hoffe einfach, dass es ihr gut geht, aber ich denke, das tut es, denn sie wirkt zwar emotional, aber befreit.

Da geht es mir ähnlich, insbesondere seit ich weiß, dass ich ab Herbst in Paris an einer der renommiertesten Kochschulen der Welt lernen werde. Egal, was meine Eltern dazu sagen, die ich darüber in Kenntnis gesetzt, aber nicht um Erlaubnis gebeten habe. Aus Mums *Aha, interessant* habe ich gezogen, dass sie davon nicht begeistert ist, aber mir nicht aktiv verbieten wird, diesen Weg einzuschlagen. Bei meinem Vater sieht es da etwas anders aus, doch auch die Telefonate, in denen er angedroht hat, mich mit keinem Penny finanziell zu unterstützen bei dieser absolut hirnverbrannten Idee, wie er meinen albernen Traum zu nennen pflegt, können mich leider nicht davon abbringen. Egal, wie anstrengend es wird, nebenbei zu arbeiten, um das Schulgeld und die Miete aufzubringen. Das ist es wert, ich weiß es einfach, und vielleicht sind Mum und Dad irgendwann in der Lage zu verstehen, dass das die einzige Art ist, auf die ich mich im Familienunternehmen einbringen kann. In der Küche des *Attwell*, nicht oben in der Chefetage. Keine Ahnung, ob ich das realistisch gesehen überhaupt in Betracht ziehe. Nach dem, was mein Vater sich dieses Schuljahr geleistet hat, bin ich mir da nicht so sicher. Aber das *Attwell* wird für immer ein besonderer Ort für mich sein. Es ist mit den Erinnerungen an Freddie verknüpft, die ich nicht einfach aufgeben kann. Wir werden sehen, was die Zukunft bringt. Und ich muss tun, was mich glücklich macht, das hat auch Ms Vail gesagt. Sie sagt überhaupt eine Menge kluger Dinge. Zum Beispiel, dass die Entscheidungen meines Vaters von emotionaler Unreife zeugen und es mir zwar wehtun darf, dass er heute beim Abiball seines Sohnes nicht anwesend ist, aber dass ich dafür keine Verantwortung trage. Mum ist gekommen. Tante

Claudia begleitet sie, er nicht. Ich habe darüber nicht mit ihm diskutiert. Muss ich nicht, werde ich nicht. Falls er seine Kränkung darüber, dass ich über einen eigenen Willen verfüge, eines Tages verwindet und er das Bedürfnis hat, ein Gespräch mit mir zu führen, könnte es sein, dass ich mir das überlege.

Fürs Erste denke ich nicht an ihn, sondern konzentriere mich auf diesen Moment mit meiner Familie. Mit Grace und Henry, Emma und Tori, Sinclair, Omar und allen anderen. Olive ist bei uns, auch wenn sie den Abschluss nicht mit uns gemacht hat. Es ist ein Scheißgefühl, sie hier zurückzulassen, aber neben ihr steht Colin, der sie den ganzen Abend nicht loslässt und wohl begreift, was das alles für sie bedeuten muss, obwohl er nicht weiß, wie es ist, acht Jahre lang miteinander auf ein Internat zu gehen. Freut mich für ihn, dass er zumindest noch gegen Ende in den Genuss kommt und sogar seine kleine Schwester aus New York nachgeholt hat, die nach dem Sommer mit Grace' Brüdern in die Unterstufe geht.

Ich wünschte, ich könnte mit ihnen tauschen. Ich wünschte, es wäre nicht vorbei. Und ich wünschte auch, dass Freddie hier wäre und sich in diese Clique unserer jüngeren Geschwister einfügt. Ich weiß, dass er es geliebt hätte. Und ich weiß auch, dass es okay ist, deshalb Schmerz, Ohnmacht, Wut und Schuld zu empfinden, auch wenn ich an nichts schuld bin. Es macht mich wahnsinnig, dass er in meiner Erinnerung immer vierzehn bleiben wird, während ich älter werde. *Ich weiß, ich hab jetzt schon Angst vor meinem zweiundzwanzigsten Geburtstag*, hat Henry gesagt, weil das Maeves Alter war, als sie gestorben ist, und ich konnte es so gut verstehen und war dabei irgendwie dankbar, dass wir über diese Dinge nun wieder reden und er mir ohne nachtragend zu sein verziehen hat, dass ich im letzten Jahr ein wütendes Arschloch war und kein guter Freund. Aus irgendeinem Grund weiß ich, dass wir es hinbekommen werden und diese Pläne, dass wir uns besuchen und in Kontakt bleiben, nicht nur leere Worte sind. Wir haben genug Scheiße erlebt, die uns alle zusammengeschweißt und verbunden hat. So was hält für immer, auch wenn er mit Emma in Schottland bleibt, Tori und Sinclair nach London ziehen und ich in Paris auf Grace warte. Es gibt einen Ort auf dieser Welt, an den für immer alle Wege führen, und das ist dieses Internat.

Ich kann aufhören, mich zu fragen, ob die letzten Jahre verschwendet waren. Ob ich zu viele Fehler gemacht habe, ob ich hätte schneller sein müssen, mutiger. Ob ich Grace verloren habe, an meinen besten Freund. Heute weiß ich, dass es genau so richtig war. Dass wir beide erst bereit füreinander werden mussten. Dass all das geschehen musste, damit wir zueinander finden konnten. So richtig zueinander, auf allen Ebenen. Dass es sich nur deshalb nun so gut anfühlt. Als hätten wir erst beste Freunde und dann Geliebte werden müssen, denn jetzt sind wir beides gleichzeitig, die vielleicht beste Sache der Welt.

Ich schaue zu ihr, sie steht im Scheinwerferlicht, sie ist alles, was ich jemals wollte, und mehr, und muss lächeln. Die ziemlich sicher beste Sache der Welt.

GRACE

Nur der Himmel weiß, wie oft ich heute schon geweint habe. Vermutlich an die zwei Dutzend Mal, angefangen morgens, als ich aufgewacht bin, in Gideons Armen, und verstanden habe, dass es das nun war. Später beim Frühstück, unter den stolzen Blicken meiner Eltern, beim Fertigmachen mit Emma und Tori und Olive, die uns dabei geholfen hat, in unsere Kleider zu schlüpfen und unsere Haare zu locken. Auf dem Weg zum Empfang vor der Aula, während die Sonne hinter den Türmen der Dunbridge Academy untergegangen ist und wir das Abschiedsbanner mit den Daten unseres Jahrgangs gesehen haben, das den Durchgang vom Innenhof zur Aula schmückt.

Ein bittersüßer Abschiedsschmerz, der nicht verschwinden wollte, als alle in der Aula ihre Plätze eingenommen haben und Henry und ich hinter die Bühne gehen, verkabelt und mit unseren Mikros ausgestattet werden.

Das Programm zieht wie ein Film an mir vorbei. Meine Nervosität ist schlimm, aber sie lähmt mich nicht, und nach den ersten Momenten auf der Bühne vor diesem Saal kann ich sogar vernünftig atmen, während Rektorin Sinclair ihre Abschiedsrede hält.

»Ich sage immer, wenn ihr diese Schule als exakt dieselbe Person verlasst, wie ihr sie vor acht, sieben, vielleicht fünf oder auch nur zwei Jahren zum ersten Mal betreten habt, habe ich etwas falsch gemacht.« Durch den Vorhang sehe ich, wie sie ins Publikum blickt. »Bei jeder und jedem Einzelnen von euch weiß ich, dass ihr etwas mitnehmen konntet, und das erfüllt mich mit Stolz. Ich wünsche euch den Mut, zu sprechen, wenn ihr etwas zu sagen habt, unerschütterliches Vertrauen in euch selbst und Erfolg für die Zukunft. Und damit meine ich nicht universitäre Leistungen oder berufliche Meilensteine, sondern Erfolg dabei, die Dunbridge-Werte in die Welt zu tragen. Euch alle habe ich einmal mit folgenden Worten in meinem Büro begrüßt: Eines Tages werdet ihr diese Schule verlassen und in das Leben hinausgehen.« Sie hält kurz inne, und aus dem Augenwinkel sehe ich, wie Henry sich auf die Unterlippe beißt. »Unser Stolz sind die Schülerinnen und Schüler, die die Dunbridge Academy als junge Erwachsene verlassen, die für sich und ihre Mitmenschen einstehen. Die Werte wie Mitgefühl, Respekt und Toleranz verinnerlicht haben. Die nicht davor zurückscheuen, unbequeme Fragen zu stellen und gesellschaftliche Konventionen anzuzweifeln. Eines Tages ist nun gekommen, und ich sehe in euch allen Ehemalige, auf die diese Schule stolz sein kann. Behaltet euch das bei. Achtet aufeinander. Hört einander zu. Erlaubt euch, zu scheitern und zu lernen. Vertraut eurem Instinkt, aber lasst euch nie von eurer Angst lähmen. Bleibt neugierig, bleibt mutig und freundlich. Habt Zuversicht. Ihr seid jetzt auf euch allein gestellt.« Sie lächelt. »Und das ist gut so.«

Der Beifall brandet auf, und ich schaffe es erst nach einem Moment, mit einzustimmen. Rektorin Sinclair verlässt die Bühne, um wieder neben den anderen Lehrerinnen und Lehrern in der ersten Reihe Platz zu nehmen.

Ich folge Henry zurück durch den Vorhang und fühle mich, als wäre ich gerade aus einem Traum erwacht. Das Licht blendet mich, aber ich schaue in diesen vollen Saal, in all die Gesichter, die ich so gut kenne und die ich nie wieder in genau dieser Konstellation sehen werde, und plötzlich kann ich nicht mehr sprechen.

Henry wirft mir einen kurzen Blick zu, dann übernimmt er meine Abmoderation und bedankt sich in unser aller Namen bei Rektorin Sinclair für ihre Worte. Es ist mir ein Rätsel, wie er das schafft. Ihm vermutlich auch. Ich stehe neben ihm und bemühe mich, zu lächeln, tief zu atmen und nicht zu weinen. Die Schulband spielt, die Ehrenpreise werden vergeben und schließlich die Zeugnisse, und ich kann mich ehrlich darüber freuen, den zweitbesten Schnitt erreicht zu haben, nach Henry, der als Jahrgangsbester ausgezeichnet wird. Weil er es verdient. Weil er mit zwei Notenpunkten vor mir lag, trotz dieser herausfordernden Zeit letzten Winter, als er seine Schwester verloren hat und kurzzeitig auch den Boden unter den Füßen. Es ist kein Wettbewerb mehr, eher ein gemeinsamer Sieg, als wir unsere Moderation beenden, nachdem alle für ein Gruppenbild auf der Bühne posiert haben.

»Vielen Dank, dass Sie alle heute hier sind und diesen Abend mit uns erlebt haben«, sagt Henry, als es nur noch wir beide sind. »Und an unsere Mitschülerinnen und Mitschüler – danke. Für acht unvergessliche Jahre und diese Art Gemeinschaft, die es sonst nirgends gibt.« Er schluckt, ich warte eine Sekunde, aber dann übernehme ich, weil ich weiß, was es bedeutet, wenn seine Stimme so brüchig klingt.

»Bei unserer Vorbereitung auf diese Moderation haben wir überlegt, wie wir diese gemeinsame Zeit am besten zusammenfassen können«, fahre ich fort. »Mit der Hilfe unserer Freundinnen und Freunde haben wir ziemlich viel Foto- und Videomaterial zusammentragen können, aus dem ein Film entstanden ist, den wir Ihnen und euch gerne zeigen würden. Wir wünschen allen viel Freude beim Ansehen und einen schönen restlichen Abend.« Ich halte kurz inne, weil es das jetzt wirklich war. »Vielen Dank, Rektorin Sinclair, vielen Dank allen Lehrerinnen und Lehrern, vielen Dank, Henry, für dein Engagement als Schulsprecher und die wunderbare Moderation heute Abend.«

Und für alles andere. Er schluckt schwer, als ich ihn ansehe, und nickt, dann hebt er sein Mikrofon.

»Alle unterhaltsamen, klugen und unvergesslichen Momente heute Abend durften Sie nur wegen Grace erleben, die als Leitung des Abschlussballkomitees dafür gesorgt hat, dass unsere gemeinsame Zeit mit dieser perfekt organisierten Veranstaltung endet.« Er dreht sich zu mir. »Grace, danke für alles, was du für unsere Stufe getan hast.«

Und für mich.

Er stimmt in den Applaus der Menge ein, dann reichen wir uns wie besprochen die Hände, blicken nach vorne und verbeugen uns, während hinter uns die Leinwand für den Stufenfilm runterfährt.

Mein Herz rast, während wir zusammen von der Bühne gehen. Im Bereich hinter dem Vorhang kann ich die Tränen nicht zurückhalten, als wir uns umarmen. Er hält mich fest, länger als nur eine Sekunde, und ich halte ihn auch fest.

Henry ist ein bisschen verschwommen, als ich ihn danach anschaue, aber ich erkenne genug, um zu verstehen, dass er auch weint.

»Du warst so super«, sagt er und lächelt, und bei mir laufen die Tränen.

»Du auch«, flüstere ich.

Und dann lässt er mich los, und wir huschen zurück nach draußen, um wieder Platz zu nehmen, gerade rechtzeitig, um den Abschlussfilm mit den anderen anzusehen. Mir kommt das alles surreal vor. Der bebende Applaus und die Tränen, die wir uns wegwischen, als der Abspann läuft, die Musik startet und wir die Tanzfläche stürmen. Ich umarme Mum, Dad und meine Brüder und falle danach Tori in die Arme, dann Sinclair und Emma, die Henry und mich mit Lob für die Moderation überschütten.

Gideon küsst mich, bevor er mich zu sich zieht.

»Ihr wart großartig«, sagt er, und ich lächle, gehe auf die Zehenspitzen, um ihn zurückzuküssen, dann nimmt er meine Hand, und der Tanz beginnt.

Eigentlich könnte ich die ganze Zeit nur weinen. Keine verzweifelten oder bitteren Tränen, im Gegenteil. Mein Herz ist so verdammt voll, und gleichzeitig tut es weh, wann immer ich mich umblicke und verstehe, dass das hier die letzten Momente sind. Also blicke ich mich nicht um, sondern halte mich an Gideon fest, schmiege das Gesicht an Gideons Brust, spüre Gideons Herz schlagen und rieche Gideons Geruch.

Mr Ringling sieht überglücklich und stolz aus, während er mit seiner Kamera umherläuft, um Fotos zu machen. Wie das sein muss, Jahr für Jahr eine neue Stufe auf den Abschlussball vorzubereiten und dann gehen zu lassen. Ich glaube, ich könnte das nicht. Ich bin für Abschiede nicht gemacht. Aber zum Glück ist es kein Abschied für immer, und eigentlich geht es jetzt erst los. Ich denke an den Anruf vorletzte Woche, dass ein Platz in der Klinik in Glasgow frei geworden ist, was bedeutet, dass ich die nächsten Wochen dort verbringen werde, während Gideon nach Paris zieht. An die Kochschule, sein größter Wunsch, der in Erfüllung gegangen ist. Ich werde ihn dort besuchen und mir überlegen, ob ich es wagen soll mit der Bewerbung für Literatur an der Sorbonne, die Kurse auf Englisch anbietet. Wir werden sehen. Und auch wenn es mir Respekt einjagt, es wird gut. Aus irgendeinem Grund weiß ich das, als das Lied wechselt und Gideon zu mir herabblickt. Er lächelt leicht, dann drehen wir den Kopf.

Emma und Henry sind neben uns, Gideon schaut mich an, versteht, und dann bittet er Emma zum Tanz.

Henry und ich wechseln einen Blick.

Es gab eine Zeit in meinem Leben, da hätte ich nicht gedacht, dass ich je wieder in der Lage wäre, das zu tun. Henrys Hand zu nehmen, die andere an seinen Arm zu legen, mich von ihm halten zu lassen, so wie früher. Mit meinem Ex-Freund, aber ich möchte ihn so nicht nennen, denn er ist immer noch mein Freund. Er ist immer noch jemand, den ich liebe, wird er immer sein, aber er ist nicht mehr derjenige, dem mein Herz gehört.

Ich kann das so deutlich spüren, als sich eine unbeschreibliche Ruhe in mir ausbreitet, die es mir ermöglicht, den Kopf an seine Schulter zu legen.

»Ich will euch alle nicht verlieren«, flüstere ich.

»Wirst du nicht«, sagt Henry. »Wir werden uns nicht verlieren. Diese Freundschaften, das, was uns verbindet, das ist zu stark.«

Ich nicke und hoffe, dass er recht hat. Dass wir alle in Kontakt bleiben, auch wenn Emma und er im Herbst ihr Studium in St. Andrew's aufnehmen, Tori und Sinclair nach London ziehen und Olive und Colin, dieser Neue aus den Staaten, der ihr den Kopf verdreht hat, seit sie wieder an der Schule ist, in die zwölfte Klasse starten. Ich hoffe es wirklich sehr. Die Karten werden neu gemischt, aber es wird kein Abschied für immer. Das Band, das uns alle verbindet, kann nicht so leicht zertrennt werden.

»Ich bin stolz auf uns«, flüstere ich an seiner Schulter, und ich meine ein anderes *uns* als er gerade eben. Ich meine ihn und mich, und Henry weiß das. Er lächelt, als ich aufblicke, wischt mir die Tränen weg und nickt.

Der Song wechselt, das Lied ist vorbei, unsere Zeit abgelaufen. Henry umarmt mich, hält mich fest, ich halte ihn fest, er küsst mich auf die Wange, und dann übergibt er mich an Gideon.

Bist du okay?, fragt sein Blick.

Ich denke schon, blinzele ich stumm.

Gideon betrachtet mein Gesicht, meine Augen und meinen Mund, dann küsst er mich. Langsam und bewusst, voller Entschlossenheit und Hingabe. Ich schließe die Augen.

»Ich liebe dich«, flüstert er, und ich liebe ihn auch. Weil er der Einzige ist, bei dem mein selbstzerstörerisches Hirn keinen Wettbewerb startet oder mir erzählt, dass es eigentlich gar nicht sein kann, dass dieser Kerl mich liebt, mit allem, was ich bin und nicht bin.

Ich liebe ihn in diesem Saal, ich liebe ihn später, draußen mit den anderen, als die Gruppenfotos gemacht werden und Sinclair anschließend eine der entkorkten Champagnerflaschen nimmt, sie am Hals greift, schüttelt und auf den gepflasterten Boden haut, bevor er sie auf Gideon und Henry richtet, sobald der Alkohol in einer Fontäne aus der Öffnung schießt. Das offizielle Zeichen für die Erwachsenen, zu verschwinden, während die Party in der Aula beginnt und wir durch die Nacht tanzen, zu all den Liedern, die uns verbinden.

Es wird schon beinah hell, als die Lichter in der Aula ausgegangen sind, das Konfetti gefallen ist, die Gläser aufgeräumt werden und wir ein letztes Mal im alten Gewächshaus waren. Jetzt sitzen wir auf den Stufen vor dem Westflügel, der in neuem Glanz erstrahlt, in unseren langen Ballkleidern, die Jungs in Anzug und Krawatte, und einfach keiner von uns will gehen.

Nicht bevor der Morgen graut und sich der Himmel langsam verfärbt, in sanften Rosatönen, von denen ich Gideon kein Bild schicken muss, weil er bei mir ist. Der Himmel ist klar. Wenn ich den Kopf zurücknehme und an seine Brust lehne, kann ich die Sterne sehen und eine Zukunft. Ich schaue nicht zurück, in die Vergangenheit, nicht mehr. Ich schaue nach vorn, weil das die einzig richtige Richtung ist und sich alles verändern wird, außer der Tatsache, dass ich ihn liebe.

Eine neue Seite wird aufgeschlagen, ein neues Kapitel, das bereit ist, von uns geschrieben zu werden. Die Geschichte hat erst begonnen, und ja, kann sein, dass man aufhören soll, wenn es am schönsten ist. Vielleicht sollte man aber auch nicht aufhören. Vielleicht sollte man weitermachen, vielleicht lohnt es sich, weiter zu glauben. Zu hoffen, zu weinen, zu lieben und zu träumen.

Ich schaue ihn an und muss lächeln.

Ganz sicher lohnt es sich sogar.

DANKE

Meinen Leserinnen und Lesern. Danke, dass ihr mich mit viel Nachdruck und noch mehr Liebe überzeugt habt, diese Geschichte zu schreiben. Wie ihr nicht müde geworden seid, für Grace zu kämpfen und mich noch Jahre nach dem Erscheinen der *Dunbridge Academy* mit Fragen zu einem vierten Band gelöchert habt, hat mich gelinde gesagt umgehauen. Ich entschuldige mich für jedes Mal, wenn ich darauf mit einer kleinen Notlüge antworten musste oder ganz kryptisch geschwiegen habe! Denn ja, ihr hattet wenig überraschend völlig recht, Grace und Gideon haben diese Geschichte gebraucht. Ich weiß überhaupt nicht, wie ich jemals glauben konnte, dass die *Dunbridge Academy* ohne *Anymore* vollständig wäre. Danke, dass ihr diese Welt so sehr liebt und damit mein Leben verändert. Ich hoffe, ich habe diesen vierten Band so geschrieben, wie ihr ihn euch gewünscht habt. Er ist nur für euch <3

Allen Buchhändlerinnen, Buchhändlern und Auszubildenden, Bloggenden, Creatorinnen und Creatorn, die verstehen, wie wichtig New-Adult-Literatur ist und diese Bücher mitsamt ihrer jungen, klugen und weltbewegenden Zielgruppe ernstnehmen. Ohne euch würde es nicht funktionieren. Vielen Dank für Ihren und euren Einsatz – er ist essenziell.

Meinem unglaublichen Verlag und allen bei LYX und Bastei Lübbe, aber ganz besonders Alexandra, Steffi und Simon, weil ihr einfach immer bereit seid und euch dieses Projekt sofort vorstellen konntet. Euer Vertrauen hat mir die Welt bedeutet, als ich euch zum ersten Mal erzählt habe, dass ich irgendwie fürchte, noch ein viertes *Dunbridge*-Buch schreiben zu müssen. Danke, dass ihr Grenzen sprengt und meinen Büchern Dinge ermöglicht, von denen ich nie zu träumen gewagt habe. Alexandra, es ist so erfüllend, mit dir zusammenzuarbeiten. Danke für deine Geduld, Freundlichkeit, Ermutigung, deine Ideen und dein Vertrauen. Ohne dich hätte ich dieses Buch niemals schreiben können. Silvana, du hast den besten Blick fürs Detail und die elegantesten Lösungsvorschläge für verzwickte Probleme jeglicher Art. Das Lektorat mit dir war wieder wundervoll, und ich danke dir, dass du meine Figuren so gut verstehst.

Rebekka, Merit, Raffi, Annika, vielen Dank für eure großartige Freundschaft. Wenn ich euch nicht gehabt hätte, um über alles rund um diese Geschichte zu reden, lange bevor ich es öffentlich durfte, wäre ich mit ziemlicher Sicherheit geplatzt.

Meiner Familie, weil ihr so fest an mich glaubt, dass ich gar keine andere Wahl habe, als ebenfalls an mich zu glauben.

Das ist vielleicht sogar fast am allerwichtigsten: Grace und Gideon, Emma, Henry, Victoria, Charles, Olive und Colin. Danke, dass ich eure Geschichten erzählen durfte. Euch mit der Welt zu teilen, war mir die größte Freude, und ich bin so stolz darauf, wie ihr gewachsen seid und geliebt werdet.

Und zuletzt, meiner geliebten Dunbridge Academy. Immer wenn ich mich verloren fühle, weiß ich, dass hier ein Zuhause auf mich wartet.

Contenthinweis

(Achtung Spoiler!)

Dieses Buch enthält potenziell triggernde Inhalte
und behandelt folgende Themen:

Essstörung, Tod eines Familienmitglieds, der vor der Handlung des Buchs stattgefunden hat, Trauer, Trauerbewältigung, versuchte Vergewaltigung sowie Beibringung von K.-o.-Tropfen (Seite 289 bis 302), gewalttätiges Verhalten.

Bitte lest dieses Buch nur, wenn ihr euch momentan emotional dazu in der Lage fühlt. Falls es euch mit diesen (oder anderen) Themen nicht gut geht, findet ihr unter der Nummer der Telefonseelsorge rund um die Uhr kostenlose und anonyme Hilfe.

0800–1 110 111//0800–1 110 222
https://www.telefonseelsorge.de/

WIR HATTEN ALLES RISKIERT, UND DER EINSATZ WAR MEIN HERZ GEWESEN

Sarah Sprinz
INFINITY FALLING
- BRING ME HOME

512 Seiten
ISBN 978-3-7363-2017-8

Megan Sutton kann ihr Glück kaum fassen, als sie eine Hauptrolle in dem Blockbuster Infinity Falling ergattert. Doch ein Presseskandal gefährdet ihren Traum, und Megan sieht nur eine Möglichkeit, um ihr Image aufzupolieren: eine Fake-Beziehung mit dem charmanten Typen, den sie letzte Nacht im Affekt geküsst hat. Cole Buchanan ist gar nicht begeistert davon, dass er ins Rampenlicht gezerrt wird, denn nach einem folgenschwerer Behandlungsfehler will der Arzt alles, aber keine Aufmerksamkeit. Doch was soll schon schief gehen, zumindest solange keine Gefühle ins Spiel kommen und die Presse niemals von seinem Fehler erfährt …

LYX

FEIERLICHE WORTE ZUM EXAMENSFEST VON SCHULLEITERIN JULIA SINCLAIR

liebe Schülerinnen und Schüler der Abschlussklasse

heute ist ein Tag der Freude: Ihr alle habt die Abschlussprüfungen erfolgreich abgelegt. Dazu gratuliere ich euch herzlich und bringe euch als eure Schulleiterin meinen vollsten Respekt und größte Anerkennung entgegen. Euch alle habe ich einmal mit folgenden Worten an der Dunbridge Academy begrüßt: Eines Tages werdet ihr diese Schule verlassen und in das Leben hinausgehen.

Unser Stolz sind die Schülerinnen und Schüler, die die Dunbridge Academy als junge Erwachsene verlassen, die für sich und ihre Mitmenschen einstehen. Die Werte wie Mitgefühl, Respekt und Toleranz verinnerlicht haben. Die nicht davor zurückscheuen, unbequeme Fragen zu stellen und gesellschaftliche Konventionen anzuzweifeln.

Eines Tages ist nun gekommen, und ich erkenne in euch allen Ehemalige, auf die diese Schule stolz sein kann. Behaltet euch das bei. Achtet aufeinander. Hört einander zu. Vertraut eurem Instinkt, aber lasst euch nie von eurer Angst lähmen. Bleibt neugierig, bleibt mutig und freundlich. Habt Zuversicht. Ihr seid jetzt auf euch allein gestellt. Und das ist gut so.

Herzlich,

Eure Julia Sinclair

Emma Wiley

Spitzname:
Emmi, Emma aus Deutschland, Laufmaus

Leistungskurse:
Englisch, Mathe, Sport

Lebensmotto:
Don't stop until you're proud

Nach dem Abschluss:
Sportmanagementstudium in St. Andrews und davor ein bisschen reisen

Das werde ich vermissen:
Meine Freundinnen und Freunde, Studierstundentee bei Tori, Tischdienst im Speisesaal, nachts rausschleichen, die Morgenläufe!

Das sagen meine Freund:innen über mich:
Wie kann man so schnell sein? / Emmi / Emma aus Deutschland, ich bin froh, dass du an die Dunbridge Academy gekommen bist / beste Zimmernachbarin / When Emma falls in love, I know that boy will never be the same / »Ich finde, es sieht schon aus wie eine Hand, oder nicht?« / Danke, dass du nie Leserillen in meine Bücher gemacht hast / Ihr seid Endgame / »Ich bleibe sowieso nur ein Jahr« lol / hat die schönste Haarfarbe / ohne dich wäre ich nicht mal in der Nähe des Rugby-Teams / liebt den Morgenlauf / Ihr Vater hat einen Wikipedia-Eintrag / »Machen wir ein paar Intervalle?« / »Ist das nicht verboten?« / Liebt es, mich auszubelasten / haben uns gegenseitig die Englischnote versaut / Mr Ward hat ihre Art zu antworten nicht so sehr gefallen / lebt Girlhood wie niemand sonst / Hat Mr Ward gleich in der ersten Stunde in seine Schranken verwiesen / Du hast auch nichts kaputtgemacht / Wie ehrfürchtig du damals warst / Manchmal bist du so Deutsch / »Muss man etwas bezahlen?«

Henry Bennington

Spitzname:
Bennington Bear, Harold, Lieblingsstreber, kleiner Löffel, Henni, Mr Schulsprecher

Leistungskurse:
Mathe, Englisch, Biologie, Latein

Lebensmotto:
»Whether you think you can, or you think you can't – you're right.« – Henry Ford

Nach dem Abschluss:
Ein bisschen reisen und dann Lehramtsstudium in St. Andrews

Das werde ich vermissen:
Die Mitternachtspartys mit meiner Wahlfamilie, die Lehrerinnen und Lehrer, Rektorin Sinclair

Das sagen meine Freund:innen über mich:
Schlimmster Musikgeschmack / Henry Harold / wird eines Tages Schuldirektor / Was für Jetlag, Alter? / Looks like a cinnamon roll – is a cinnamon roll / ein sehr sympathischer Streber / »Haselnuss ist immer« / mal fast von der Schule geflogen / Hat sich bei seinem ersten Rugbyspiel die Schulter ausgekugelt / kleiner Löffel / »Scheiße, Henry, kann ich Mathe abschreiben?« – »Ja, aber mach ein paar Fehler rein« / Danke für die authentische schottische Erfahrung / Socken und Birkenstocks / Weiß immer alles / Sein Bruder war Rugbycaptain / Eine Socke an der Tür oder so / Die ganze Unter- und Mittelstufe war verknallt in ihn / Kann alles außer Kunst und Sport / Liebe es, dir auf Nachtspaziergängen alles zu erzählen, ohne dich anschauen zu müssen /niemand liebt seinen Tee so wie er / »Schön, schön« / »Du besitzt zehn Finger und eine Zunge, also sei einfach ein bisschen kreativ« / ist irgendwie immer müde / gibt lieber allen Leuten Nachhilfe statt selbst zu lernen / in niemanden renne ich lieber rein als in dich

Victoria Belhaven-Wynford

Spitzname:
Tori, Julia, Victorious

Leistungskurse:
Englisch, Französisch, Geschichte

Lebensmotto:
Treat people with kindness

Nach dem Abschluss:
Interrail durch Europa und ab Herbst Schauspiel an der RADA in London

Das werde ich vermissen:
ALLES – außer die Morgenläufe!

Das sagen meine Freund:innen über mich:
Kristall-Queen / kann red-red flags ignorieren wie niemand sonst / looks like a cinnamon roll – would kill you / lebt für den Waffel-Mittag / hot guy shit playlist / »Um wie viel Uhr bist du geboren?« / *hart schlucken* / war so krass bei der Schultheateraufführung! / midnight memories / lese jedes Buch, das sie mir empfehlen würde / Social Anxiety hat Angst vor ihr / übernimmt spontan die Hauptrolle im Theaterstück und rockt es so sehr / ist den Morgenlauf in acht Jahren kein einziges Mal ohne Abkürzung gelaufen / »Es ist nicht Schund, es sind Liebesromane für junge Erwachsene« / verschenkt immer ihre annotierten Lieblingsbücher und ich liebe alles daran / Du bist das Gegenteil von egal / »Wir lagen nur rum« / hat viel zu viel Geld für die Vogue mit Harry Styles auf dem Cover ausgegeben / »meine nervige Steckdose funktioniert schon wieder nicht« / plant liebend gerne Kleiderordnungsaufstände / Pop-Culture-Queen / »Die Strategie ist *Was würde Harry Styles tragen?*«

Charles Sinclair

Spitzname:
Sinclair, Romeo oh Romeo!,
Bäckereijunge, Charlie, Pferdeflüsterer

Leistungskurse:
Englisch, Französisch, Latein

Lebensmotto:
»Carpe diem. Seize the day, boys.
Make your lives extraordinary.« – John Keating

Nach dem Abschluss:
Die Welt entdecken, die Freiheit genießen und dann Schauspiel an der Royal Academy of Arts

Das werde ich vermissen:
Jubilee, die Backstube und euch alle

Das sagen meine Freund:innen über mich:
Lieblingsbäcker / Lieb dich und dein männliches Männergetue / Nutella-Toast / nur aus Spaß vorsprechen und die Hauptrolle bekommen / hat Angst vor Hühnern / Charlie / immer entweder in der Bäckerei oder im Stall / »Morgenlauf fällt aus, oder?« / Romeoooo / Hat mal nach dem Neujahrsball gekotzt / schaut immer so seltsame alte Filme / »Auch einen Bissen?« / ist das Drama im Drama-Club / »Ey, ich bin nackt!« / hat mal Valentine Ward aufs Maul gehauen / Du Huhn / hatte früher die höchste Stimme im gesamten Chor / »Je suis allée au cinéma avec ma famille et mes copains« / war dann eigentlich doch ganz nett mit ihm in einem Zimmer / glaube, seine Mutter ist extrastreng mit ihm, damit ihr keiner vorwerfen kann, sie würde ihn bevorzugen / tut so, als fände er One Direction unnötig, aber ich weiß, dass du die Musik liebst / liebt Pferde / seine Mutter ist die Beste / hält mir Vorträge über Liebe, die actually hilfreich sind

Grace Whitmore

Spitzname:
Gracie, State of Grace, Externe, The Brain, Amazing Grace

Leistungskurse:
Sport, Spanisch, Englisch

Lebensmotto:
»I want auroras and sad prose,
I want to watch wisteria grow right
over my bare feet.« – Taylor Swift

Nach dem Abschluss:
Durchatmen, mir Zeit für mich nehmen und dann mal schauen, wohin es mich verschlägt

Das werde ich vermissen:
Rektorin Sinclair und das ganze Kollegium, meine Freundinnen und Freunde, Mr Acevedos klare Ansagen und Intuition, wenn etwas im Argen liegt, die Neujahrsbälle und die Sommerferien, in denen das Internat mir und meinem Lieblingsmenschen gehört hat

Das sagen meine Freund:innen über mich:
Jede*r braucht eine Grace in ihrem/seinem Leben / schlauste Person, die ich kenne / hat übertrieben entspannte Eltern / zukünftige Bestsellerautorin / Sieht in jedem Menschen was Gutes / »Scheiße, Flügelzeit, versteck dich kurz im Bad« / hat zwei kleine Brüder, von denen sie immer genervt ist / »hast du schon mit Geschichte angefangen?« / haben dich jedes Mal beim Frühstück und Abendessen vermisst, du Externe / Danke für die schönste Zeit / Du weißt, dass ich es lese und dass es verdammt gut ist / schreibt in jedem Fach einfach richtig gute Noten / verläuft sich absichtlich beim Joggen / »Lass lieber laufen, es ist gar nicht weit« / ihre Insta-Story hat mich mal vor dem Schulverweis bewahrt / ihr Zimmer ist so gemütlich! / die beste Abiballmoderation ever / fair, schlau, wunderschön / versteht immer alles sofort (und mich sogar ohne Worte)

Gideon Attwell

Spitzname:
Gid, Chef-Gideon, Gids, Benvolio

Kernfächer:
Sport, Englisch, Französisch

Lebensmotto:
»This was a royal waste of my time.
However, there were cookies.« – Gilmore Girls

Nach dem Abschluss:
Kulinarikschule in Paris

Das werde ich vermissen:
Meine Freunde, Rugby, Kochen in der Schulküche, Ferien im Internat, nachts rausschleichen

Das sagen meine Freund:innen über mich:
Rugby Ass / macht die besten Pfannkuchen / Egal, ob ich Letzter bin, Gideon muss eh Tafel wischen / kann richtig gut kochen / eher schweigsam, aber immer da, wenn man ihn braucht / Gidilein / bester Rugby-Lehrer / seine Familie hat ein Hotel in London / haben immer gemeinsame Mathe-Albträume :((/ Lieblingsbeschäftigung: Sinclair für seine Besoffenheit auslachen / Schlägt mich auch mal in Madrid zusammen <3 / war bis zur Elften mein Zimmernachbar / in den Ferien meistens an der Dunbridge geblieben / bestellt im Speisesaal gerne mal ein Entrecôte / glaube, er hat im letzten Schuljahr kein einziges Mal im Internat geschlafen / schnarcht übrigens / sluttiest waist of them all / musste mal genäht werden, weil er mit dem Fahrrad gestürzt ist / war ein absurd guter Benvolio / Madrid war nicht gerade seine Prime :* / fliegt Privatjet / ich wusste schon immer, dass du Grace liebst / tötet dich mit seinen Blicken

Olive Henderson

Spitzname:
Livy, Olive Garden, Scorpiolive, Olive Oil, Live Love Livy!

Kernfächer:
Sport (zu Spanisch gewechselt), Englisch, Physik

Lebensmotto:
»What, like it's hard?« – Elle Woods

Nach dem Abschluss:
Journalismusschule in London

Das werde ich vermissen:
Einfach alles!

Das sagen meine Freund:innen über mich:
Skorpio-Bestie / looks like she could kill you – is a cinnamon roll / Olive-Garden / kann ihr immer mein Herz ausschütten – danke! / warum nennt er dich eigentlich so? / Königin der Flechtfrisuren / »Victoria, Olive, verlegt euren Kaffeeklatsch doch bitte auf die Pause« / hat immer nasse Haare / Lieblings-Livy <3 / wirkt irgendwie immer wütend auf alle, aber wenn's drauf ankommt, ist niemand so für einen da wie sie / hasst Röcke / »Also mein Dad chillt hart« / auf sie kann man sich verlassen / in ihrem Zimmer hängen die furchtbarsten Fotos von uns an der Wand / findet Sternzeichen albern :O / schmeißt mich gerne auch mal aus meinem eigenen Zimmer / schreibt die besten Artikel für die Schülerzeitung / hat immer die schönsten Frisuren / bin so froh, dass du da bist / will mich immer mit ihrem Skorpioninnenstachel wegpieksen / wollte mich verpetzen, wenn ich im Unterricht esse / wenn sie sich was in den Kopf setzt, ist diskutieren zwecklos / hat mich mal im Affekt geküsst / bekommt immer Ärger von Mr Acevedo, wenn sie mich beleidigt / hat mir ein paar Hundert Mal das Leben gerettet / es war nicht mehr das Gleiche ohne dich / niemand steht so für mich ein wie du

Colin Fantino

Spitzname:
Cowboy, Col, Fantino, American-Boy

Kernfächer:
Englisch, Spanisch, Musik

Lebensmotto:
Hannah Montana says nobody is perfect, yet here I am

Nach dem Abschluss:
Auf jeden Fall Musiktherapie

Das werde ich vermissen:
Das Gemeinschaftsgefühl, ein bisschen das Essen und ganz sicher nicht vermissen werde ich das schottische Wetter

Das sagen meine Freund:innen über mich:
Howdy Cowboy / looks like he could kill you – would kill you / hat mal versucht, mich zu erpressen <3 / kann richtig gut Klavier spielen / aus New York / hast du noch Kekse? / Fantino = FUN TIME / meine Person <3 / kauft leidenschaftlich gern zu viel Alkohol / »Ich muss hier schnellstmöglich rausfliegen« / sehr leicht zum Heulen zu bringen, was Bücher und Filme angeht / »Wer möchte vorlesen? Colin?« / reinigt gerne die Bio-Präparate mit seiner Zunge / hasst es, wenn Pullis nicht mehr flauschig sind / Wenn er aus den Ferien zurückkommt, sollte man an jeder Straße ein Auge auf ihn haben, damit er nicht in die falsche Richtung schaut und überfahren wird / Sein Zimmer ist voller Essen / Außer dann, wenn's drauf ankommt / macht auch mal eine Glasvitrine für mich kaputt / seine kleine Schwester ist die Coolste / »Ey, kannst du mir Hotspot geben?« / »Du kannst froh sein, dass du so leise gekotzt hast«

NOBODY'S PERFECT

DAS BEST OF DER KLASSENBUCHEINTRÄGE AUS DER GEMEINSAMEN INTERNATSZEIT

KLASSE 5

- Sinclair zerkaut in der Pause den Füller eines Mitschülers; Maßnahme **(Acevedo)**
- Henderson verpetzt Mitschüler zu Unrecht; pädagogisches Gespräch **(Kelleher)**
- Bennington stört den Unterricht seiner Schwester Maeve aufgrund von „Heimweh"; Verwarnung **(Ward)**

KLASSE 6

- Belhaven-Wynford und Henderson stören durch lautes Schwatzen den Unterricht; Maßnahme und auseinandergesetzt **(Cox)**
- Bennington bemalt seinen Tisch im Musikunterricht; Maßnahme **(Barnett)**
- Henderson erscheint wiederholt mit nassen Haaren im Unterricht; Aufklärungsgespräch über Begünstigung von Erkältungskrankheiten **(Acevedo)**
- Sinclair säubert tintenbeschmierte Hände an Vorhang in der Bibliothek; Maßnahme **(Elling)**

KLASSE 7:

- Wynford täuscht Hausaufgaben vor; Konsequenzen **(Ward)**
- Attwell beschmutzt mit Seife die Schulkleidung eines Mitschülers; zusätzlicher Wäschereidienst **(Ringling)**
- Folgende Schüler kürzen wiederholt beim Morgenlauf ab: Belhaven-Wynford, Bennington, Sinclair; zusätzliche Sporteinheit erteilt **(Ventura)**

KLASSE 8:

- Henderson beschäftigt sich im Unterricht mit Zettelbotschaften; zusätzlicher Gemeinschaftsdienst erteilt **(Ringling)**

- Bennington und Whitmore missachten in Benningtons Zimmer die Flügelzeit; pädagogisches Gespräch und Maßnahme **(Acevedo)**
- Sinclair täuscht Appendizitis Symptomatik vor, um Mathematikprüfung zu entgehen; medizinische Aufklärung und Androhung einer Krankenhausverlegung **(Henderson)**

KLASSE 9:

- Folgende Schüler verschweigen, ohne Hausaufgabe zu sein: Belhaven-Wynford, Henderson, Sinclair, Attwell; Strafarbeit **(Kelleher)**
- Belhaven-Wynford gibt Smartphone vor Unterrichtsbeginn nicht ab und surft auf „Instagram"; Gerät abgenommen und über Nacht einbehalten **(Ringling)**
- Sinclair versäumt Tischdienst; Maßnahme **(Acevedo)**

KLASSE 10:

- Belhaven-Wynford plagiiert Hausaufgabe von Bennington und streitet dies vehement ab; Notenabzug **(Ward)**
- Sinclair und Attwell essen trotz Hinweis auf imminente Gefahr im Chemieunterricht; Nachsitzen und Aufsatz zu Sicherheitsregeln **(Ventura)**
- Bennington nächtigt in Whitemores Zelt bei Duke Expedition; Maßnahme und Aufklärung **(Ringling)**

KLASSE 11:

- Attwell, Belhaven-Wynford, Bennington, Sinclair, Wiley und andere missachten die Flügelzeit und das Alkoholverbot, verschaffen sich unbefugten Zutritt zu Schuldach; Rektoratsgespräch und Maßnahmen **(Ward)**
- Bennington vollzieht Täuschungshandlung (illegale Beschaffung von Prüfungsfragen, inklusive Einbruch in mein Büro); Schulverweis **(Ward i. A. Sinclair. Rückwirkend aufgehoben durch Sinclair)**
- Wiley vollzieht Täuschungshandlung (illegale Beschaffung von Prüfungsfragen, inklusive Einbruch in mein Büro) unter Miteinbeziehung von Mitschüler Bennington; Rektoratsgespräch und Maßnahmen **(Ward)**
- Belhaven-Wynford und Mitschülerinnen anderer Klassen verletzen Uniformpflicht; Rektoratsgespräch **(Kelleher)**

DUNBRIDG
Wenn man sich gerne selbst quält …
Wir alle wissen, was hier passiert (aus rechtlichen Gründen: natürlich nichts, was ausdrücklich in der Schulordnung verboten ist)
Abkürzung Nr. 2
Beim Tischdienst am besten erst kurz vor knapp auftauchen, damit man nicht noch Extraaufgaben zugeteilt bekommt
Guter Ort, um in Ruhe zu heulen!
Hier noch mal prüfen, ob die Uniform ordentlich sitzt
Abkürzung Nr. 1 beim Morgenlauf (sehr empfehlenswert!)

ACADEMY
Rein zufällig während des Rugbytrainings vorbeischlendern: äußerst empfehlenswert!
Hier melden und Bauchschmerzen (am besten rechts, Blinddarm!) vortäuschen, wenn man nicht gut genug auf eine Prüfung vorbereitet ist!
Hier nach Möglichkeit nie einbestellt werden: Es bedeutet selten was Gutes …
Perfekt, um ungesehen auszubüchsen
Der letzte Bus aus Edinburgh zurück fährt um neun!!!
Im Winter chlittschuh-laufen
Guter Platz, um heimlich rumzuknutschen
Zimtschnecken von Sinclair's Bakery!!

DA

1922

LYX

YEARBOOK

DA

1922

LYX

Wir werden uns nicht verlieren.
Diese Freundschaften,
das, was uns verbindet,
das ist zu stark.